DICTIONNAIRE
DES SYNONYMES

DICTIONNAIRE
des
SYNONYMES

par

R. DE NOTER   P. VUILLERMOZ
H. LÉCUYER

RÉPERTOIRE

DES MOTS FRANÇAIS USUELS
AYANT UN SENS SEMBLABLE, ANALOGUE
OU APPROCHÉ

PRESSES UNIVERSITAIRES DE FRANCE
108, Boulevard Saint-Germain, PARIS

—

1947

AVANT-PROPOS

Tous ceux qui ont donné des conseils sur l'art d'écrire ont insisté sur la nécessité, mais en même temps sur la difficulté, d'avoir à sa disposition un vocabulaire abondant et varié. Il nous faudrait, dit l'un d'eux, posséder une sorte d'arsenal toujours à notre portée, où nous puissions trouver rapidement et presque instantanément, au moment où notre idée s'éclaire prête à s'exprimer, le terme ou les termes propres destinés à rendre notre pensée dans toute sa précision, avec ses aspects complexes, avec ses nuances et toutes leurs variétés. Mais, avec les moyens naturels dont nous disposons, cette recommandation est bien difficile à suivre. Si on a pu dire, en effet, de l'imagination qu'elle est la « folle du logis », ne pourrait-on pas dire aussi bien de la mémoire qu'elle en est la gardienne infirme et infidèle, trop souvent sourde à nos appels ? L'orateur qui prépare un discours, l'avocat qui martèle pour son plaidoyer quelque phrase à effet, le poète ou le romancier qui cherchent le terme frappant ou décisif, le journaliste, dont les instants sont comptés, ont continuellement l'occasion de s'irriter contre elle. Pendant qu'ils cherchent le mot propre, le mouvement de l'imagination ou du raisonnement se ralentit et c'est souvent assez pour que la fraîcheur ou la vigueur de l'idée qu'ils allaient exprimer s'évanouissent.

C'est à tous ces mécontents, c'est à tous ceux que leur profession ou leur goût appellent à prendre la plume, que le présent ouvrage s'adresse. Nous y avons groupé autour de chaque terme tous ceux qui par leur sens lui sont apparentés. Tous les mots rangés par ordre alphabétique deviennent le centre de groupes de mots, sortes de familles qu'unissent le lien de l'analogie. D'un coup d'œil, on peut ainsi passer en revue toute l'équipe des expressions propres à traduire une idée, toute la gamme des nuances que la mémoire paresseuse ne pouvait fournir que lentement et très incomplètement. Reste à fixer son choix. Reste même la facilité d'enrichir l'idée première d'idées nouvelles que peut évoquer la vue de mots nouveaux.

— C'est affaire de culture personnelle. — Mais le travail du style se trouve du coup singulièrement facilité parce qu'à un instrument capricieux et imparfait comme la mémoire on a substitué la machine simple, automatique et bien réglée qu'est ce petit livre.

Dans ce *Répertoire*, il n'y a rien de scientifique, ni de définitif, et nous prions le public d'excuser dans un travail de ce genre d'inévitables oublis. Mais il vient combler une lacune et rendra pratiquement, nous en sommes certains, des services très utiles. C'est assez pour que nous le présentions avec confiance.

———

Cet ouvrage, dont il a été fait dans tous les domaines un usage très large, a suggéré de nombreuses observations dont nous avons voulu tenir compte dans cette édition nouvelle.

Des lacunes nous ont été signalées, que nous avons essayé de combler, soit par l'addition de mots nouveaux, soit par un développement plus étendu donné à l'étude de certains termes.

Nous ne nous dissimulons d'ailleurs pas et nous répétons que, par sa nature même, un ouvrage de ce genre ne saurait avoir l'ambition d'être définitif.

D'une façon générale, les auteurs ont tenu à rester fidèles à l'esprit dans lequel ce livre avait été conçu.

Ils se sont efforcés, en perfectionnant leur travail, d'éviter un double écueil: s'en tenir trop strictement aux synonymes véritables, et, d'autre part, descendre du genre aux espèces, s'enfermer à propos de chaque terme dans un cercle très étroit, ou entrer dans des énumérations indéfinies.

Ecartant ces deux tendances extrêmes, d'ordre scientifique, les auteurs ont voulu conserver à leur livre son caractère essentiellement pratique de Répertoire destiné à venir apporter rapidement à celui qui écrit et dont la mémoire hésite le prompt secours de termes approchant du mot cherché, ou du mot à remplacer, à compléter, à nuancer.

Nous espérons donc pour cette nouvelle édition, revue dans cet esprit, le vif succès qui avait accueilli la première.

PRINCIPALES ABRÉVIATIONS

V.   :   Voir.

Chim.   :   terme de chimie.

Fam.   :   expression familière.

Fig.   :   expression figurée.

Forest. :   terme forestier.

Hort.   :   terme d'horticulture.

Jurisp. :   terme de jurisprudence.

Marit.   :   terme maritime.

Mus.   :   terme de musique.

Physiol. :   terme de physiologie.

Pop.   :   expression populaire.

Théât.   :   terme de théâtre.

A

Abaissé. — Diminué, dégradé, courbé, descendu, décru, déprimé. — Renversé, en contrebas, en bas.

Abaissement. — Diminution, affaissement. — Déchéance, décadence, chute, bassesse.

Abaisser. — Baisser. rabaisser, ravaler, avilir, humilier, rabattre, mortifier, diminuer, déprécier, déprimer, rapetisser.

Abalourdi. — Lourd, balourd, lourdaud. — Stupide, borné, épais, obtus.

Abandon. — Cession, délaissement, abandonnement, renonciation. — Départ, désertion.

Abandonner. — Délaisser, quitter, renoncer, livrer, céder, lâcher, déserter, abjurer, renier.

Abasourdir. — Ebahir, assourdir, étourdir, ébaubir, stupéfier, consterner, abrutir.

Abâtardir. — Faire dégénérer, corrompre, altérer, dégrader, avilir, vicier.

Abattement. — Accablement, découragement, affaissement, anéantissement, prostration, langueur.

Abattre. — Faire tomber, renverser, mettre ou jeter à bas. — Démolir, détruire, raser, ruiner, terrasser, anéantir, abolir, saper, miner, culbuter, déraciner.

Abbaye. — Couvent, cloître, prieuré, béguinage, monastère, communauté, ermitage.

Abbé. — Curé, prêtre, vicaire.

Abbesse. — Mère, supérieure.

Abcès. — Clou, cancer, furoncle, tumeur, anthrax, phlegmon, panaris, apostume, bubon, empyème, fongus, mal blanc, pustule, fongosité.

Abdication. — Renonciation, démission, désistement, abandon, renoncement, déposition.

Abdiquer. — Résigner, se démettre, renoncer.

Aberration. — Erreur, méprise, bévue, écart. — Non-sens, fourvoiement, égarement.

Abêtir. — Comprimer l'intellect, rabêtir, abrutir, crétiniser, abalourdir, hébéter.

Abhorrer. — Haïr, exécrer, détester, éprouver de l'antipathie, de la répugnance, avoir en horreur.

Abîme. — Gouffre, précipice, mer, cavité, brèche, ouverture, crevasse.

Abject. — Rejeté, vil, méprisable, ignominieux, odieux, grossier, infâme, taré, dégradé, répugnant.

Abjection. — Bassesse, dégradation, avilissement, ignominie. — Platitude, servilisme, grossièreté, infamie, indignité.

Abjurer. — Renier, renoncer, rétracter, se convertir, apostasier, quitter.

Ablation. — Suppression, retranchement, mutilation.

Ablution. — Lavage, immersion, nettoyage, lotion, lavure, débarbouillage, hydrothérapie.

Abnégation. — Renoncement, sacrifice, oubli de soi-même, dévouement, altruisme, désintéressement.

Aboi. — Aboiement, jappement, clabaudement, glapissement, hurlement, grognement.

Abolir. — Anéantir, supprimer, annuler, abroger, casser, infirmer, révoquer, détruire. (*V. Abattre.*)

Abolissement. — (*V. Abolition.*)

Abolition. — Anéantissement, suppression, effacement, abolissement, extinction. — Absolution, grâce, pardon, rémission.

Abolitionniste. — Antiesclavagiste, libérateur.

Abominable. — Exécrable, très mauvais, détestable, répréhensible, déplorable, atroce, inqualifiable, maudit, damnable.

Abominablement. — Excessivement, terriblement, atrocement, déplorablement, désagréablement.

Abomination. — Horreur, aversion, exécration, répulsion, animadversion, haine, dégoût.

Abominer. — Haïr, exécrer, détester.

Abondamment. — Beaucoup, copieusement, profusément, extrêmement, à profusion, en abondance, amplement, considérablement, largement. — A discrétion, à satiété, à souhait.

Abondance. — Richesse, opulence, profusion, grande quantité, aisance, ressource, multitude, quantité.

Abondant. — Ample, copieux, fructueux, fertile, opulent. — Nombreux.

Abonder. — Affluer, fourmiller, regorger, pulluler, foisonner.

Abonnir. — Bonifier, améliorer, amender, réformer, corriger, perfectionner, restaurer.

Abord (D'). — A première vue, à l'instant, incontinent, premièrement, sur-le-champ, aussitôt.

Aborder. — Avoir accès, accoster, joindre, approcher, atteindre. — Affronter, heurter, rencontrer.

Aborigène. — Indigène, naturel, autochtone, originaire.

Aborner. — Borner, limiter, fixer, circonscrire, délimiter, barrer, déterminer.

Abortif. — Mal venu, à peine ébauché, avorté.

Abouchement. — Union, jonction, rapport, rencontre, visite, entrevue.

Aboucher (S'). — Se réunir, se joindre, se rencontrer. — Communiquer, conférer, s'entretenir.

Abouler (*pop.*). — Apporter, donner. — S'amener, venir, entrer. — Payer, s'acquitter.

Abouquer (*marit.*). — Saler, resaler, saumurer.

Aboutage (*marit.*). — Jonction.
Abouter. — Joindre, réunir, faire toucher, coller.
Aboutir. — Toucher, se terminer, avoir pour résultat, atteindre, arriver à. — Boutonner (*hort.*).
Aboyer. — Clabauder, vociférer, japper, glapir, hurler, donner de la voix, grogner.
Abracadabrant. — Incompréhensible, stupéfiant, étrange, fantastique, extraordinaire, saugrenu, bizarre.
Abraquer (*marit.*). — Raidir.
Abrégé. — Sommaire, épitomé, extrait, analyse, précis, résumé, compendium.
Abréger. — Amoindrir, réduire, raccourcir, diminuer. — Extraire, analyser, préciser, résumer, esquisser, schématiser.
Abreuver. — Faire boire, mouiller, arroser, saturer, rincer (*fam.*).
Abri. — Couvert, sûreté, protection, refuge, asile, gîte, retraite, lieu sûr, garage, cachette, repaire, tanière. — Mur, palissade, rempart, paillasson (*hort.*).
Abrogation. — Annulation, abolition, suppression.
Abroger. — Abolir, annuler, supprimer, infirmer, mettre hors d'usage, retirer.
Abrupt. — Rude, sauvage, âpre, inculte. — En pente, montant, raboteux, heurté, haché coupé.
Abruti. — Idiot, hébété, crétin, brute, abêti, stupide, ahuri.
Abrutir. — Hébéter, abêtir, crétiniser, abalourdir, idiotiser, abasourdir.

Absence. — Eloignement, défaut, privation, manque, disparition, congé, éclipse. — Distraction, oubli, omission, lacune.
Absenter (S'). — S'éloigner, défaillir, manquer, disparaître, s'éclipser, partir, s'en aller.
Absolu. — Impérieux, despotique, dominateur, rigoureux, tyrannique, arbitraire, autoritaire.
Absolution. — Acquittement, rémission, grâce, abolition, pardon, absoute.
Absolutisme. — Tyrannie, domination, rigueur.
Absorber. — Engloutir, consumer, détruire, dissiper, épuiser. — Ingurgiter, avaler, gober.
Absorber (S'). — S'attacher, se plonger, se perdre, s'abîmer, s'enfoncer.
Absoudre. — Pardonner, délier, affranchir, disculper, acquitter, remettre, renvoyer, libérer, réhabiliter.
Abstème. — Hydropote, œnophobe. — (*V. Boire.*)
Abstenir (S'). — Se priver, se récuser. — Se tenir éloigné, rester neutre, s'effacer.
Abstention. — Renonciation, récusation, effacement, empêchement. — Sevrage, diète, privation.
Abstinence. — Privation, continence, jeûne, diète.
Abstraction (Faire). — Ecarter, exclure, ne pas tenir compte, retirer.

Abstraire. — Séparer, isoler, considérer isolément.

Abstrait. — Distrait, séparé, écarté, éloigné.

Absurde. — Déraisonnable, faux, illogique, mal fondé, extravagant, fou.

Absurdité. — Sottise, extravagance, folie, déraison, insanité, incohérence, illogisme, divagation, ineptie.

Abus. — Excès, exagération, outrance, mauvais usage. — Erreur, faute.

Abuser. — Mésuser, user avec excès. — Surprendre, amuser, attraper, tromper, leurrer, en imposer, duper, décevoir, donner le change. — Séduire, enjôler.

Abuser (S'). — S'illusionner, se tromper, errer.

Abuseur. — Trompeur, séducteur. — Outrancier, immodéré.

Abusif. — Excessif, démesuré, exagéré, immodéré, outré, outrepassé.

Académie. — Institut. — Les Quarante.

Académicien. — Immortel.

Académique. — Correct, soigné, châtié, noble.

Acariâtre. — Bougon, morose, insociable, ours, hargneux, pointu, difficile, aigre, chagrin, incommode.

Accablement. — Anéantissement, affaissement, découragement, prostration, abattement, épuisement, langueur, dépression.

Accabler. — Ecraser, surcharger, opprimer, oppresser, faire succomber, vaincre, achever, épuiser, ruiner, anéantir, humilier, confondre. — Combler, prodiguer. — Excéder, fatiguer, ennuyer, abattre, assommer.

Accaparement. — Spéculation, monopolisation, centralisation.

Accaparer. — Retenir, amasser. monopoliser, centraliser, spéculer, rafler, voler.

Accéder. — Souscrire, acquiescer, adhérer, consentir, permettre, autoriser, tomber d'accord, donner les mains, concéder.

Accélérer. — Hâter, presser, stimuler, activer, expédier, dépêcher.

Accentuer. — Prononcer. — Appuyer sur, faire remarquer, insister.

Accepter. — Recevoir, agréer, adopter, admettre, toucher, empocher, supporter, trouver bon. — Se soumettre, s'engager, consentir, approuver, acquiescer, adhérer, accéder à, dire oui, ratifier, sanctionner.

Acception. — Sens, signification, désignation.

Accès. — Abord, approche, accueil. — Mal, indisposition, attaque, trouble.

Accessible. — Abordable, approchable, accueillant. — Intelligible, compréhensible.

Accident. — Evénement, aventure, revers, vicissitude, péripétie, incident, mésaventure, malheur, catastrophe.

Accidenté. — Mouvementé, varié, pittoresque, montueu ;,

montagneux, imprévu, inégal, irrégulier.

Accidentellement. — Fortuitement, par hasard, par accident, sans cause.

Acclamation. — Cri de joie, vivat, hourra, enthousiasme, approbation, glorification.

Acclamer. — Applaudir, saluer, pousser des cris de joie ou approbation.

Acclimater. — Accoutumer, naturaliser, habituer.

Accointance. — Fréquentation, familiarité, rapports, liaison, intelligences, privauté, camaraderie.

Accolade. — Embrassade, salut, baiser.

Accoler. — Entrelacer, joindre, juxtaposer. — Embrasser, saluer.

Accommodant. — Complaisant, conciliant, facile, sociable, arrangeant, obligeant, serviable, souple.

Accommodement. — Arrangement, ajustement, restauration, raccommodement, réconciliation, rapprochement.

Accommoder. — Ajuster, disposer, approprier, agencer, proportionner, arranger, restaurer, apprêter, assaisonner. — Concilier, terminer à l'amiable.

Accommoder (S'). — S'établir, s'installer, se plaire, s'habituer, se parer, s'accorder, se réconcilier.

Accompagnement. — Escorte, cortège, conduite. — Accessoire, complément. — Orchestre.

Accompagner. — Escorter, suivre, conduire, ramener, reconduire. — Chanter, jouer avec (*mus.*).

Accompli. — Achevé, révolu, réalisé, effectué. — Consommé, parfait, supérieur.

Accomplir. — Remplir, achever, observer, garder, effectuer, exécuter, réaliser, produire, retenir.

Accord. — Convention, consentement, paix, bonne intelligence, transaction, pacte, union, alliance, harmonie, contrat, marché, traité, connivence.

Accord (Etre d'). — Avouer, reconnaître, convenir. — S'entendre, être du même avis, coopérer, concourir.

Accord (Tomber d'). — Convenir, admettre, s'accorder, adhérer, consentir, acquiescer.

Accord (D'un commun). — Unanimement.

Accordant. — Consonnant. — Consentant, concordant.

Accorder. — Concilier, réconcilier, raccommoder. — Promettre, donner, octroyer, attribuer, harmoniser. — Permettre, concéder.

Accore. — Etançon, étai, soutien, contrefort.

Accort. — Enjoué, avenant, plaisant.

Accoster. — Joindre, aborder, approcher. — Se placer contre, côtoyer, rencontrer.

Accoter. — Appuyer, soutenir, adosser, étayer, incliner.

Accotoir. — Etançon, accore, étai, ados, appui.

Accoucher. — Mettre au monde, enfanter, produire, engendrer. — S'expliquer (*fam.*).

Accouchement. — Parturition, enfantement.

Accoudoir. — Appui, balustrade, accotoir, rampe.

Accouplement. — Conjonction, union, rapprochement, assemblage, croisement, entrelacement.

Accoupler. — Attacher, réunir, rapprocher, accoler, souder, apparier, unir, assembler, marier, allier, joindre, rassembler, grouper.

Accourcir. — Raccourcir, abréger, diminuer.

Accoutrement. — Vêtement, habit, habillement, défroques, nippes.

Accoutrer. — Affubler, parer, habiller.

Accoutumance. — Habitude, coutume, us, usage, mode, routine.

Accrocher. — Attacher, suspendre, pendre, heurter, saisir. — Attirer à soi, obtenir, décrocher.

Accroire. — Faire croire, imposer.

Accroissement. — Croissement, pousse, végétation. — Extension, agrandissement, majoration, augmentation, progression, plus-value, surplus, supplément, complément, recrudescence, amplification.

Accroître. — Agrandir, augmenter, développer, étendre, multiplier, adjoindre, majorer. — Enchérir, gonfler, amplifier.

Accroupir (S'). — S'asseoir, se baisser, se pelotonner, se ramasser, se tasser.

Accueillir. — Recevoir, donner accès, accepter.

Acculer. — Empêtrer, pousser à fond, réduire, obliger.

Accumuler. — Amasser, entasser. amonceler, rassembler, emmagasiner, empiler, mettre en tas, engranger, réserver.

Accusateur. — Délateur, dénonciateur, calomniateur, médisant, détracteur, diffamateur.

Accusation. — Inculpation, incrimination, imputation, attaque. — Confession, révélation.

Accusé. — Inculpé, prévenu, critiqué, incriminé, attaqué, diffamé, dénoncé, dénigré, calomnié.

Accuser. — Reprocher, imputer, blâmer, gourmander, révéler, indiquer, inculper, incriminer, dénoncer.

Acerbe. — Aigre, acide, âcre, âpre, astringent. — Austère, farouche, impitoyable, implacable, dur, rude, sévère.

Acéré. — Tranchant, piquant, coupant, aigu, affilé, blessant, mordant, acerbe.

Acescense. — Aigreur, acidité.

Achat. — Emplette, acquisition, marché.

Acheminer. — Diriger vers, mettre en chemin, habituer, marcher.

Acheter. — Payer, acquérir. — Corrompre, obtenir avec peine.

Acheteur. — Acquéreur, marchandeur, liardeur, enchérisseur, surenchérisseur, racheteur, client, chaland.

Achèvement. — Accomplissement, exécution, perfection, dénouement, terminaison, conclusion, aboutissement, solution, terme.

Achever. — Accomplir, exécuter, parfaire, dénouer, compléter, finir, terminer, parachever, perfectionner, couronner, clore, conclure. — Donner le coup de grâce.

Achoppement. — Choc, heurt, obstacle, embarras, difficulté, commotion, secousse.

Achopper. — Heurter, trébucher, arrêter, empêcher, frapper, buter, choquer.

Acide. — Aigre, piquant, mordant, âcre, aigrelet, sur, acidulé, acerbe.

Acné. — Inflorescence, bouton.

Acolyte. — Compagnon, complice, accompagnateur, satellite, compère.

A-coup. — Incident, mouvement imprévu, arrêt brusque.

Acoustique. — Qui produit un son, une vibration, des ondes sonores.

Acquéreur. — (*V. Acheteur.*)

Acquérir. — Se procurer, acheter, obtenir, gagner, faire avoir, procurer.

Acquêt. — Profit, héritage, gain, avantage.

Acquiescement. — Consentement, adhésion, agrément, approbation, ratification, assentiment, accord, acceptation, adoption.

Acquiescer. — Adhérer, céder, se rendre, accéder, consentir, souscrire, tomber d'accord.

Acquisition. — Emplette, achat, marché, provision, acquêt.

Acquit. — Quittance, décharge, reçu, solde, quitus.

Acquitté. — Quitte, soldé, payé. — Renvoyé, absous, pardonné, relâché, déchargé.

Acquittement. — Payement, remboursement, règlement, libération. — Absolution, pardon, rédemption, décharge.

Acquitter. — Payer, régler. — Rembourser, solder, se libérer, accomplir.

Acre. — Apre, acide, aigre, acerbe, haineux, irritant, mordant, piquant, corrosif.

Acreté. — Mordant, piquant, aigreur, violence, amertume.

Acrimonie. — Humeur, maussaderie, malignité, aigreur.

Acrimonieux. — Chagrin, maussade, sombre, bougon, hargneux, bilieux, revêche, acariâtre, désagréable.

Acte. — Action, mouvement, période, épisode, tableau.

Acteur. — Comédien, cabotin, histrion, artiste dramatique.

Actif. — Agissant, vif, laborieux, remuant, entreprenant, diligent, empressé, affairé, déluré, délié, zélé, énergique, travailleur.

Action. — Opération, œuvre, activité, énergie, ardeur, enthousiasme, zèle, mouvement. — Engagement, bataille, combat, choc, mêlée, conflit, rencontre.

Actionnaire. — Commanditaire, associé, intéressé.

Actionné. — Excité, tourmenté. — Occupé, affairé, entreprenant, actif, agissant, infatigable.

Actionner. — Citer en justice. — Mettre en mouvement, mettre en train. — Exciter, harceler, tourmenter.

Activement. — Rapidement, vivement, prestement, avec zèle.

Activer. — Presser, hâter, pousser.

Activité. — Vitesse, rapidité, célérité, diligence, promptitude, vélocité.

Actuel. — Effectif, réel. — Présent.

Actuellement. — Maintenant, aujourd'hui, présentement, à présent, en ce moment.

Acuité. — Finesse, pénétration, intensité.

Adage. — Proverbe, tradition, aphorisme, sentence, maxime, apophtegme.

Adagio (*mus.*). — Gravement, posément, lentement.

Adaptation. — Application, mise au point, transformation,

Additionner. — Calculer, récapituler. — Ajouter, joindre, adjoindre, annexer.

Adéquat. — Entier, total, équivalent, égal.

Adhérence. — Union, jonction, adhésion, cohésion, inhérence, cohérence, liaison.

Adhérent. — Fixé, annexé, attaché, assemblé. — Approbateur, adepte.

Adhérer. — Accéder, acquiescer, tomber d'accord, consentir, accepter. — Assembler, unir, joindre, grouper, adjoindre, réunir, combiner, accoler, associer, allier, inféoder, affilier, accoupler, amalgamer, assortir, marier, annexer, additionner, agréger, greffer, souder, lier.

Adhésion. — Adhérence, acquiescement, consentement, acceptation, approbation, agrément.

Adieu. — Bonne nuit, bonsoir, bonjour.

Adirer (*jurispr.*). — Egarer, perdre.

Adjacent. — Proche, contigu, avoisinant, voisin, touchant, attenant, joignant, prochain, environnant, limitrophe, juxtaposé, mitoyen.

Adjectif. — Epithète, attribut.

Adjoindre. — Joindre, associer.

Adjoint. — Associé, aide.

Adjudicataire. — Acheteur, exploitateur, entrepreneur, fournisseur, acquéreur.

Adjuration. — Supplication, sommation, commandement.

Adjurer. — Supplier, commander, conjurer, demander, sommer, réclamer, exiger.

Adjuteur. — Aide, auxiliaire, coadjuteur.

Admettre. — Recevoir, agréer, faire participer, permettre, accueillir, tenir pour valable, trouver bon, supposer, comporter, approuver, acquiescer, adhérer, consentir, concéder.

Administration. — Gouvernement, régime. — Gestion, conduite, gérance, direction. — Bureaucratie.

Administrer. — Gouverner, conférer, donner, appliquer, conduire, diriger, régir, gérer, mener.

Admirable. — Excellent, parfait, merveilleux, mirifique, remarquable, ravissant, éblouissant, étrange, étonnant, surprenant, stupéfiant, fantastique, extraordinaire.

Admissible. — Bon, valable, probant, acceptable.

Admonestation. — Avertissement, semonce, réprimande, exhortation, admonition, remontrance, direction, leçon, morale.

Admonester. — Tancer, avertir, sermonner, réprimander, semoncer, exhorter, moraliser, styler, catéchiser, chapitrer, morigéner, conseiller, aiguillonner, inciter.

Adolescence. — Jeunesse, fleur de l'âge.

Adolescent. — Éphèbe, enfant.

Adopter. — Préférer, choisir, s'attacher à. — Accepter, approuver, sanctionner, voter, admettre. — Embrasser, pratiquer.

Adoption. — Attachement, affiliation, liaison, introduction, admission. — Sanction, approbation, vote, suffrage.

Adorable. — Parfait, exquis, délicieux, aimable.

Adorateur. — Admirateur, dévot, fidèle.

Adorer. — Vénérer, révérer, honorer, idolâtrer. — Courtiser, flatter, se prosterner,

Ados (*hort.*). — Talus, butte, motte, monceau, tas.

Adossement. — Soutien, appui, contrefort, étançon, tuteur, accotoir.

Adosser. — Appuyer, soutenir, placer contre.

Adoucir. — Mitiger, modérer, tempérer, atténuer, concilier, polir. — Calmer, apaiser, édulcorer.

Adresse. — Dextérité, habileté, souplesse, finesse. — Ruse, artifice, entregent, industrie, savoir-faire.

Adroit. — Habile, expert, agile, leste, dégourdi, preste, souple. — Industrieux, entendu, ingénieux, exercé, délié, expérimenté.

Adulateur. — Louangeur, flatteur, flagorneur, enjôleur, patelin, obséquieux. — Douceureux, mielleux.

Adulation. — Flatterie, servilité. — Caresses, chatteries, attentions, mamours, gâteries, gentillesses, amitiés, amabilités, calinerie, cajolerie, prévenances, égards, avances.

Aduler. — Flatter, amadouer, cajoler, dorloter, choyer, enjôler, pateliner, gâter, courtiser.

Adultère. — Commerce illégitime, infidélités, conversation criminelle. — Tromperie, trahison, déshonneur.

2

Advenir. — Arriver, avoir lieu, subvenir, surgir, échoir. — Éclore, naître.

Adversaire. — Ennemi, antagoniste, belligérant, rival, compétiteur, partenaire.

Adversité. — Infortune, disgrâce, malheur, misère, détresse, fatalité, revers, épreuve. — Mécompte, mésaventure, traverse, malencontre, déconvenue, déboire, contretemps, insuccès, déveine, guignon.

Aérage. — Ventilation.

Affable. — Honnête, poli, gracieux, civil, courtois. — Agréable, élégant, distingué, fin, bien élevé, doux. — Abordable, traitable, liant, sociable, accueillant.

Affabilité. — Bienveillance, aménité, simplicité, douceur, bonne grâce, courtoisie, gentillesse.

Affablement. — Simplement, doucement, avec prévenance, poliment, gentiment.

Affadir. — Ôter la saveur. — Lasser, fatiguer, dégoûter.

Affadissant. — Insipide, doux. — Fatigant, ennuyeux.

Affaibli. — Altéré, diminué, énervé, amolli, efféminé, débilité, fatigué, épuisé, usé, délabré, exténué, atrophié.

Affaiblir. — Énerver, faiblir, amollir, diminuer, adoucir, atténuer.

Affaiblissant. — Qui énerve, amollit, rend faible.

Affaiblissement. — Débilitation, diminution, faiblissement, amollissement, adoucissement, énervement, épuisement, anémie, étiolement.

Affaire. — Occupation, travail, ouvrage, besogne, devoir, fonction, soin. — Dessein, entreprise, marché, convention, traité, transaction, spéculation, — Peine, embarras, difficulté. — Querelle, dispute, duel.

Affairé. — Accablé, occupé, agité, empressé, actif. — Préoccupé, inquiet, soucieux, embarrassé.

Affaissement. — Abaissement, dépression, déclin. — Accablement, torpeur, prostration, affaiblissement, inaction.

Affaisser (S'). — Se courber, se ployer, s'affaiblir, décliner, s'accabler, s'abaisser, se plier, succomber, s'affaler.

Affaiter. — Disposer, façonner, préparer. — Apprivoiser, dresser.

Affaler. — Abaisser, faire choir, glisser, s'affaisser, s'écrouler.

Affamé. — Avide, pressé, famélique, insatiable, ogre, goinfre.

Affectation. — Afféterie, mignardise, ostentation. — Imitation, faux semblant, dissimulation, ruse, fausseté, hypocrisie. — Attribution, imputation.

Affecté. — Apprêté, composé, compassé, étudié, mignard, guindé, recherché, maniéré, hypocrite, faux.

Affecter. — Se piquer, afficher, feindre, simuler. — Toucher, impressionner, affliger. — Attacher, attribuer, annexer.

Affection. — Amitié, amour, propension, tendresse, penchant, inclination, attachement, passion.

Affectionner. — Aimer, chérir, attacher, intéresser.

Affermer. — Louer, bailler.

Affermir. — Attacher, établir, préciser, immobiliser, désigner, consolider, assurer, arrêter, cimenter, confirmer, sceller, raffermir, fixer, déterminer, solidifier.

Affermissement. — Consolidation, amélioration.

Afféterie. — Affectation, mignardise, recherche.

Affiche. — Annonce, programme, proclamation, prospectus, publicité, réclame, placard, pancarte, enseigne, étiquette.

Afficher. — Affecter, étaler, compromettre, se piquer. — Placarder, annoncer, publier, lancer, proclamer, coller.

Affidé. — Confident, associé, complice, affilié, adepte, acolyte, compère, agent secret, espion.

Affilé. — Aiguisé, tranchant, coupant, piquant.

Affiler. — Planter à la file, aiguiser.

Affiliation. — Adoption, initiation, association.

Affilié. Initié, associé. — (*V. Affidé.*)

Affinage. — Purification.

Affiner (S'). — Devenir fin, se purifier. — S'améliorer, se délier.

Affinité. — Conformité, ressemblance, enchaînement, rapport, analogie, alliance, connexion, liaison, connexité, jonction, union, lien, similitude, rapprochement, corrélation.

Affiquet. — Parure, bijou.

Affirmation. — Affirmative, allégation, thèse, déclaration, attestation, version, assertion, dire, assurance, articulation, certificat, certitude.

Affirmer. — Assurer, confirmer, attester, avancer, soutenir, proclamer, publier, prétendre, certifier, garantir, jurer, dire, maintenir, alléguer.

Affleurer. — Border, côtoyer, entourer, marginer, toucher, longer, effleurer. — Délayer, mêler.

Affliction. — Douleur, chagrin, tristesse, désolation, mal, peine, souffrance, tourment, tribulation, amertume, désespoir.

Affliger. — Fâcher, attrister, chagriner, tourmenter, vexer, contrister, mortifier, navrer, consterner, contrarier, désoler, désespérer, peiner.

Affluence. — Concours, foule, multitude. — Abondance, afflux.

Affluer. — Augmenter, accroître, survenir, abonder.

Affranchir. — Délivrer, dégrever, libérer, émanciper.

Affrètement. — Louage, frêt, nolis, armement.

Affréter (*marit.*). — Louer, noliser, fréter, armer.

Affreux. — Horrible, hideux, difforme, laid, effroyable, épouvantable. — Baroque, grimaçant, déjeté, tordu, tors, bizarre, tourmenté, repoussant, disgracieux, déformé, informe, contrefait, monstrueux.

Affriolant. — Appétissant, charmant, plein d'attraits, séduisant, charmeur, attractif, engageant, alléchant, attrayant, affolant.

Affront. — Insulte, outrage, avanie, injure, offense, indignité, incartade, algarade.

Affronter. — Attaquer, braver, s'exposer, heurter, se hasarder. se risquer. — Tromper, outrager.

Affruiter (S') (*hort.*). — Se mettre à fruit.

Affublé. — Vêtu, revêtu, accoutré, fagoté, habillé, costumé, déguisé, nippé.

Affûter. — Aiguiser, tailler, affiler.

Afin de. — Afin que, pour que, pour.

Agaçant. — Irritant, énervant. — Provocant, attirant, excitant.

Agacement. — Impatience, énervement, irritation.

Agacer. — Harceler, provoquer, piquer, animer, exalter, contrarier, irriter, importuner, exciter.

Agape. — Repas, festin, banquet.

Age. — Temps, durée, années, vie, génération.

Agé. — Vieux, suranné, vieilli. — Vieillard, barbon, vétéran.

Agence. — Emploi, charge. — Bureau, administration, boutique.

Agencer. — Ajuster, parer, arranger, disposer, aménager, organiser.

Agent. — Fonctionnaire, émissaire, commis, mandataire, intermédiaire, délégué.

Agenouiller (S'). — Se mettre à genoux, s'incliner, se prosterner.

Agglomérer. — Amonceler, assembler, entasser, réunir, grouper, joindre, combiner.

Aggluttiné. — Recollé, rejoint, collé, accolé.

Aggravation. — Augmentation, accroissement, redoublement, renforcement.

Aggraver. — Rendre plus lourd, plus douloureux, plus pénible, plus grief, renforcer, accroître, redoubler, augmenter.

Agile. — Dispos, léger, souple, vif, alerte, rapide.

Agio. — Bénéfice, spéculation.

Agiotage. — Trafic, spéculation, tripotage, change.

Agir. — Faire, opérer, négocier, se comporter, machiner, manœuvrer, manigancer, s'agiter, se démener. — Intervenir, poursuivre, lutter contre.

Agissant. — Actif, vif, énergique.

Agissement. — Conduite, menée.

Agitateur. — Réformateur, révolutionnaire, meneur, insurgé, rebelle, factieux, mutin, séditieux, révolté.

Agitation. — Trouble, tourment, ébranlement, perturbation, menée.

Agiter. — Secouer, ébranler, remuer. — Émouvoir, troubler, inquiéter. — Traiter, discuter, débattre.

Agonie. — Extrémité, fin. — Extrême angoisse.

Agrafer. — Attacher, saisir, fermer, lier, nouer, accrocher.

Agrandir. — Accroître, augmenter, étendre, amplifier, exagérer, grossir, enfler, aggraver.

Agréable. — Gracieux, charmant, délectable, délicieux, délicat, attrayant, enivrant, enchanteur, plaisant, sympathique.

Agréer. — Accepter, recevoir, approuver. — Plaire.

Agréger. — Associer, unir, joindre.

Agrément. — Approbation, consentement, ratification, adhésion, acquiescement. — Amusement, divertissement, plaisir. — Ornement, enjolivement, embellissement.

Agréments. — Grâces, aménité, appas, attraits, charme, séduction.

Agrémenter. — Orner, enjoliver, embellir, parer, garnir, ouvrager, ouvrer, décorer.

Agrès (*marit.*). — Gréement, équipement.

Agression. — Attaque, provocation.

Agreste. — Sauvage, champêtre, rustique, rude, inculte, grossier, rural, pastoral.

Agriculteur. — Paysan, colon, cultivateur, laboureur, fermier, planteur, campagnard, rustre.

Agronome. — Habile aux travaux des champs, versé dans l'agriculture.

Aguerri. — Accoutumé, habitué, familier, entraîné.

Ahuri. — Troublé, étonné, interdit, abasourdi, stupéfait, ébahi, ébaubi, confondu, émerveillé, saisi, surpris, abruti.

Aide. — Secours, appui, assistance, concours, protection, coopération, collaboration, renfort, coup de main. — Auxiliaire.

Aider. — Assister, secourir, appuyer, seconder, coopérer, protéger, soulager, soutenir, subvenir, renforcer, collaborer.

Aïeul. — Grand-père, ancêtre, ascendant.

Aigre. — Acerbe, acide, acrimonieux, piquant, âcre, amer, âpre. — Aigu, rude, perçant, désagréable. — Revêche. acariâtre, mordant, blessant.

Aigreur. — Acrimonie, âcreté, fiel, ressentiment. — Apreté, âcreté.

Aigu. — Pointu, acéré, affilé. — Clair, perçant, pénétrant. — Piquant, mordant, cuisant, cruel.

Aiguillonner. — Exciter, animer, inciter, piquer, picoter, provoquer. — Stimuler, pousser à, encourager, porter à.

Aiguiser. — Affûter, alléger, amenuiser, repasser, émoudre, rémoudre, affiler, émorfiler. — Augmenter, exciter.

Aile. — Aileron, élytre.

Ailleurs (D'). — En plus, outre cela, de plus, en outre, du reste.

Aimable. — Gracieux, charmant, poli, souriant.

Aimant. — Tendre, affectueux, sensible, enthousiaste, chaleureux, dévoué.

Aimanter. — Attirer.

Aimer. — Chérir, affectionner, adorer, s'éprendre. — Se plaire à, s'engouer de, raffoler de, se livrer à, se coiffer de, s'attacher.

Aînesse. — Priorité, primogéniture.

Ainsi. — C'est pourquoi, comme, de même que, de la manière que, de cette sorte, de cette façon.

Air. — Aspect, maintien, extérieur, expression, mine, physionomie. — Ciel, éther, espace, immensité, atmosphère, olympe, zénith. — Effluve, bouffée, émanation, exhalaison.

Ais. — Planche, solive, poutre, madrier, montant, chevron.

Aisance. — Facilité, dégagement, liberté, possibilité, commodité. — Abondance, opulence, fortune, richesse.

Aise. — Content, ravi, joyeux, enchanté, réjoui, satisfait.

Aisé. — Facile, abordable, accessible, dégagé, praticable, exécutable, faisable, commode, possible, simple, élémentaire.

Aisément. — Facilement, commodément, sans peine, librement, avec jeu.

Aises. — Commodités, confortable, facilités.

Ajournement. — Renvoi, retard, remise, délai, sursis, renvoi, recul.

Ajourner. — Renvoyer, remettre, retarder, tarder, temporiser, différer.

Ajouter. — Joindre, augmenter, charger, amplifier, additionner, surajouter, annexer, majorer, accroître, prolonger, élargir, étendre, redoubler, multiplier, compléter.

Ajustement. — Accommodement, conciliation. — Disposition, arrangement, parure.

Ajuster. — Accommoder, embellir, disposer. — Habiller, arranger, maltraiter. — Accorder, concilier, s'entendre. — Calculer, combiner, joindre, assembler.

Alarme. — Effroi, crainte, appréhension, peur, terreur, frayeur, épouvante, émotion, souci, émoi, inquiétude, tremblement, frisson, transes.

Alarmer. — Effaroucher, effrayer, épouvanter, inquiéter, émotionner.

Albion. — Angleterre, Grande-Bretagne.

Alène. — Poinçon, aiguille.

Alentour. — Autour de, aux environs de, tout près de, pourtour, périphérie, environs, abords, bordure.

Alerte. — Inquiétude, crainte, alarme, transe. — Garde.

Alerte. — Vigilant, leste, preste, dispos.

Aléser. — Polir, lisser, fourbir, frotter.

Algarade. — Gourmade, semonce, sortie, insulte, reproche, objurgation, bourrade, galop.

Aliéné. — Fou, déséquilibré.

Aliéner. — Vendre, céder, transférer. — Rendre hostile.

Alimenter.—Sustenter, nourrir.

Aliments. — Nourriture, subsistances, chère, mets, comestibles, vivres, victuailles, mangeaille, denrées alimentaires, provisions, pitance, ration, portion.

Allaiter. — Nourrir.

Allé (Etre). — Avoir été.

Allécher. — Attirer, séduire.

Alléger. — Soulager, décharger, diminuer, calmer.

Allégorie. — Parabole, apologue, fiction, métaphore, comparaison. — Emblème, devise, symbole, hiéroglyphe.

Allégorique. — Mythologique, légendaire, parabolique, fabuleux, symbolique, métaphorique, emblématique.

Allégresse. — Joie, réjouissance, jubilation.

Alléguer. — Citer, produire, rapporter, s'appuyer sur, prétexter, prétendre.

Aller à la rencontre. — Aller au-devant.

Alliance. — Association, ligue, confédération, pacte, accord, coalition, union. — Affinité, parenté, lien, mariage.

Allié. — Ami, confédéré. — Parent (par affinité).

Allocation. — Gratification, subvention. — Attribution (de biens) (*jurispr.*).

Allocution. — Harangue, discours, laïus, causerie.

Allonger. — Prolonger, proroger, étendre, déployer.

— Porter, asséner, lancer. — Presser le pas. — Retarder, traîner en longueur. — (*V. Ajouter.*)

Allouer. — Accorder, attribuer, donner, octroyer, concéder, approuver, offrir, avancer, gratifier, doter, décerner.

Allumer. — Mettre le feu à, éclairer. — Produire, exciter, provoquer.

Allure. — Démarche, attitude, marche, tournure, maintien, prestance, — Mouvement, vitesse.

Allusion. — Fable, apologue, mythe, légende, figure, fiction, parabole, prosopopée, métaphore, comparaison.

Almanach. — Calendrier, éphéméride.

Alors. — En ce moment-là, dans ce temps-là, pour lors.

Alourdir. — Appesantir, surcharger, accabler, écraser, peser.

Altération. — Changement, modification, falsification.

Altercation. — Dispute, querelle, différend, discussion, contestation, démêlé, débat, controverse, contention, combat, noise, conflit, scène, sortie, algarade.

Altéré. — Changé, détérioré, dénaturé, travesti, défiguré. — Assoiffé.

Altérer. — Changer, modifier, tronquer, dénaturer, corrompre, falsifier, détériorer.

Alternance. — Succession, superposition.

Alterner. — Se succéder, renouveler, changer, varier, remplacer.

Altesse. — Prince, princesse.

Altier. — Fier, hautain, dédaigneux, glorieux, avantageux, rogue, arrogant, impérieux, orgueilleux, méprisant, roi.

Altitude. — Hauteur, élévation.

Altruisme. — Oubli de soi-même, bienveillance, sympathie, philanthropie, humanité.

Amabilité. — Aménité, affabilité, gentillesse.

Amadouer. — Flatter, caresser, attirer, cajoler, enjôler.

Amaigrissement. — Atrophie, maigreur, diminution, émaciation.

Amalgame. — Alliage, assemblage, réunion, mélange, cohésion, combinaison.

Amant. — Amoureux, galant, soupirant, bien-aimé.

Amarre. — Câble, cordage, corde, chaîne, attache.

Amas. — Tas, monceau, pile. — Réunion, assemblage, ramassis, agglomérat, agrégat.

Amasser. — Entasser, accumuler, amonceler, agglomérer, assembler, réunir, ramasser, thésauriser, collectionner, empiler, cumuler.

Amateur. — Connaisseur, curieux.

Amaurose. — Obscurcissement, cécité, aveuglement.

Ambassadeur. — Envoyé, député, messager, déplomate, ministre, représentant, plénipotentiaire.

Ambassade. — Députation, mandat, charge.

Ambiant. — Environnant, voisin, proche.

Ambigu. — Équivoque, douteux, mélangé, amphibologique, louche, incertain.

Ambiguïté. — Amphibologie, double sens, équivoque.

Ambitieux. — Intrigant, envieux. — Recherché, pompeux, prétentieux.

Ambition. — Brigue, recherche, cabale, manœuvre, intrigue, convoitise. — But, idéal, désir, envie, visée, aspiration, prétention, vues, but.

Ambitionner. — Poursuivre, désirer, convoiter, envier, prétendre, rechercher, aspirer à, briguer. — Intriguer, cabaler, tramer.

Amble. — Allure.

Ambulance. — Hôpital, infirmerie.

Ambulant. — Instable, sans résidence fixe, qui se déplace, nomade, bohème, vagabond.

Ame. — Esprit, conscience, essence, principe, intelligence, cœur, émanation.

Ame faible. — Cœur faible, esprit faible ou pusillanime, caractère faible.

Amélioration. — Meilleur état, réparation, embellissement, augmentation, perfectionnement, correction.

Améliorer. — Rendre meilleur, embellir, perfectionner, épurer, réparer, augmenter, enjoliver, avantager, bonifier, amender.

Aménager. — Diviser, réglementer, disposer, arranger, ranger, distribuer, régler.

Amende. — Punition, peine, châtiment. — Indemnité.

Amendement. — Correction, réforme, modification, changement, amélioration, perfectionnement.

Amender. — Modifier, améliorer, corriger, progresser, réformer. — Fertiliser, alléger (*agric.*).

Amener. — Attirer, tirer à soi, introduire, traîner à sa suite, conduire. — Abaisser, faire descendre.

Aménité. — Agrément, grâce, charme, douceur, politesse, affabilité, sociabilité, bienveillance, amabilité.

Amenuiser. — Allégir, amincir, aiguiser, amoindrir, rapetisser, diminuer.

Amer. — Aigre, acide, âcre. — Désagréable, triste, pénible, douloureux.

Ameuter. — Assembler, rassembler, attrouper. — Soulever, déchaîner.

Ami. — Compagnon, camarade, allié.

Amitié. — Affection, inclination, attachement, amour, tendresse, passion, goût, penchant, sympathie.

Amnistie. — Grâce, pardon, effacement, oubli, absolution, remise.

Amoindrir. — Diminuer, atténuer, mitiger, pallier, raccourcir, écourter, tronquer, abréger, restreindre, apetisser, réduire, rogner.

Amollir. — Attendrir, émouvoir, efféminer, énerver, affaiblir, mollir, ramollir, mollifier.

Amonceler. — Amasser, entasser, accumuler.

Amorce. — Appât, attrait, invite, attraction. — Capsule.

Amorcer. — Attirer, alléger, préparer, allécher, amadouer, appâter.

Amortir. — Calmer, adoucir, affaiblir, ralentir.

Amour. — Amitié, tendresse, affection, inclination, flamme, attachement, passion, sentiment. — Flirt, marivaudage, privauté, faveurs. — Penchant, caprice, galanterie, amourette.

Amoureux. — Galant, amant, soupirant. — Passionné, affectionné, attaché.

Amour-propre. — Orgueil, morgue, superbe, suffisance, présomption, gloriole.

Amphibologique. — Douteux, équivoque. — Pédantesque.

Amphigourique. — Obscur, inintelligible, embrouillé, absurde.

Ample. — Large, grand, spacieux, vaste. — Copieux, abondant, étendu, complet, développé.

Amplement. — Abondamment, beaucoup, grandement, en abondance, bien, considérablement, copieusement, à foison, fort, largement, spacieusement.

Amplification. — Accroissement, exagération, développement.

Amplifier. — Accroître, augmenter, étendre, developper, grossir, exagérer.

Ampoulé. — Boursouflé, enflé, emphatique, guindé, exagéré, prétentieux, empesé, affecté.

Amulette. — Talisman, médaille, fétiche.

Amusement. — Divertissement, récréation, réjouissance, agrément, distraction, plaisir.

Amuser. — Divertir, récréer, réjouir, distraire, délasser, égayer, délecter. — Tromper, abuser.

Anachorète. — Ermite, solitaire, cénobite, ascète.

Anachronisme. — Erreur, faute, métachronisme, parachronisme, prochronisme.

Analogie. — Ressemblance, convenance, correspondance, rapport, conformité, similitude.

Analogue. — Semblable, pareil, ressemblant.

Analyse. — Étude, abrégé, extrait, raccourci, précis, résumé, sommaire, décomposition.

Anarchie. — Désordre, confusion, trouble.

Anathème. — Excommunication, malédiction, réprobation, exécration.

Ancêtre. — Aïeul, père, grand-père, devancier, prédécesseur, ascendant.

Ancien. — Antique, vieux, âgé, suranné.

Anciennement. — Autrefois, jadis.

Ancrer. — Attacher, fixer, affermir, consolider, mouiller, affourcher.

Androgyne. — Hermaphrodite.

Ane. — Baudet, ânon, roussin, bourricot, grison, bourriquet, roussin d'Arcadie. — Ignorant, balourd, buse, bête, butor, cruche, ganache, mâchoire, ignare, nul, niais.

Anéantir. — Détruire, ruiner, annihiler, abolir, démolir. — Radier, raturer, effacer.

Anéantissement. — Abattement, accablement, abaissement, prostration. — Ruine, destruction.

Anecdotes. — Histoire, fastes, chroniques, annales, mémoires, commentaires, vies, relations, archives.

Anerie. — Balourdise, ignorance, imbécillité, stupidité.

Anesse. — Bourrique.

Anfractuosité. — Inégalité, détour, déchirure, enfoncement.

Ange. — Messager, envoyé, esprit de Dieu, séraphin, chérubin, archange.

Angle. — Arête, coin, coude, recoin, encoignure, enfoncement, renfoncement.

Angoisse. — Transe, affres, inquiétude, anxiété, crainte, affliction, tourment, chagrin.

Animal. — Bête, brute, imbécile. — Bétail.

Animation. — Agitation, remuement, vivacité, chaleur, activité, action, excitation, énervement.

Animer. — Exciter, inciter, pousser, encourager, aiguillonner, porter à, pousser à.

Animosité. — Inimitié, rancune, ressentiment, haine. — Violence, colère, emportement.

Annales. — (V. *Anecdotes*.)

Anneau. — Bague, annelet, virole, armille.

Année. — An, date, millésime, annuité.

Annexe. — Dépendance, succursale, appendice.

Annexé. — Adhérent, attaché, joint, adjoint.

Annihiler. — Réduire à néant, détruire, anéantir.

Annonce. — Avis, nouvelle, information, réclame, publicité. — Communication, divulgation, rapport, relation, propos, proclamation.

Annoncer. — Dénoncer, prédire, présager, renseigner, informer, raconter, mander, notifier, proclamer, prévenir, déclarer, découvrir, manifester, révéler, apprendre, ébruiter, publier, divulguer, communiquer.

Annoter. — Noter, commenter, gloser.

Annulation. — Nullité, abrogation, infirmation, cassation, révocation, suppression.

Annuler. — Abolir, abroger, casser, infirmer, révoquer, invalider, défaire, effacer, supprimer, anéantir.

Anoblir. Faire noble, conférer un titre de noblesse.

Anomalie. — Irrégularité, bizarrerie, difformité, inégalité, étrangeté, incohérence.

Anormal. — (V. *Irrégulier*.)

Antagoniste. — Ennemi, adversaire, combattant, rival, compétiteur.

Antécédent. — Précédent, antérieur, préexistant.

Anthropométrie. — Mensuration

Antidote. — Contrepoison, révulsif.

Antipathie. — Haine, aversion, répugnance, éloignement, dégoût, ressentiment, rancune, hostilité.

Antiphrase. — Contre-vérité.

Antique. — Vieux, ancien, passé, primitif, suranné.

Antithèse. — Opposition, contraste, contraire.

Antre. — Caverne, grotte, tanière, repaire, souterrain, terrier, réduit, gîte, cachette, trou, abri.

Anxiété. — Inquiétude, énervement, impatience, contrariété, perplexité, préoccupation, souci, alarme, angoisse, tourment, transe.

Apaiser. — Calmer, adoucir, pacifier, rassurer, rasséréner, éteindre, tranquilliser.

Apathie. — Insensibilité, indifférence, indolence, nonchalance, mollesse, inertie, inactivité.

Apercevoir. — Voir, découvrir, percevoir, remarquer, distinguer, entrevoir, discerner, constater, aviser.

Apetisser. — Rapetisser, raccourcir, diminuer, écourter, réduire, amoindrir, atténuer, restreindre.

Aphorisme. — Axiome, maxime, sentence, apophtegme, adage, proverbe, pensée, formule.

Aphrodisiaque. — Excitant.

Aplanir. — Unir, adoucir, faciliter, niveler, égaliser, aplatir, raser.

Aplati. — Étouffé, abaissé, assoupi.

Aplatissement. —Abaissement, éreintement.

Aplomb. — Verticalité, équilibre. — Assurance, hardiesse, sang-froid, audace. — Toupet.

Apocryphe. — Faux, controuvé, supposé, inexact, erroné, mal fondé, mensonger, inventé, chimérique.

Apologie. — Défense, justification, approbation, louange, éloge, plaidoyer.

Apologue. —Allégorie, parabole, fable.

Apophtegme. — (V. *Aphorisme.*)

Apostasie. — Reniement, abjuration, rétractation, abandon, désertion.

Aposter. — Poster, embusquer, placer.

Apostrophe. — Interpellation. — Coup, balafre.

Apostropher. — Haranguer, débiter, pérorer, proférer.

Apostume. — Épanchement, infiltration, dépôt, apostème, abcès.

Apothéose. — Déification, glorification.

Apôtre. — Disciple, prophète, missionnaire, propagateur, évangélisateur — Vulgarisateur.

Apparaître. — Paraître, se montrer.

Apparat. — Pompe, solennité, magnificence, faste, grandeur, gloriole, montre, étalage.

Appareil.—Apprêts, préparatifs. — Machine.

Appareiller. — Unir, accoupler. — Mettre à la voile, voguer.

Apparence. — Dehors, extérieur, forme, figure, air, aspect, surface. — Vraisemblance, probabilité, semblant, présomption, conjecture.

Apparent. — Visible, manifeste, évident. — Spécieux.

Apparition. — Vision, spectre, fantôme.

Appartement. — Domicile, résidence, adresse, logement, demeure, pénates, foyer, home, local, logis, intérieur, lares, chez-soi, pied-à-terre.

Appartenance. — Dépendance, accessoire.

Appartenir. — Etre à, faire partie de, concerner. — Convenir.

Appas. — Attraits, charmes, grâces, avantages, beauté.

Appât. — Piège, amorce, leurre, embûche, tromperie, tentation.

Appauvrissement. — Épuisement, amaigrissement, dégénérescence, affaiblissement.

Appeler. — Nommer, désigner, crier, héler, interpeller, apostropher, convier, inciter, inviter, mander, convoquer. — Évoquer, invoquer.

Appellation. — Dénomination, qualificatif, nom, désignation.

Appendice. — Supplément, prolongement, queue, extrémité. — Addition, complément.

Appendre. — Suspendre, pendre, accrocher.

Appétit. — Faim, besoin, fringale. — Désir, passion, goût, inclination.

Applaudir. — Battre des mains, claquer des mains. — Approuver, goûter, louanger, louer, glorifier, acclamer, féliciter, congratuler, complimenter, ovationner.

Applaudissement. — Claquement, battement. — Louange, éloge, compliment, acclamation.

Application. — Superposition, attribution, mise en pratique. — Attention, persévérance, concentration, tension.

Appliquer. — Mettre, apposer, attribuer, imputer, infliger. — Frapper, battre, asséner.

Appointements.—Émoluments, gages, honoraires, salaire, traitement, paye, solde.

Apporter.— Porter, transporter, transférer. — Employer, mettre. — Causer, produire. — Citer, alléguer.

Apposer. — Appliquer, imprimer, signer, parapher, sceller, marquer.

Apprécier. — Estimer, évaluer, priser, déterminer, juger, qualifier, expertiser, arbitrer, peser.

Appréhender. — Craindre, redouter, avoir peur, trembler, frissonner, s'effrayer, s'épouvanter, s'alarmer, s'effaroucher.

Apprendre. — S'instruire, étudier, approfondir, creuser, pénétrer. — Enseigner, instruire. — Informer, aviser, faire savoir.

Apprêté. — Affecté, composé, hypocrite.

Apprêter. — Disposer, préparer, façonner, organiser, arranger, combiner, élaborer, préméditer, mûrir, ébaucher.

Apprivoisé. — Domestiqué, privé, soumis.

Approbation.— Acquiescement, adhésion, consentement, agrément, ratification, assentiment, accession, sanction, acceptation, aveu, amen.

Approche. — Proximité, voisinage, accès. — Rencontre, combat.

Approcher. — Aborder, avoir accès. — Côtoyer, confiner.

Approfondir. — Creuser, chercher, pénétrer, examiner, scruter, sonder, fouiller, analyser.

Approprier (S'). — S'arroger, s'attribuer, s'assimiler, prendre.

Approuver. — Applaudir, goûter, acquiescer, accepter, concéder, ratifier, agréer, accorder, admettre, consentir, accéder, adhérer.

Approvisionner. — Garnir, munir, nantir. — Ravitailler.

Appui. — Soutien, support, épaulement, arcboutant, contrefort, pilier, pilastre, pied, poteau, colonne, étai, rampe, tuteur, tasseau, adossement, accotement. — Secours, protection, faveur, aide, renfort.

Appuyer. — Accoter, soutenir, étayer, épauler. — Peser, encourager, insister.

Apre. — Acre, austère, rude. — Avide, cupide. — Sévère, violent, dur. — Pénible, accidenté, escarpé.

Après. — Ensuite, plus tard, plus loin, derrière, vers, contre.

Apreté. — Avidité, cupidité, convoitise. — Sévérité, rudesse, rigidité, inégalité. — Acreté, acidité, amertume.

Aptitude. — Disposition, penchant, capacité, génie, goût, talent, habileté, intelligence.

Aquatique. — Marécageux, plein d'eau.

Aqueux. — Humide, mouillé, trempé.

Aquilin. — Recourbé.

Arabe (*fig.*). — Usurier, homme avide.

Arbitrage. — Jugement, décision, verdict, sentence.

Arbitraire. — Despotique, autoritaire, capricieux.

Arbitre. — Juge, règle, régulateur.

Arbre. — Arbrisseau, arbuste.

Arc. — Arceau, cintre, courbure, voussure.

Arcade. — Arche, voûte.

Arc-boutant. — Pivot, appui, contrefort, soutien.

Archaïque. — Vieux, ancien, antique, passé, suranné, primitif, préhistorique, antédiluvien.

Archives. — (*V. Anecdotes.*)

Ardent. — Enflammé, bouillant, fervent, fumant, incandescent, chaud, brûlant, éclatant. — Violent, vif, véhément.

Ardeur. — Vivacité, fougue, activité, passion, chaleur.

Arène. — Sable, gravier. — Amphithéâtre, théâtre, piste.

Arête. — Saillie, élévation, angle, ligne.

Argile. — Terre, marne, glaise, calamite, kaolin.

Arguer. — Déduire, prouver, accuser, contredire, argumenter, expliquer, objecter, prétendre.

Argument. — Indice, raisonnement, preuve.

Aride. — Sec, stérile, désert, desséché.

Aristocratie. — Noblesse, classe, caste, monde.

Armes. — Armure. — Armoiries, blason.

Armistice. — Trêve, suspension d'armes, cessation d'hostilités.

Armoire. — Buffet, placard, vitrine, crédence, dressoir, bahut.

Armoiries. — Armes, blason, cartel, écusson, écu.

Aromatique. — Odorant, parfumé.

Arôme. — Parfum, essence, baume.

Arpenteur. — Géomètre, mesureur, topographe.

Arquer. — Courber, cintrer, fléchir.

Arracher. — Ravir, enlever, éloigner, tirer, bannir, priver de, ôter, détacher, extraire, extirper, déterrer, desceller, déraciner, épiler, déplanter, écarteler.

Arrachis (*hort.*). — Arrachage. — Plant arraché.

Arranger. — Ranger, parer, orner, habiller. — Disposer, préparer, combiner, organiser, concilier.

Arranger(S'). — Se coordonner, se concilier, se préparer, s'accommoder, se contenter, trouver son compte.

Arrêter. — Retenir, empêcher. — Maintenir, attacher, fixer. — Régler, décider, déterminer, résoudre. — Saisir, empoigner, appréhender. — Interrompre, attaquer. — Faire halte, demeurer, stopper, enrayer, cesser, immobiliser. — Insister sur.

Arrhes. — Gage, garantie, denier à Dieu.

Arrière (En). — Derrière, loin, bien loin, en retard, hors la présence, en queue, après.

Arriéré. — En retard, différé, reculé, refoulé. — Reliquat, solde.

Arriérer (S'). — Rester en arrière. — S'endetter, s'enfoncer.

Arrivée. — Arrivage.

Arriver. — Aborder, toucher, pénétrer, survenir, parvenir, approcher, venir, provenir, atterrir, accoster, accéder, débarquer, atteindre. — S'élever, réussir, percer, prospérer.

Arrogant. — Insolent, suffisant, important, rogue, outrecuidant, impertinent, fier, dédaigneux, altier, orgueilleux, hautain.

Arroger (S'). — S'appliquer, s'approprier, s'attribuer.

Arroser. — Mouiller, humecter, verser, asperger, doucher, irriguer, imbiber, abreuver, baigner, tremper, inonder.

Art. — Adresse, savoir-faire, dextérité, entregent, habileté. — Talent, génie, industrie. — État, métier, profession.

Artère. — Vaisseau, veine. — Voie, rue.

Articulation. — Jonction jointure, attache.

Articuler. — Proférer, prononcer. — Joindre, unir, lier. — Avancer, affirmer, exprimer, énoncer, émettre, exposer, proférer, dire, exprimer.

Artifice. — Adresse, souplesse, finesse, subtilité, astuce, perfidie, menterie, tromperie, ruse. — Fusée, pièce pyrotechnique.

Artificiel. — Faux, truqué, factice, fardé, postiché, emprunté, imité, simulé, fabriqué.

Artiste. — Virtuose, exécutant, comédien, acteur. — Artisan.

Ascendance. — Naissance, origine, extraction, lignage, atavisme.

Ascendant. — Penchant, inclination. — Influence, autorité, crédit, empire, instigation, suggestion.

Asile. — Retraite, refuge. — Habitation, demeure.

Aspect. — Vue, orientation, exposition. — Apparence, dehors, extérieur, air, image.

Asperger. — Arroser, mouiller, humecter.

Aspérité. — Saillie, arête, bosse, protubérance, sommet, pic, crête, relief, rugosité.

Asphalte. — Bitume. — Rue, trottoir, chaussée.

Aspiration. — Mouvement, élan, prétention, désir, ambition, vues.

Aspirer. — Absorber, attirer. — Prétendre, désirer, ambitionner.

Assaillir. — Attaquer, fondre sur. — Importuner, harceler.

Assainir. — Purifier.

Assaisonner.—Accommoder,relever le goût. — Accompagner.

Assassin.—Meurtrier, homicide, sicaire.

Assaut. — Attaque, combat, lutte, agression, abordage, charge, irruption. — Sollicitation. — Exercice d'escrime.

Assemblée. — Réunion, foule, société, association, compagnie, agglomération, groupement, attroupement, meeting, assistance, séance.

Assembler. — Unir, joindre, rapprocher. — Réunir, convoquer, rassembler, grouper, attrouper. — Accoler, lier, accumuler,emboîter, enchâsser, assortir, ajuster, ajouter, amonceler, masser, amasser, mélanger, confondre. — Relier, coller.

Assentiment. — Consentement, acquiescement, adhésion, approbation.

Asseoir. — Équilibrer, établir, fixer, poser, régler.

Asseoir (S'). — Se poser, se camper, s'accroupir, se jucher, se mettre, trôner.

Asservir. — Assujettir, soumettre, subjuguer, réduire en esclavage. — Dompter, gagner.

Assesseur.—Adjoint, substitut, suppléant.

Assez. — Suffisamment, passablement, quelque peu. — Grandement, trop.

Assidûment. — Toujours, continûment, constamment, sans cesse, incessamment.

Assiéger. — Entourer, investir, bloquer, cerner. — Obséder, presser, importuner, tourmenter, inquiéter.

Assiette. — Position, situation, base. — Stabilité, solidité. — Plat, soucoupe, plateau.

Assigner. — Désigner, déterminer, fixer, attribuer, affecter. — Citer en justice.

Assimiler. — Comparer, rapprocher. — Convertir, approprier, transformer.

Assistance. — Aide, appui, secours. — Auditoire, spectateurs, assemblée, galerie, parterre, réunion, public, salle.

Assister. — Aider, appuyer, secourir. — Etre présent, seconder, accompagner. — Voir, écouter, être témoin.

Association. — Société, réunion, communauté, agrégation, compagnie, fédération, groupe.

Associé. — Confrère, collègue, sociétaire, membre, compagnon, acolyte, intéressé. — Conjuré, affidé, affilié, adepte.

Associer. — Agréger, unir, joindre, allier, coaliser, solidariser, faire participer, s'adjoindre.

Assonance. — Ressemblance, accord, consonance.

Assortiment. — Assemblage, collection, ensemble, affinité.

Assortir.— Convenir, assembler, mélanger.

Assoupir.— Apaiser, suspendre, atténuer.

Assouplir. — Rendre flexible, souple.

Assourdir. — Rendre sourd. — Fatiguer.

Assouvir. — Rassasier, apaiser, satisfaire, calmer. — Endormir, contenter, repaître.

Assujettir. — Fixer, soumettre, obliger, astreindre, enchaîner, contraindre, dompter, conduire, asservir, subjuguer, dompter.

Assujettissement. — Dépendance, subordination, sujétion, contrainte, gêne, esclavage.

Assurance. — Confiance, sécurité. — Preuve, gage, garantie. — Affirmation, protestation, promesse. — Fermeté, hardiesse, effronterie, audace.

Assurer. — Affirmer, attester. — Affermir, confirmer, solidifier, fixer, étayer, consolider.

Astre. — Étoile, constellation.

Astrologue. — Astronome. — Devin, sorcier.

Astuce. — Ruse, perfidie, artifice, finesse, malice, habileté, hypocrisie.

Atelier. — Boutique, chantier, laboratoire, ouvroir, manufacture, officine, usine.

Atermoiement. — Délai, remise, tergiversation, incertitude. — Retard, faux-fuyant.

Atermoyer. — Retarder, ajourner, remettre, différer, tergiverser, temporiser, musarder.

Atome. — Parcelle, infiniment petit, molécule, miette, poussière.

Atone. — Fixe, alangui, faible, sans force.

Atout. — Chance, avantage. — Coup, blessure.

Abrabilaire. — Mélancolique, lunatique, fantasque.

Atroce. — Barbare, dénaturé, sauvage, féroce, inhumain, sanguinaire, cruel, monstrueux, farouche. — Repoussant, laid, très mauvais, affreux.

Attache. — Attachement, lien, chaîne. — Consentement, agrément.

Attaché. — Fixé, lié, inhérent. — Avare, intéressé.

Attacher. — Fixer, faire adhérer, annexer, adapter, adjoindre, réunir, joindre, associer. — Donner, attribuer. — Intéresser, plaire.

Attaque. — Assaut, agression, offensive, abordage.

Attaquer. — Fondre, se ruer, charger, surprendre, saisir, assaillir, s'élancer. — Critiquer, ridiculiser.

Atteindre. — Joindre, saisir, arriver, toucher. — Surprendre, léser, frapper.

Attenant. — Contigu, tout proche, touchant, côte à côte, latéralement.

Attendre. — Rester, demeurer, espérer, compter sur. — Menacer, être réservé. — Poser, languir. — Différer, tarder, remettre, atermoyer, traîner, tergiverser, temporiser.

Attendrir. — Toucher, émouvoir, apitoyer.

Attentat. — Crime, forfait, mauvais coup, meurtre, assassinat.

Attente. — Expectative, pause. — Prévision, opinion, espérance.

Attenter. — Commettre un attentat. — Faire une tentative.

Attention. — Application, contention, méditation, absorption, réflexion. — Sollicitude, égard, exactitude, vigilance, soin, considération, curiosité.

Atténuer. — Amoindrir, diminuer, affaiblir, mitiger, pallier, modérer, rapetisser.

Attester. — Affirmer, soutenir, prétendre, assurer, avancer, certifier, confirmer, garantir. — Prendre à témoin.

Attifer. — Orner, enjoliver, parer, agrémenter.

Attirant. — Attrayant, attractif, alléchant, engageant, charmant, séduisant.

Attirer. — Allécher, captiver, séduire. — Appeler, amener, mander, héler, convoquer, inviter, engager. — Provoquer, causer, occasionner.

Attiser. — Exciter, ranimer, souffler.

Attitude. — Posture, genre, démarche, tenue, allure, tournure, port, contenance, maintien, mine, façon, aspect, air. — Disposition, intention.

Attouchement. — Contact, toucher, effleurement, frôlement, caresse.

Attractif. — Attirant, attrayant.

Attraits. — Appas, charmes.

Attrape. — Piège, apparence, tromperie, duperie, leurre, piperie, niche, farce, tour, malice, ruse, escroquerie, vol.

Attraper. — Prendre, saisir, happer, gripper. — Surprendre, abuser, tromper. — Dérober, escamoter, escroquer.

Attribuer. — Annexer, conférer, assigner, imputer, décerner, donner, allouer, concéder, octroyer.

Attribuer (S'). — S'arroger, s'approprier, s'appliquer. — Revendiquer, réclamer.

Attribut. — Insigne, caractère, emblème, couleur, livrée, enseigne, signe, blason, écu, écusson, anagramme, initiale.

Attrister. — Affliger, contrister, assombrir, désoler, chagriner, désespérer.

Attroupement. — Rassemblement, groupement, foule, assemblée, groupe, cohue.

Aubaine. — Profit, gain, fortune, chance, occasion.

Auberge. — Cabaret, taverne, hôtellerie, hôtel, gargote, pension, table d'hôte, cabaret.

Aucun. — Quelque, quelqu'un. — Nul, pas un.

Audace. — Énergie, aplomb, hardiesse, assurance, confiance, fermeté, crânerie, témérité, folie, intrépidité, front, décision. — Présomption, bravade, impudence, outrecuidance, effronterie.

Audacieux. — Hardi, ferme, résolu, crâne, décidé, déterminé, délibéré, intrépide. — Téméraire, aventureux, irréfléchi, hasardeux, présomptueux, outrecuidant, cynique, effronté, éhonté, impudent.

Auge. — Crèche, râtelier, mangeoire, auget, trémie.

Augmenter. — Accroître, croître, agrandir, ajouter, surélever, majorer.

Augurer. — Conjecturer, présager, prévoir, présumer, pressentir, deviner, pronostiquer, prophétiser.

Aujourd'hui. — Actuellement, à présent, maintenant, présentement.

Aumône. — Don, largesse, présent, donation, libéralité, générosité, bienfait, charité, offrande, obole.

Auparavant. — Avant, antérieurement, ci-devant, anciennement, antécédemment, plus haut, précédemment, préalablement.

Auprès. — Proche, près, tout près, bord à bord.

Auspice. — Direction, influence. — Protection, sauvegarde, patronage.

Aussi. — C'est pourquoi, ainsi, encore, tellement, à ce point, en conséquence, au surplus, après tout, donc, partant.

Aussitôt. — Immédiatement, dès que, en même temps que, tout de suite, dans le moment même, à l'instant, bientôt, à la minute, incontinent, soudain, instantanément, sur-le-champ, séance tenante, en hâte, rondement, vivement.

Austère. — Dur, rude, âpre. — Sévère, rigoureux, digne, grave, posé. — Sérieux, imposant, compassé, froid, sobre.

Austérité. — Sévérité, âpreté, rigidité, gravité. — Pénitence, mortification, humiliation.

Autant. — Également, semblablement. — De même quantité, de même façon, comme. —

Aussi bien que, en tant que, selon que.

Auteur. — Créateur, inventeur. — Écrivain, littérateur, homme de lettres.

Authentique. — Certain, assuré, certifié, confirmé, vrai, réel, original, prouvé, indéniable, incontestable, notoire, avéré, olographe.

Autographe. — Écrit, lettre, signature.

Automate. — Machine, androïde.

Automne. — Arrière-saison, vendémiaire.

Autonomie. — Liberté, indépendance, affranchissement, émancipation, franchise.

Autorisation. — Permission, consentement, aveu, congé, agrément, liberté, licence, tolérance.

Autoriser. — Permettre, consentir, souscrire, tolérer, acquiescer, concéder, souffrir, accéder, entendre à.

Autorité. — Pouvoir, puissance, domination, empire, commandement, volonté, poigne.

Autour. — A l'entour, environ, à peu près, tout autour, de tous côtés.

Autre. — Différent, distinct, hétérogène, disparate, dissemblable.

Autrefois. — Jadis, au temps passé, anciennement, dans l'antiquité.

Autrui. — Les autres, le prochain.

Auxiliaire — Appui, soutien, secours, aide, allié.

Avaler. — Absorber, consommer, dévorer, gober, happer. — Endurer, accepter, subir.

Avancement. — Progrès, marche en avant, promotion.

Avant. — Devant, précédemment. — (*V. Autrefois.*)

Avant tout. — Principalement, surtout, d'abord.

Avantage. — Succès, victoire, triomphe, supériorité, prééminence, profit, utilité.

Avantager. — Favoriser.

Avantageux. — Glorieux, important, orgueilleux, présomptueux, superbe, suffisant, vain, fier. — Précieux, utile, fructueux, profitable.

Avare. — Avaricieux, ladre, attaché, intéressé, étroit, lésineur, mesquin, sordide, chiche, égoïste, cupide, rapace, liardeur, pingre, chien, parcimonieux.

Avec. — En même temps, en compagnie, du même coup.

Avenant. — Gracieux, aimable, plaisant, accort.

Avènement. — Venue, arrivée. — Élévation, apparition.

Avenir. — Temps futur, destinée. — Postérité, descendance.

Aventure. — Fait, événement, accident, incident, circonstance, épisode, conjoncture. — Entreprise, intrigue.

Aventurer. — Hasarder, risquer, exposer.

Aventureux. — Hasardeux, risqué, entreprenant.

Avéré. — Véritable, vrai, certain, sûr, assuré, démontré, incontestable, irréfutable, notoire, indubitable, indéniable, irrécusable, indiscutable, authentique, péremptoire, fondé.

Avérer. — Vérifier, démontrer.

Aversion. — Antipathie, haine, répugnance, hostilité, inimitié, exécration, éloignement, animosité, prévention, grief, rancune.

Avertir. — Donner avis, informer, prévenir, instruire, aviser, indiquer, dénoncer, signaler, dire, montrer.

Avertissement. — Avis, conseil, invitation, information, indication, signalement. — Admonestation, remontrance, représentation, communication, recommandation. — Préface, prologue, avant-propos.

Aveu. — Déclaration, confession, confidence. — Agrément, approbation, consentement.

Aveuglement. — Trouble, obscurcissement, égarement. — Cécité.

Aveugler. — Éblouir, illusionner, ôter l'usage de la raison.

Avide. — Désireux, affamé, goulu, vorace, avare, cupide.

Avidité. — Concupiscence, convoitise, cupidité, avarice, gloutonnerie.

Avilir. — Rabaisser, humilier, ravaler, abaisser, rabattre, dégrader, mépriser, déconsidérer.

Avis. — Conseil, indication, avertissement, sentence. — Sentiment, opinion, pensée, conviction, croyance, appréciation, estimation.

Avisé. — Circonspect, intelligent, prudent, fin, rusé.

Aviser. — Apercevoir, remarquer, distinguer. — Informer, prévenir, avertir. — Imaginer, trouver, inventer, essayer, tenter.

Avocat. — Défenseur.

Avoir. — Trouver, rencontrer. — Se procurer, obtenir, acquérir, gagner, acheter. — Engendrer, créer. — Imiter, reproduire. — Posséder, tenir, porter. — Bien, fortune, patrimoine.

Avortement. — Insuccès, échec.

Avorter. — Échouer.

Avouer. — Reconnaître, confesser, adhérer, confirmer, ratifier.

Axiome. — Maxime, sentence, apophtegme, aphorisme, proposition.

Azur. — Calme, paix, innocence. — Firmament. — Bleu.

B

Babel. — Confusion, désordre.

Babil. — Babillage, babillerie, vains propos, caquet, cancan, commérage.

Babillard. — Loquace, indiscret, bavard, verbeux, prolixe, phraseur.

Babiller. — Caqueter, bavarder, jaser, jaboter.

Babiole. — Brimborion, colifichet, breloque.

Bâbord (*marit.*). — Gauche.

Babylonien. — Immense, gigantesque, grandiose.

Bâcler. — Fermer, fixer, assujettir. — Faire, terminer, conclure en hâte, achever, parfaire.

Badaud. — Benêt, niais, nigaud. — Oisif, passant, promeneur, curieux.

Badin. — Folâtre, drôle, amusant, léger, gai, enjoué.

Badinage. — Badinerie, plaisanterie.

Badiner. — Plaisanter, folâtrer, batifoler.

Bafouer. — Berner, siffler, conspuer, honnir.

Bagage. — Paquet, colis, attirail, équipage, malle, paquets.

Bagatelle. — Rien, vétille, futilité, baliverne, babiole, minutie, gentillesse, misère, niaiserie. — Amourette, galanterie.

Bagne. — Galères, chiourme, présides.

Bague. — Anneau, alliance.

Baigner. — Mouiller, tremper, plonger, inonder, immerger, submerger, noyer.

Baille (*marit.*). — Baquet.

Bain. — Ablution, immersion, douche, hydrothérapie.

Baiser. — Caresse, embrassement.

Baisser. — Décroître, incliner, diminuer, abaisser, descendre, décliner, tomber, dévaler, surbaisser.

Baladin. — Comédien.

Balance. — Bascule, peson, trébuchet, romaine. — Hésitation, indécision, compensation.

Balancement. — Mouvement. — Équilibre.

Balancer. — Ballotter, ébranler, remuer, secouer, agiter, mouvoir. — Peser, examiner. — Hésiter, être en suspens.

Balançoire. — Escarpolette. — Baliverne, sornette.

Balayer.— Nettoyer, épousseter, brosser. — Purger, débarrasser, pousser, chasser, disperser.

Balbutier. — Bégayer, bredouiller, ânonner, bafouiller, marmotter.

Baliverne. — Chanson, sornette, billevesée, faribole, calembredaine, puérilité, sottise, fadaise.

Ballotter. — Agiter, secouer, remuer. — Se jouer. — Discuter, agiter une question.

Bamboche. — Poupée, marionnette, être contrefait. — Débauche, ripaille, noce.

Banal. — Vulgaire, ordinaire, rebattu, connu, commun, trivial, usé, quelconque, usuel, insignifiant, rococo, vieux jeu, ressassé, poncif.

Bande. — Troupe, compagnie, assemblée, réunion. — Sangle, bandeau, bandelette, banderole, barre, lisière.

Bandit. — Vagabond, libertin, malfaiteur, misérable, brigand, forban, malandrin, coquin, canaille.

Bannir. — Exiler, expulser, exclure, expatrier, proscrire. — Éloigner, écarter, supprimer.

Bannissement. — Exil, ostracisme, déportation, transportation, proscription, relégation.

Banqueroute. — Faillite, déconfiture.

Banquet. — Repas, festin, gala, balthazar, agapes, régal, ripaille, bombance.

Banquiste. — Charlatan, bateleur, saltimbanque, belluaire, forain, baladin.

Bar. — Café, buvette, comptoir.

Barbare. — Inhumain, cruel, féroce, sanguinaire, bourreau. — Sauvage, inculte, grossier.

Barbarie. — Cruauté, férocité, inhumanité.

Barbier. — Coiffeur, perruquier.

Barboter.—S'envaser, se crotter, s'embourber, s'embouer, se souiller, se salir. — Balbutier, se troubler, déraisonner, patauger.

Baril. — Tonneau, barrique.

Barre. — Lisière, bande. — Barreau, traverse, tringle, bâton. — Gouvernail (*marit.*).

Barrière. — Garde-fou, balustrade, barrage, digue, levée, clôture, échalier, claire-voie, haie, fossé, barreau, palissade, grillage, parapet. — Obstacle, empêchement.

Bas. — Inférieur, subalterne, baissé, abaissé, abject, vil, lâche, ignoble.

Base.—Fondement, principe, appui, fondation, support, soubassement, pied, piédestal, socle.

Bassesse. — Infériorité, abaissement, abjection, indignité, dégradation, avilissement, ignominie, vilenie.

Bassiner. — Chauffer, tiédir. — Ennuyer, assourdir, fatiguer.

Bataille. — Combat, action, lutte, rencontre, choc, compétition, rivalité.

Batailler. — Se battre, lutter, combattre. — Contester, disputer, quereller.

Bâtard. — Illégitime, naturel. — Dégénéré, amoindri.

Bateleur. — Bouffon, escamoteur, charlatan.

Bateau. — (*V. Navire.*)

Batelier. — Marinier, nautonier, canotier, passeur, rameur.

Bâtir. — Construire, édifier élever, fonder, établir, ériger.

Bâton. — Gourdin, trique, canne, latte, échalas, tuteur, massue, bâtonnet, rondin, gaule, matraque.

Battage (*pop.*). — Poudre aux yeux, hâblerie, bluff.

Batterie. — Bataille, rixe, querelle.

Battre. — Frapper, asséner. — Maltraiter, heurter, vaincre. — Mêler, brouiller. — Parcourir, explorer. — Assaillir, ébranler.

Battu. — Vaincu, défait, rossé, meurtri, maltraité, frappé, heurté, butté, brutalisé, rudoyé. tapé.

Baume. — Consolation, remède, adoucissement.

Bavard. — Verbeux, phraseur, déclamateur, rhéteur, prolixe.

Bavardage. — Loquacité, galimatias, prolixité, verbosité, déclamation, verbiage, baragouin, babillage.

Béat. — Hypocrite, tartufe, dévot, bigot, cagot. — Content, satisfait.

Béatification. — Canonisation.

Béatitude. — Contentement, bien-être, félicité, bonheur, satisfaction, extase.

Beau. — Noble, majestueux, imposant, élevé, généreux, relevé. — Superbe, splendide, pur, serein, enchanteur. — Plaisant, agréable — Bienséant, convenable, honnête. — Gros, considérable, précieux.

Beaucoup. — Bien, abondamment, copieusement, à foison, amplement, considérablement, fort, largement. — Plusieurs, quelques, certains.

Beauté. — Perfection, charme, joliesse, gracieuseté, séduction, éclat, splendeur, magnificence, grâce, finesse, attrait, délicatesse, sublimité.

Bec. — Bouche, minois. — Extrémité, pointe.

Bégayer. — Bredouiller, balbutier, barboter, bafouiller.

Bégueule. — Renchérie, prude, pudique.

Béjaune. — Naïf, inexpérimenté, niais, sot, ignorant, imbécile, nigaud, stupide, benêt.

Belle. — Amante, maîtresse.

Belligérant. — Adversaire, ennemi.

Belliqueux. — Guerrier, martial, batailleur, querelleur.

Belvédère. — Pavillon, terrasse, berceau, kiosque, gloriette, observatoire.

Bénédiction. — Grâce, faveur, prospérité, abondance.

Bénéfice. — Service, bienfait. — Gain, profit, avantage, rapport, produit.

Benêt. — Badaud, niais, nigaud, dadais.

Bénignité. — Bienfaisance, bienveillance, bonté, débonnaireté, humanité, douceur, indulgence.

Bénin. — Doux, calme, bon, humain. — Faible, indulgent, débonnaire. — Anodin. — Propice, favorable.

Bénir. — Consacrer. — Imposer les mains.

Béquille. — Appui, soutien, tuteur.

Bercail. — Bergerie, étable. — Famille, foyer, maison.

Berceau. — Couche, barcelonnette, crèche. — Commencement, origine.

Bercer. — Agiter, balancer. — Endormir, consoler, adoucir.

Berger. — Pâtre, pasteur, pastoureau, gardien, surveillant, conducteur, guide.

Bergerie. — Étable, bercail, bouverie, parc.

Berner. — Railler, se moquer, tromper, ridiculiser, dauber, gouailler, persifler.

Berquinade. — Fadaise, sentimentalité.

Besace. — Bissac.

Bésicles. — Lunettes, lorgnon, pince-nez.

Besogne. — Tâche, ouvrage, travail, corvée, peine, occupation.

Besogner. — Travailler, s'occuper, peiner.

Besogneux. — Miséreux, mendiant, gueux, gêné, indigent, pauvre, nécessiteux.

Besoin. — Indigence, dénûment, gêne, disette, misère, pauvreté, pénurie, nécessité.

Bête. — Ane, balourd, buse, butor, cruche, ganache, innocent, niais, nigaud, imbécile, ignorant, lourdaud, épais, obtus, stupide, benêt.

Bêtise. — Sottise, stupidité, balourdise, nigauderie, imbécillité, niaiserie, enfantillage, naïveté, simplicité.

Bévue. — Méprise, erreur, mécompte, égarement, aberration, non-sens.

Biais. — Obliquité, détour.

Bief. — Canal, fossé.

Bien. — Très, fort, beaucoup, environ, à peu près, parfait, à merveille, à la vérité, assurément. — Juste, honnête, convenable, utile, avantageux, agréable, bon, louable, décent, édifiant, exemplaire, méritoire.

Bien (Homme de). — Homme d'honneur, honnête homme, habile homme.

Bien-être. — Béatitude, bonheur, félicité, plaisir. — Prospérité, aisance, quiétude, confort.

Bienfaisance. — Bonté, bienveillance, charité, philanthropie, humanité.

Bienfait. — Bon office, plaisir, service, don, secours, largesse, aumône, charité. — Faveur, grâce.

Bienséance. — Convenance, décence, décorum, usages.

Bienveillance. — Obligeance, bénignité, bienfaisance, bonté, débonnaireté, humanité.

Bienvenue. — Admission, bon accueil.

Biffer. — Effacer, rayer, raturer, annuler, supprimer.

Bifurquer. — Se diviser, se séparer, fourcher, diverger.

Bigarrer. — Varier, entremêler, nuancer, diaprer, barioler.

Bigot. — Hypocrite, cafard, cagot, dévot, tartufe, jésuite.

Bijou. — Parure, ornement, joyau, garniture.

Bilatéral. — Synallagmatique, double.

Bile. — Colère, chagrin, humeur, emportement. — Tristesse, ennui.

Billet.— Lettre, correspondance, — Ticket.

Bis. — Grisâtre, brun. — Une seconde fois. — Répétez.

Bisquer (*pop.*). — Pester, gronder, se fâcher.

Bisser. — Recommencer. — Faire répéter.

Bizarre. — Fantasque, capricieux, quinteux, bourru, extravagant, singulier, étrange, étonnant.

Blackbouler (*pop.*). — Évincer, battre.

Blafard. — Pâle, blême, hâve, livide, blanchâtre, pâlot.

Blague. — Farce, plaisanterie. — Vanterie, mensonge.

Blaguer. — Plaisanter, se moquer. — Faire des contes, dire des mensonges, inventer.

Blâme.— Réprimande, reproche, désapprobation, désaveu, réprobation, semonce, critique.

Blâmer. — Réprimander, reprocher, désapprouver, cen-

surer, condamner, critiquer, reprendre, réprouver, tancer, sermonner, flétrir, représenter.

Blanc. — Blanchâtre. — Pâle, blême. — Propre, net.

Blanchir. — Laver, lessiver, nettoyer, savonner. — Innocenter.

Blasphème. — Injure, grossièreté, outrage, imprécation, juron.

Blême. — Pâle, livide, hâve, blafard, décoloré, défloré, défraîchi, éteint, fané, flétri, passé, terne, terni.

Blesser. — Atteindre, toucher, meurtrir, mutiler, contusionner. — Offenser, injurier, insulter. — Impressionner, offenser, piquer, formaliser.

Blessure. — Plaie, écorchure, morsure, coupure, meurtrissure, mutilation. — Douleur, lésion.

Bleu. — Azur, bleuâtre.

Bloc. — Masse, quantité. — Amas, réunion, tas.

Bloquer. — Cerner, enfermer, assiéger.

Blottir (Se). — Se tapir, s'accroupir, se cacher.

Blouser (*fam.*). — Tromper.

Bluette. — Étincelle, scintillement. — Futilité, frivolité.

Bocage. — Petit bois, bosquet, taillis.

Boire. — Absorber, avaler, sabler, lamper, siroter, s'abreuver, humer, se rafraîchir, se désaltérer, étancher, trinquer.

Bois. — Branche, fagot, ramée, fascine, brin, brindille, tronc. — Forêt.

Boiser. — Planter, garnir.

Boisson. — Breuvage, potion, liquide, rafraîchissement, consommation.

Boîte. — Cassette, coffret, coffre, caisse.

Boiter. — Clocher, béquiller, claudiquer, traîner la jambe.

Boit-tout (*pop.*). — Ivrogne, puisard.

Bol. — Tasse, coupe, écuelle.

Bon. — Excellent, sensible, tendre, obligeant, secourable, bienfaisant, humain. — Strict, exact, rigoureux. — Habile, heureux, favorable, avantageux. — Utile, convenable, salutaire. — Choisi, élevé, distingué. — Honnête, vertueux, juste, droit. — Simple, crédule.

Bond. — Saut, soubresant, culbute, cabriole, voltige, pirouette, gambade.

Bonheur. — Chance, félicité, béatitude, prospérité, plaisir, bien-être, joie, satisfaction, enchantement, ravissement.

Bonhomie. — Simplicité, douceur, familiarité.

Bonhomme. — Simple, doux, facile.

Boni. — Excédent, bénéfice, profit, gain.

Bonjour. — Salut.

Bonnet. — Coiffe, coiffure, béguin, calotte.

Bonté. — Bienfaisance, bienveillance, débonnaireté, bénignité, sensibilité, douceur, dévouement, clémence, miséricorde, pitié, humanité, mansuétude, indulgence, tendresse, charité, générosité.

Bord. — Côte, rivage, rive, berge, littoral. — Extrémité, bordure, contour, limite, orifice, marge, périphérie, pourtour, frange, lisière.

Border. — Entourer, disposer, parsemer, occuper, garnir. — Côtoyer, longer, effleurer, avoisiner.

Bordereau. — État, note, mémoire, relevé, récapitulation, compte.

Bordure. — Garniture, lisière, cadre, bord.

Borgne. — Chétif, sans apparence. — Mal famé.

Bornage. — Séparation, délimitation.

Borne. — Limite, terme, frontière, division, démarcation, limitation.

Borner. — Limiter, définir, arrêter, restreindre, circonscrire, séparer, barrer, terminer.

Bosquet. — Bocage, petit bois, touffe d'arbres.

Bossu. — Gibbeux, contrefait, difforme, disgracié.

Botter. — Chausser. — Convenir (*pop.*).

Boucan. — Bruit, vacarme, tapage, sabbat, charivari, tohu-bohu.

Boucaner. — Noircir, brûler, fumer, sécher.

Bouche. — Cavité, lèvres, babine, orifice.

Boucher. — Fermer, obstruer, barrer, intercepter, aveugler, murer, clôturer, calfeutrer, barricader.

Boucherie. — Massacre, carnage, tuerie.

Bouchonner. — Panser, brosser, étriller. — Caresser, cajoler (*fam.*).

Boucle. — Agrafe, broche, fibule, fermail, anneau.

Bouclier. — Pavois, égide, écu, targe. — Sauvegarde, défense, protection, cuirasse.

Bouderie. — Dépit, fâcherie, humeur, moue.

Boue. — Fange, saleté, limon, bourbe, crotte, vase, gâchis, cloaque, immondices.

Bouffe. — Plaisant, comique, drôle, risible, amusant, grotesque, burlesque, divertissant, désopilant.

Bouffi. — Enflé, boursouflé, gonflé, mafflé, joufflu.

Bouffonnerie. — Plaisanterie, facétie, farce, drôlerie, charge.

Bouge. — Taudis, galetas.

Boule. — Sphère, globe, ballon, boulet, bille, balle.

Boulette (*pop.*). — Sottise, bévue.

Boulevard. — Rempart, terreplein, place forte.

Bouleversement. — Désordre, trouble, révolution.

Bouleverser. — Troubler, agiter. — Émouvoir, exciter. — Ruiner, abattre, renverser. — Embrouiller, emmêler, enchevêtrer.

Bouquet. — Faisceau, touffe, gerbe. — Parfum, odeur.

Bourbe. — Boue, vase, impureté.

Bourde. — Conte, mensonge, bêtise, sottise, ineptie.

Bourdonnement. — Bruit, murmure, chuchotement, ronron. — Désapprobation, réclamation.

Bourg. — Village, localité, hameau, bourgade, ville.

Bourgeois. — Habitant, citoyen, citadin, notable, rentier, propriétaire.

Bourrasque. — Orage, tempête, ouragan, cyclone, tourmente, tourbillon, rafale.

Bourrer. — Remplir, charger. — Combler, rassasier. — Frapper, maltraiter, réprimander.

Bourriquet. — Ânon, bourricot.

Bourru. — Bizarre, fantasque, capricieux, quinteux, chagrin, brusque, hargneux, revêche, rébarbatif, bougon, grognon, grincheux, désagréable, grossier, brutal, ours.

Bourse. — Escarcelle, sacoche, bourson, boursicaut, sac, poche, aumônière, porte-monnaie.

Boursouflé. — Enflé, gonflé, bouffi, vaniteux. — Ampoulé, emphatique.

Bousculer. — Renverser, mettre en désordre, pousser, secouer, refouler, chasser.

Boustifaille(*pop.*).— Mangeaille, bonne chère.

Bout. — Extrémité, fin, limite. — Morceau, fragment.

Boutade. — Saillie, caprice, fantaisie, esprit, trait.

Bouteille. — Flacon, fiole, burette, litre, carafon.

Boutique. — Magasin, dépôt, entrepôt, débit, échoppe, fonds, comptoir, maison.

Boutonner. — Attacher, fermer, arrêter, agrafer.

Bouture (*hort.*). — Fragment, racine, feuille, bourgeon.

Boyaux. — Viscères, intestins, entrailles.

Braconnier. — Chasseur.

Braies. — Chausses, culotte, caleçon.

Brailler. — Parler haut, crier, mal chanter, aboyer, braire, hurler, vociférer.

Brancard. — Civière, litière.

Branche. — Branchette, ramille, bouture, pousse, rejeton, ramure, rameau, branchage, surgeon, scion, baguette, brindille, broutille, plançon, plantard, ramification.

Brancher. — Pendre, suspendre, attacher.

Brandir. — Agiter, balancer, menacer.

Brandon. — Torche.

Branler. — Osciller, s'incliner. — Se remuer, se mouvoir.

Braque. — Étourdi, écervelé, étourneau, inconséquent, bizarre, anormal.

Braquer. — Pointer, diriger, fixer.

Bras. — Sein, giron. — Force, protection, aide, puissance, appui.

Brasier. — Foyer, feu, incendie.

Brasser. — Remuer, agiter, mêler, confondre. — Tramer, perpétrer.

Bravade. — Défi, provocation. — Fanfaronnade.

Brave. — Courageux, vaillant, bon, valeureux, résolu, audacieux, hardi, crâne, décidé.

Braver. — Affronter. — Morguer, offenser. — Défier, provoquer.

Bravoure. — Cœur, courage, hardiesse, intrépidité, vaillance, valeur, audace, crânerie, résolution.

Brèche. — Ouverture, trouée, cassure, lacune, vide. — Dommage, tort.

Bredouille. — Battu, mis en échec, déconfit.

Bredouiller. — Bégayer, bafouiller, zézayer, patauger, balbutier.

Bref. — Court, concis, succinct, laconique. — Prompt, brusque, impératif, sec.

Breneux. — Sali, souillé.

Breuvage. — Boisson, liqueur, potion.

Brevet. — Patente, diplôme, titre, licence.

Bribes. — Restes, riens, miettes.

Bricoler. — Ricocher, s'écarter. — Fainéanter, musarder.

Bride. — Bande, guide, courroie, bridon, rêne. — Obstacle, frein, retenue.

Brider. — Lier, serrer, assujettir. — Contenir, retenir.

Brièveté. — Concision, sécheresse, brusquerie.

Brigand. — Dévastateur, pillard, voleur, malfaiteur, criminel, bandit, coquin, sacripant, malandrin.

Brigandage. — Vol, pillage, concussion, déprédation, exaction, rapine, banditisme.

Brigue. — Manœuvre, intrigue, cabale. — Parti, complot, conjuration, conspiration.

Briguer. — Intriguer, cabaler. — Solliciter, ambitionner.

Brillant. — Éclat, lustre, splendeur, luisant, rayonnant, étincelant, éclatant.

Briller. — Scintiller, reluire, illuminer, luire, resplendir, éclairer, flamboyer, rayonner, éblouir, éclater, étinceler, chatoyer, miroiter.

Brin (Un). — Un petit peu, un petit, un rien.

Brise. — Vent, zéphir.

Briser. — Casser, fracasser, détruire, rompre, désunir, disjoindre, disloquer, déchirer, démolir, morceler, fendre. — Fatiguer, harasser, importuner. — Rendre impuissant, annihiler.

Brocanter.— Acheter, revendre, troquer.

Broder. — Orner, parer, festonner. — Amplifier, embellir, enjoliver.

Broncher. — Trébucher, chopper. — Hésiter, faillir. — Bouger, remuer.

Bronzé. — Éprouvé, blasé, inflexible, insensible, dur, endurci, impassible, indifférent.

Brosser. — Frotter, nettoyer, balayer. — Rosser, battre. — Peindre, ébaucher.

Brouillard. — Vapeur, nuage. — Obscurité, confusion.

Brouiller. — Embrouiller, troubler, mêler, agiter, confondre — Désunir, mettre la discorde.

Broutilles.—Futilités, inutilités.

Brouter. — Manger.

Broyer. — Pulvériser, piler, triturer, écraser. — Détruire, abattre, renverser, réduire, anéantir.

Bruire. — Résonner, murmurer, chuchoter, fredonner, bourdonner.

Bruit. — Son, ton. — Murmure, ronron, rumeur, éclat, tumulte, brouhaha, vacarme, tapage, fracas. — Querelle, dispute. — Réputation, renommée.

Brûlant. — Chaud, bouillant. — Vif, animé, ardent.

Brûlée (*pop.*). — Raclée, correction.

Brûler.— Consumer, dévorer. — Chauffer, échauffer, dessécher — Etre animé, possédé, désirer ardemment.

Brume. — Brouillard. — Ombre, obscurité, incertitude, voile.

Brusquer. — Hâter, précipiter. — Rudoyer, presser.

Brut.— Grossier, informe, fruste, inachevé, rudimentaire.

Brutal. — Grossier, emporté, rude, âpre, bourru.

Brute. — Animal, bête.

Buffet. — Dressoir, armoire. — Restaurant.

Buisson. — Touffe, arbuste, broussaille, fourré.

Bulbe. — Oignon, renflement, bulbille.

Bureau. — Pupitre, secrétaire.

Buriner. — Graver, retracer.

But. — Fin, terme, cible, objectif objet. — Vue, dessein, sujet, intention, désir, visée, rêve.

Butin. — Capture, proie, bénéfice, dépouilles, richesse, prise, trophée.

Butiner. — Récolter, amasser.

Butor. — Brute, grossier, malappris, stupide, maladroit, balourd, lourdaud, buse, bourru.

Butte. — Tertre, élévation, éminence, montagne, balcon, piton, sierra, morne, mont.

C

Cab. — Cabriolet.

Cabale. — Intrigue, brigue, parti, complot, conjuration, conspiration.

Caban. — Capote, manteau, casaque.

Cabane. — Hutte, chaumière, baraque, bicoque, cahute, maisonnette.

Cabaret. — Taverne, guinguette, auberge, hôtellerie, gargote.

Cabas.— Panier, couffin, manne.

Câble. — Cordage, filin, corde, ficelle.

Caboche. — Tête, chef.

Cabosser. — Contusionner, meurtrir, bosseler.

Cabotin — (*V. Comédien.*)

Cabrer. — Choquer, effaroucher.

Cabrer (Se). — Se dresser, s'emporter, s'irriter, se révolter, s'effaroucher, protester, s'insurger, se raidir.

Cabri. — Chevreau.

Cabriole. — Bond, culbute, saut, chute, gambade.

Cache. — Cachette, retraite, refuge, abri.

Caché. — Masqué, voilé, furtif, dissimulé, mystérieux, secret, subreptice, clandestin, invisible, obscur, occulte, anonyme, incognito.

Cacher. — Taire, celer, dissimuler, déguiser, faire disparaître, enfouir, masquer, recéler, renfermer, intercepter, soustraire, couvrir, pallier, voiler.

Cacher (Se). — Disparaître, se terrer, se clapir, se tapir, se blottir, se dérober, s'éclipser.

Cachet. — Sceau, estampille, scellé, monogramme, empreinte, seing, armes, chiffre, armoiries, poinçon, marque.

Cacheter. — Sceller, fermer, estampiller, poinçonner, plomber, timbrer.

Cachette. — Mystère, secret, abri, asile, retraite, refuge.

Cachot. — Prison, cellule, geôle, violon.

Cacochyme. — Infirme, maladif, valétudinaire.

Cacophonie. — Bruit, tapage, discordance.

Cadeau. — Présent, don, donation, libéralité, gratification, étrennes, pourboire, souvenir.

Cadenas. — Serrure, fermeture, loquet, verrou.

Cadenasser. — Emprisonner, enfermer, fermer, verrouiller.

Cadence.— Mouvement, mesure, rythme, musique.

Cadencer. — Rythmer, mouvementer.

Cadre.—Bordure, encadrement, châssis.

Cadrer. — S'ajuster, convenir, concorder, s'accorder.

Caduc.—Annulé, précaire, passager, faible, vieux, suranné, usé, épuisé, impotent, chancelant.

Caducité. — Vieillesse, décrépitude.

Cafard. — Hypocrite, cagot, faux dévot, bigot, tartufe, jésuite, mouchard.

Cage.— Prison, enceinte, volière, faisanderie, poulailler, pigeonnier, colombier.

Cagneux. — Tortu, bancal, noueux.

Cagot. — (*V. Cafard.*)

Cahoter. — Secouer, agiter. — Tourmenter, ballotter.

Caisse. — Coffre, boîte, cassette, caisson.

Cajoler. — Flatter, caresser, flagorner, amadouer, louer, aduler, choyer, dorloter, enjôler.

Cal. — Durillon, calus, callosité.

Calamité. — Catastrophe, malheur, infortune, cataclysme, fléau, désastre, revers, fatalité, épreuve, échec, détresse, chagrin, contrariété, déboire, déception, insuccès, adversité, disgrâce, déveine, guignon, vicissitude.

Calciner. — Dessécher, brûler, cuire, carboniser, torréfier, griller.

Calculer.— Combiner, supputer, compter. — Méditer, coordonner, proportionner, réfléchir, prévoir, préméditer.

Cale. — Coin, étai, étançon, soutien, support.

Calebasse. — Gourde, cruche.

Calembredaine. — Bourde, vain propos, faux-fuyant.

Calendrier. — Almanach, éphéméride, annuaire.

Caler. — Étayer, assujettir, soutenir, fixer, arrêter. — Céder, reculer.

Calfeutrer. — Boucher, enfermer, fermer, retirer, coffrer.

Calibre. — Diamètre, capacité, dimension, grandeur, taille, format, pointure.

Calibrer. — Proportionner, mesurer.

Calice. — Coupe, vase. — Amertume, douleur.

Câlin. — Flatteur, caressant, cajoleur, mignard, patelin, enjôleur, obséquieux, mielleux.

Câliner. — Flatter, caresser, enjôler, cajoler, dorloter.

Calleux. — Endurci, insensible.

Callosité. — Cal, calus, durillon. — Endurcissement, insensibilité.

Calme. — Tranquille, posé, rassis, paisible, serein, placide, quiet, pacifique, froid.

Calme. — Bonace, quiétude, repos, tranquillité, douceur, flegme, impassibilité, modération, placidité, résignation, sang-froid, sérénité.

Calmer. — Apaiser, pacifier, adoucir, tranquilliser, rassurer, rasséréner, éteindre.

Calomnie. — Mensonge, imputation fausse, traîtrise, diffamation, médisance, insinuation, dénigrement.

Calque. — Copie, reproduction, imitation.

Calus. — (*V. Cal.*)

Camarade. — Compagnon, confrère, égal, ami, condisciple, copain.

Cambrer. — Voûter, arquer, cintrer, couder, courber, busquer, arrondir.

Campagne. — Champs, nature. — Expédition, entreprise.

Camper. — Établir un camp, bivouaquer, séjourner temporairement. — Placer, mettre. — Donner, attribuer.

Camper (Se). — S'installer, s'établir, se placer, se poser.

Camus. — Court, plat, camard. — Confus, embarrassé, interdit.

Canal. — Conduit, tuyau, caniveau, égout, chenal, aqueduc, rigole, chéneau, gargouille, gouttière.

Canarder. — Fusiller, chasser. — Bâcler, négliger.

Cancan. — Bavardage, potin. — Bruit, scandale. — Danse, chahut.

Cancaner. — Bavarder, jaser, dénigrer, papoter. — Danser, chahuter.

Candeur. — Ingénuité, naïveté, simplicité, innocence, pureté.

Canevas. — Plan, croquis, ébauche, esquisse, pochade.

Canne. — Bâton, roseau.

Canneler. — Sillonner, strier, rainer. — Tresser.

Cannelle. — Robinet.

Cannelure. — Moulure, rainure.

Cannibale. — Anthropophage, féroce, sauvage.

Canons. — Décrets, décisions des conciles.

Canonique. — Régulier, conforme.

Canoniser. — Béatifier, sanctifier.

Cantaloup. — Melon. — Imbécile, nigaud.

Capable. — Habile, adroit, entendu, industrieux, intelligent, expert, savant, expérimenté.

Capacité. — Habileté, aptitude, génie, talent, disposition, vocation, inclination, intelligence, savoir, expérience. — Volume, cubage, tonnage, grosseur, profondeur, épaisseur, contenance.

Capilotade. — Gâchis, débâcle, marmelade.

Capital. — Essentiel, fondamental, principal.

Capiteux. — Enivrant, surexcitant, alcoolisé.

Capitulation. — Cession, livraison, conciliation, reddition. — Convention.

Capon. — Lâche, couard, poltron, peureux, trembleur, pusillanime, pleutre.

Caprice. — Humeur, fantaisie, boutade, saillie, folie, extravagance, variation, lubie, accès, frasque, fredaine, marotte.

Capricieux. — Bizarre, irrégulier, variable, fantaisiste, changeant, quinteux, bourru, léger, lunatique, mobile, fantasque, extravagant, inconstant.

Capter. — Gagner, circonvenir, tromper, duper, leurrer, surprendre.

Captieux. — Insidieux, trompeur, artificieux, spécieux, enjôleur.

Captif. — Dépendant, asservi, prisonnier, esclave, enchaîné, pris, détenu. — Contraint, gêné.

Captiver. — Soumettre, dompter, maîtriser. — Séduire, charmer, gagner.

Captivité. — Sujétion, gêne, assujettissement, emprisonnement, esclavage.

Capture. — Butin, prise. — Saisie, arrestation.

Caquet. — Babil, criaillerie, jacasserie, bavardage, jabotage.

Caqueter. — Babiller, jacasser, bavarder, jaboter, jaser, commérer.

Caractère. — Apparence, physionomie, expression, titre, qualité, naturel, humeur, tempérament, génie, volonté.

Carcasse. — Charpente, canevas, os, squelette, ossature, ossements.

Carder. — Peigner, démêler.

Carême. — Jeûne.

Caresse. — Accolade, étreinte, baiser. — Gentillesses, attentions, chatteries, égards, bontés, prévenances, amitiés, amabilités, mamours, gâteries, tendresses, câlinerie, cajoleries.

Caresser. — Faire des caresses, embrasser. — Effleurer, toucher. — Flatter, cajoler, amadouer, dorloter, câliner, choyer, gâter, enjôler.

Caricature. — Charge, parodie, fantaisie, pochade.

Carillonner. — Sonner, tinter.

Carnage. — Boucherie, massacre, tuerie, hécatombe, destruction.

Carnassier. — Carnivore, animal.

Carnaval. — Divertissement, mascarade, travesti, déguisement.

Carotte (*pop.*). — Artifice, ruse, filouterie, ficelle.

Carre. — Carrure, prestance, largeur.

Carré. — Net, loyal, ferme, franc.

Carrière. — Course, champ, but, cours, durée. — Profession, état.

Cas. — Occasion, occurrence, conjoncture, circonstance.

Casanier. — Sédentaire.

Cascade. — Chute, dégringolade, cataracte.

Caser. — Ranger, installer, placer.

Caserne. — Casernement, baraquement, cantonnement, quartier, dépôt.

Casier. — Compartiment, case, rayon.

Casque. — Armet, morion, bassinet, cabasset, salade, heaume, calotte, pot de fer, bourguignote.

Casqué. — Coiffé.

Cassant. — Brusque, tranchant, dur, bourru, sec.

Casser. — Briser, rompre, annuler, infirmer, révoquer, abolir, abroger.

Cassine. — Baraque, maisonnette, masure, hutte, cahute.

Cassure. — Fente, brisure, débris, bris, rupture, fêlure.

Casuel. — Profit, revenu, gain, rétribution, rémunération, émoluments.

Cataclysme. — Catastrophe, révolution, bouleversement, désastre.

Catalogue. — Liste, rôle, dénombrement, nomenclature, inventaire, état.

Catastrophe. — (*V. Cataclysme*)

4

Catéchiser. — Initier, instruire. — Chapitrer, gronder. — Styler, dresser.

Catégorique. — Impératif, absolu. — Net, clair, précis.

Cauchemar. — Rêve, songe, délire, hallucination.

Caudataire. — Suivant, porte-queue. — Obséquieux, plat, flatteur. — (*V. Caresser.*)

Cause. — Motif, raison, sujet. — Base, origine, source, ferment, principe, fondement, germe, mobile, explication, auteur.

Causer. — Provoquer, inspirer, susciter, exciter, fomenter, allumer, occasionner, motiver, attirer, déterminer. — S'entretenir, parler.

Causerie. — Bavardage, propos, entretien. — Conférence, discours.

Caustique. — Mordant, piquant, satirique, corrosif, sarcastique, humoristique, fin, aigu.

Cauteleux. — Fin, adroit, rusé, roué, hypocrite.

Caution. — Garant, répondant, otage.

Cave. — Creux, enfoncé.

Cave. — Caveau, sous-sol, souterrain, chai, silo.

Caverne. — Antre, grotte, tanière, excavation, retraite.

Caverneux. — Sourd, résonnant, profond.

Cavité. — Vide, creux, ouverture, trou, brèche, crevasse, gouffre, abîme.

Cécité. — Aveuglement.

Céder. — Abandonner, lâcher, livrer, acquiescer, se rendre, approuver, consentir, accéder, concéder, capituler, transiger, s'incliner. — Plier, fléchir.

Ceindre. — Entourer, enceindre, enclore, enfermer, envelopper, environner, renfermer, border. — Disposer, placer, attacher.

Ceinture. — Cordelière, écharpe, baudrier, ceinturon, bande, bandelette.

Céladon. — Galant, soupirant.

Célèbre. — Fameux, illustre, renommé, réputé, distingué, glorieux.

Célébrer. — Exalter, louer, vanter, préconiser, prôner, encenser, glorifier. — Fêter, chômer.

Célébrité. — Nom, renom, renommée, réputation, notoriété, vogue, popularité.

Celer. — Cacher, taire, masquer, voiler, couvrir, recéler, dissimuler, enfouir.

Célérité. — Rapidité, vélocité, vitesse. — Activité, diligence, promptitude.

Céleste. — Divin, ravissant, parfait, bienheureux.

Célibataire. — Garçon, libre.

Cellule. — Case, compartiment, alvéole, prison.

Cendres. — Ruine, débris, poussière, restes, résidu.

Cénotaphe. — Tombeau, sarcophage, sépulcre, tombe.

Censure. — Critique, blâme, réprimande. — Jugement, examen.

Censurer. — Punir, blâmer, critiquer, réprimander, condamner, désapprouver, caviarder. —

Épiloguer, fronder, improuver, reprendre, réprouver, trouver à redire, couper, supprimer.

Centraliser. — Réunir, concentrer.

Centre. — Milieu, endroit, lieu.

Cependant. — Pendant ce temps, au moment même. — Pourtant, néanmoins, toutefois malgré.

Céramique. — Poterie, faïence, porcelaine, grès.

Cerbère. — Gardien, garde, portier.

Cerceau. — (*V. Cercle.*)

Cercle. — Sphère, circonférence. — Cerceau, disque, rond, rondelle. — Étendue, limites, périphérie. — Association, assemblée, réunion.

Cercler. — Garnir, entourer, courber, enrouler.

Céréale. — Grain, blé, froment, riz, avoine, orge, maïs.

Cérémonie. — Pompe, appareil, solennité. — Formalité, civilité, politesse, usage. — Convenances, formes, manières, façons, honneurs.

Cérémonieux. — Guindé, affecté, faiseur, maniéré, formaliste, apprêté, solennel.

Cerner. — Entourer, investir, surveiller.

Certain. — Sûr, assuré, indubitable, inévitable, évident, infaillible, manifeste, formel, positif, immanquable, fatal. — Clair, net, palpable, tangible, visible, incontestable, irréfutable, démontré, admis, notoire, avéré. — Fixé d'avance, déterminé, invariable.

Certainement. — Certes, avec certitude, assurément, sans doute.

Certitude. — Persuasion, conviction. — Évidence, netteté, fermeté. — Stabilité, autorité.

Cerveau. — Raison, jugement, entendement, intelligence.

Cervelle. — Tête, esprit. — Méninges, cervelet, substance grise.

Cessation. — Interruption, discontinuation, repos, pause, grève.

Cesser. — Discontinuer, finir, interrompre, suspendre, arrêter.

Cession. — Aliénation, abandon.

Césure. — Coupure, repos, coupe.

Chafouin. — Grêle, effilé. — Sournois, cauteleux, hypocrite.

Chagrin. — Mélancolie, tristesse, morosité, maussaderie. Douleur, affliction, souci, souffrance, peine, amertume, tourment, désolation.

Chaîne. — Lien, attache. — Servitude, captivité, esclavage, sujétion, dépendance. — Enchaînement, continuité, suite, série.

Chair. — Viande.

Chaire. — Tribune, siège.

Chaland. — Pratique, client, amateur, acheteur, acquéreur. — Bateau.

Chaleur. — Véhémence, vivacité, ardeur, promptitude, feu, passion.

Chaleureux. — Ardent, zélé, empressé, vif, animé, prompt, véhément, enthousiaste, enflammé.

Chamailler (Se). — Se disputer, se quereller, se chicaner.

Champ. — Terroir, terrain, fonds, propriété, pâturage, pré, prairie, glèbe, culture, lopin. — Carrière, sujet, matière.

Champion. — Soutien, défenseur, combattant, lutteur.

Chance. — Bonheur, hasard, bonne fortune, veine, réussite.

Chanceler. — Etre chancelant, faiblir. — Vaciller, basculer, chavirer, glisser, buter, choper, trébucher, tituber.

Chancir. — Moisir, se corrompre.

Change. — Échange, troc, permutation.

Changeant. — Volage, inconstant, variable, versatile, infidèle, mobile, lunatique, instable, incertain, muable, flottant, inconsistant, éphémère, amovible, indécis.

Changement. — Transformation, variation, mutation, évolution innovation, modification, permutation, virement, remplacement, avatar, mue, conversion, palinodie, volte-face, travestissement. Variante, correction, rectification, nuance, amendement.

Changer. — Céder, échanger, troquer, permuter, intervertir, alterner. — Transformer, modifier, corriger, réformer, rectifier. — Déranger, dénaturer, travestir, transmuer, varier, convertir, métamorphoser. — Remanier, remplacer, innover.

Chansonner. — Ridiculiser, se moquer.

Chant. — Ramage. — Timbre, organe, accent, air, morceau, chanson, mélodie.

Chantage. — Extorsion, pression, escroquerie, filouterie, vol.

Chantant. — Musical, accentué, mélodieux, harmonieux.

Chanter. — Entonner, vocaliser, triller, chantonner, fredonner, moduler. — Railler, chansonner. — Célébrer, glorifier.

Chanteur. — Chantre, artiste, virtuose.

Chantre. — Chanteur, prôneur.

Chaos. — Désordre, trouble, pêle-mêle, confusion, perturbation, anarchie, désorganisation, bouleversement, incohérence.

Chape. — Manteau, cape. — Enveloppe, couvercle.

Chapeau. — Coiffure, couvre-chef, chaperon.

Chaperonner. — Surveiller, garder, protéger, accompagner, piloter, préserver, couvrir.

Chapitrer. — Réprimander, reprendre, sermonner, semoncer.

Chaque. — Chacun. — Tout.

Charbon. — Combustible, houille.

Charge. — Faix, fardeau. — Obligation. — Ordre, commission. — Dignité, fonction, office, ministère. — Imposition. — Caricature.

Charger. — Emplir, couvrir, accabler. — Grever, imposer, frapper. — Exagérer, grossir, enchérir. — Attaquer, fondre sur. — Accuser, imputer à.

Charité. — Bonté, humanité, sensibilité, philanthropie. — Aumône, secours, don.

Charivari. — Bruit, tapage, tintamarre, vacarme, bacchanal.

Charme. — Attrait. — Enchantement, sort, conjuration, incantation, ensorcellement, maléfice, sortilège, sorcellerie, séduction, fascination.

Charmer. — Fasciner, ensorceler. — Ravir, enchanter, séduire, attirer, plaire, complaire.

Charmille. — Haie, buisson, allée, berceau, bosquet.

Charnu. — Charneux. — Épais, succulent, nourrissant.

Charogne. — Cadavre, pourriture.

Charrier. — Entraîner, emporter, transporter, traîner, voiturer.

Charte. — Écrit, acte, loi, règle, constitution.

Chasse. — Poursuite, battue, affût.

Chasser. — Poursuivre, pousser en avant. — Mettre dehors, déloger, bannir. — Congédier, renvoyer, expulser.

Chaud. — Ardent, vif, chaleureux. — Brûlant.

Châssis. — Cadre, fermeture, vasistas, panneau.

Chaste. — Pudique, doux, voilé, timide, pur, vertueux, continent.

Chasteté. — Pudeur, pudicité, continence, décence, innocence. — Correction, pureté.

Château. — Forteresse, castel, hôtel, palais.

Châtier. — Corriger. — Mortifier. — Blâmer. — Retoucher, revoir.

Châtiment. — Punition, correction, peine, répression, sanction.

Chatouiller. — Flatter, plaisanter, piquer.

Chatouilleux. — Irritable, susceptible.

Chatoyer. — Refléter, briller, luire, reluire, resplendir, rayonner, étinceler, scintiller, miroiter, brasiller, papilloter.

Chatterie. — Câlinerie, caresse. — Friandise.

Chaud. — Ardent, vif, chaleureux. — Brûlant, bouillant.

Chauffer. — Échauffer, rendre chaud. — Activer, animer. — Presser, attaquer.

Chauffeur. — Conducteur, wattman, mécanicien.

Chaumière. — Cabane, hutte, bicoque, gourbi, baraque, cahute, case, cassine, masure.

Chaussée. — Remblai, route, boulevard, rue, voie, avenue, artère.

Chauve. — Nu, dépouillé, pelé, dégarni.

Chauvin. — Patriote, cocardier.

Chef. — Tête. — Ancêtre, fondateur. — Maître, dirigeant, patron, gouvernant. — Article, division, point.

Chef-lieu. — Ville, bourg, lieu, centre.

Chemin. — Voie, route, artère. — Espace, distance, parcours. — Méthode, manière, moyen.

Chemineau. — Vagabond, mendiant, rôdeur.

Chemise. — Vêtement, enveloppe, cilice, haire, plastron, couverture.

Chenu. — Vieux, blanc, blanchissant. — Suranné. — Excellent, parfait, fameux.

Cher. — Affectionné, adoré. — Précieux. — Exorbitant, onéreux, dispendieux.

Chère. — Mets, nourriture, aliment, nutrition.

Chérir. — Aimer, adorer, affectionner.

Chétif. — Mesquin, pauvre, misérable. — Faible, exigu, fin, frêle, menu, microscopique, mince, petit, ténu, débile, malingre, fluet, grêle, maigrelet.

Cheval. — Poney, coursier, bidet, rosse.

Chevauchée. — Course, promenade, tournée.

Chevaucher. — Parader, caracoler, galoper, trotter. — Se croiser, être mal aligné.

Chevelure. — Cheveux, coiffure. — Feuillage.

Chevet. — Traversin, oreiller.

Cheviller. — Assembler, remplir, clouer, boulonner, visser, planter, fixer.

Chevrotement. — Tremblement, bêlement.

Chic (*fam.*). — Élégance, bonne façon, bonne tournure.

Chicane. — Chicanerie, contestation, dispute, controverse, démêlé, différend, désaccord, dissidence, conflit, litige, querelle, altercation, noise, critique, procès, chamaillerie.

Chiche. — Avare, parcimonieux, crasseux, ladre, mesquin, sordide.

Chicot. — Morceau, débris, fragment.

Chiendent. — Difficulté, embarras, peine.

Chiffon. — Lambeau, haillon, loque, guenille, oripeau.

Chiffonner. — Froisser. — Préoccuper, tracasser, attrister, chagriner. — Remuer, manier, déplacer.

Chiffre. — Numéro, signe. — Total, nombre.

Chiffrer. — Calculer, numéroter, totaliser, évaluer.

Chimère. — Erreur, imagination, illusion, fantaisie, fiction, rêve, caprice, vision, utopie, mirage, hallucination.

Chimérique. — Fantastique, imaginaire, impossible, irréalisable, illusoire, utopique.

Chinoiserie. — Bizarrerie, extravagance, subtilité.

Chiquer. — Mâcher.

Chloroforme. — Anesthésique.

Chloroformer. — Anesthésier, endormir, insensibiliser.

Choc. — Heurt, commotion, secousse. — Rencontre, collision. — Conflit, lutte, opposition.

Choir. — Tomber, dégringoler, s'affaisser, s'affaler, culbuter, s'abattre.

Choisir. — Élire, opter, préférer, prier, adopter, aimer mieux, distinguer, prendre.

Choix. — Élection, option, préférence, triage, sélection, prédilection. — Élite, crème, fleur

Choléra. — Épidémie, peste, fléau.

Chômage. — Inactivité, suspension, manque de travail, morte-saison.

Chômer. — Suspendre, cesser le travail. — Manquer. — Fêter, solenniser, honorer.

Choquer. — Heurter, taper, frapper, buter, battre. — Offenser, blesser, déplaire.

Chorégraphie. — Art de la danse, ballet.

Chorus. — Chœur, unisson, ensemble.

Chouannerie. — Insurrection, guerre de partisans, guérilla.

Christ. — Croix, statuette, image. — Rédempteur, Jésus.

Chroniques. — (*V. Anecdotes.*)

Chroniqueur. — Écrivain, littérateur, nouvelliste, journaliste, publiciste, historien.

Chute. — Renversement, décadence, ruine. — Disgrâce, insuccès. — Faute, péché. — Cascade, cataracte.

Cible. — Objectif, mire. — But, visée, objet.

Cicatrice. — Marque, trace, blessure.

Cicatriser. — Guérir, adoucir, calmer, dessécher, fermer.

Ciel. — Paradis, cieux. — Atmosphère, air, espace, éther.

Cime. — Comble, faîte, sommet, pic, tête, pointe, crête, pinacle.

Cimenter. — Bétonner, jointoyer. — Affermir, confirmer, raffermir, lier, sceller.

Cimetière. — Nécropole, charnier.

Cingler. — Nager, faire voile. — Frapper, fouetter, critiquer, fustiger.

Cintre. — Courbure, arc.

Circonférence. — Enceinte, pourtour, tour, circuit, cercle, enclos.

Circonlocution. — Détour, périphrase, allusion, insinuation.

Circonscrire. — Borner, renfermer, limiter.

Circonspect. — Avisé, prudent, sage, réservé.

Circonspection. — Réserve, attention, prudence, sagesse, défiance.

Circonstance. — Occasion, occurrence, conjoncture, cas, particularité, événement, situation, éventualité, coïncidence, entrefaite, péripétie.

Circonvolution. — Contour, enroulement, sinuosité.

Circuit. — Tour, circonférence, enceinte, détour.

Circulation. — Transmission, diffusion, propagation. — Locomotion, déplacement, promenade, transport.

Circuler. — Se mouvoir, marcher, courir, parcourir, aller, venir, remuer. — Se renouveler. — Se répandre.

Cirque. — Piste, arène, amphithéâtre, hippodrome, stade, colisée.

Ciseler. — Inciser, tailler, sculpter.

Citadelle. — Forteresse.

Citation. — Sommation, exploit, acte, rappel. — Extrait passage, témoignage, exemple'

Cité. — Ville, centre, métropole, localité.

Citer. — Assigner, alléguer, rapporter, rappeler, nommer, indiquer, s'appuyer.

Citerne. — Réservoir, bassin, puits.

Citoyen. — Habitant, bourgeois, citadin, électeur.

Civil. — Civique, bourgeois, laïque. — Honnête, poli, courtois, gracieux, affable.

Civilement. — Poliment, courtoisement.

Civilisation. — Progrès, lumière, mœurs, instruction, éducation, morale, urbanité, raffinement.

Civiliser. — Améliorer, cultiver. — Moraliser, polir, réformer.

Civilisé. — Poli, policé, affable, éclairé, éduqué, cultivé.

Civilité. — Honnêteté, affabilité, politesse, urbanité, courtoisie, savoir-vivre, convenances, usages. — Compliments, hommages.

Civique. — Civil, vertueux.

Civisme. — Dévouement, attachement, patriotisme, loyalisme.

Clabauder. — Médire, critiquer, crier.

Clabauderie. — Clameur, cri, crierie, criaillerie, médisance, critique, hurlement, rumeur, vocifération, bruit.

Clair. — Notoire, formel, incontestable, indubitable, positif, sûr, public, manifeste, évident, certain. — Éclairé, pénétrant. — Limpide, net. — Luisant, poli. — Net, aigu.

Clairement. — Nettement, sûrement, certainement, évidemment, manifestement, visiblement, ostensiblement.

Clairvoyance. — Perspicacité, pénétration, discernement, tact, intuition, sagacité, bon sens, jugement, lumières.

Clamer. — Appeler, demander, réclamer, exclamer.

Clameur. — Bruit, fracas, cri, tumulte, clabauderie. — Plainte, réclamation.

Clan. — Tribu. — Bande, groupement, assemblage, cénacle, coterie.

Clandestin. — Secret, caché, prohibé, mystérieux, furtif.

Clapoter. — Bouillonner, bruire, remuer.

Claquer. — Applaudir. — Souffleter.

Clarifier. — Épurer, purifier, coller.

Clarté. — Lumière, lueur. — Éclat, limpidité, netteté.

Clause. — Disposition, condition, article, stipulation, dispositif.

Claustrer. — Enfermer, renfermer, limiter, cloîtrer.

Clémence. — Indulgence, miséricorde, bonté, pardon.

Clément. — Indulgent. — Doux, propice, favorable, bénin.

Client. — Pratique, chaland, acheteur.

Climat. — Température. — Région, pays, contrée.

Cloaque. — Réceptacle, égout.

Cloche. — Clochette, sonnette, timbre, bourdon, carillon, grelot.

Clocher. — Boiter. — Pécher, être défectueux, décliner, baisser, se détraquer.

Clocher. — Paroisse, église. — Clocheton, campanile, beffroi, minaret, tour.

Cloison. — Séparation, mur, muraille.

Cloître. — Monastère, abbaye, couvent, prieuré, ermitage.

Clore. — Fermer, boucher, enclore, calfeutrer, condamner, clôturer, entourer. — Arrêter, terminer, finir.

Clouer. — Fixer, chasser, cheviller, arrêter, retenir, attacher, boulonner, enfoncer, planter.

Clown. — Farceur, pitre, paillasse.

Coaguler. — Cailler, figer, geler, condenser, épaissir, solidifier, cristalliser.

Coalition. — Alliance, confédération, ligue, association. — Juxtaposition.

Coauteur. — Collaborateur.

Cocasse. — Plaisant, grotesque, ridicule, amusant.

Cocher. — Voiturier, roulier, automédon, conducteur.

Coercition. — Contrainte, obligation.

Cœur. — Courage, bravoure, valeur, intrépidité, hardiesse, vaillance, sensibilité, bonté, dévouement. — Ame, esprit, caractère.

Coffre. — Caisse, cassette, boîte, bahut.

Coffre-fort. — Biens, fortune, richesse.

Cogner. — Heurter, frapper. — Bousculer, battre.

Cohérence. — Adhésion, liaison, rapport, adhérence, inhérence.

Cohésion. — Sympathie, attraction, solidarité.—Coordination, indivision, agglomération.

Cohorte. — Troupe, armée, garde, légion, patrouille.

Coiffeur. — Perruquier, barbier, figaro.

Coin. — Angle, recoin, encoignure, renforcement.

Col. — Défilé, détroit, gorge, pas, ravin, port, goulet. — Collerette, guimpe, encolure, faux-col.

Colère. — Courroux, emportement, dépit, irritation, ressentiment, rage, transport, explosion, agitation, excitation, exaspération, fureur, révolte, indignation.

Colifichet. — Brimborion, babiole, breloque.

Collaborer. — Participer à, être de, aider à, concourir, contribuer, coopérer, avoir part à.

Colle. — Gomme, glu, poix. — Bourde, menterie (*pop.*)

Collecte. — Quête, souscription.

Collection. — Réunion, assortiment, recueil, ensemble, tout, assemblage. — Galerie, cabinet, musée.

Collègue. — Confrère, associé.

Collement. — Adhérence.

Coller. — Fixer, adhérer, appliquer, placer.

Collier. — Cercle, ornement, carcan, chaîne.

Colliger.—Réunir, collectionner, assembler.

Colline. — Hauteur, éminence, montagne, côte, mamelon, butte.

Colloque. — Conversation, entretien, conférence, dialogue, conciliabule, pourparler.

Colloquer. — Placer, remettre. — Inscrire.

Collyre. — Topique, onguent, pommade, remède, médicament.

Colon. — Agriculteur, cultivateur. — Planteur, pionnier, colonisateur.

Colonne. — Pilier, pilastre, ante, obélisque, balustre, colonnette, pylône, aiguille.

Colorer. — Parer, orner, embellir, animer, peindre.

Colorier. — Appliquer des couleurs, peindre.

Coloris. — Couleur, teinte, éclat.

Colossal. — Gigantesque, cyclopéen, monumental, énorme, incommensurable, grandiose, démesuré, formidable, exceptionnel, inouï.

Colosse. — Géant, mastodonte, qui a une haute stature. — Très puissant.

Colporter. — Transporter. — Raconter, faire courir.

Combat. — Choc, lutte, rivalité. — Assaut, action, bataille, engagement, mêlée, rencontre, collision, échauffourée, escarmouche, conflit, querelle.

Combattant. — Soldat, belligérant, lutteur, assaillant, adversaire, champion, ennemi. — Compétiteur, rival.

Combattre. — Se battre, lutter, assaillir, attaquer, charger. — Réfuter, enrayer, s'opposer, se mettre en travers.

Combien. — A quel point. —
Quelle quantité, quel nombre, quelle valeur, quel prix.

Combinaison. — Assemblage, arrangement, union, plan, système, manœuvre.

Combiner. — Arranger, disposer, unir, associer.

Comble. — Faîte, toit, couronnement, cime, sommet. — Dernier degré, excès.

Combler. — Remplir, accabler, charger. — Satisfaire, couronner.

Combustible. — Inflammable.

Combustion. — Incendie. — Désordre, effervescence.

Comédien. — Acteur, artiste, cabotin.

Comestible. — Aliment, mets, vivres, victuaille. — Mangeable, bon à manger.

Comique. — Plaisant, amusant, risible, drôle, grotesque, burlesque.

Commandant. — Chef.

Commandement. — Ordre, précepte, injonction, prescription, instruction, invite, loi, décret, arrêt, arrêté, consigne.

Commander. — Ordonner, prescrire, gouverner, dominer, imposer, diriger, mener, régir, régenter, enjoindre, édicter, dicter, intimer. — Maîtriser, résister.

Commanditaire. — Associé, bailleur de fonds, intéressé, prêteur.

Comme. — Ainsi que, de même que. — Presque, en quelque sorte. — En qualité de. — De quelle manière, par quels moyens. — Parce que, attendu que, puisque.

Commémoration. — Mémoire, souvenir, anniversaire, rappel.

Commencement. — Origine, source, début, naissance, départ, essor, aurore, préambule, préface, essai, ébauche, préliminaire, entrée, avènement, prélude, exorde.

Commencer. — Débuter, entamer, attaquer, entreprendre, préluder, prévenir. — Ébaucher, esquisser.

Commensal. — Hôte, compagnon, invité, convive.

Comment. — De quelle sorte, de quelle manière, comme, à quel point. — Par quel moyen. — Que dites-vous ? Eh ! quoi ? Est-ce possible ? — Pour quelle cause, par quel motif.

Commentaire. — Glose, interprétation, explication.

Commenter. — Expliquer, interpréter, gloser.

Commerçant. — Marchand, débitant, trafiquant, négociant, boutiquier, patenté.

Commerce. — Négoce, trafic, débit, échange, affaires.

Commettre. — Préposer, confier. — Compromettre, exposer. — Faire, accomplir, exécuter, perpétrer.

Commis. — Employé, préposé.

Commisération. — Pitié, compassion, miséricorde, apitoiement, charité, grâce.

Commissaire. — Fonctionnaire, délégué, surveillant, officier de paix, policier.

Commission. — Fidéicommis, message. — Réunion, Comité. — Pouvoir, mandat, charge, délégation, procuration. — Guelte, remise, pourboire.

Commissure. — Jointure, jonction, joint, fente.

Commode. — Convenable, favorable, agréable, opportun, avantageux, aisé, facile. — Relâché, complaisant.

Commodité. — Aise, agrément, facilité, avantage, aisance.

Commuer. — Changer, transformer, intervertir.

Commun. — Général, universel, public, collectif, mutuel. — Nombreux, abondant, fréquent, vulgaire, ordinaire, trivial, banal, usé, rebattu, quelconque.

Communauté. — Similitude, parité. — Indivision. — Généralité. — Groupement, corporation. — Société, association, agrégation. — Couvent.

Communicatif. — Expansif, en dehors, démonstratif.

Communiquer. — Transmettre, annoncer, faire part. — Relier, mettre en rapport.

Commutation. — Remplacement, substitution, changement.

Compact. — Dense, serré, lourd, tenace, épais, gros, tassé, pilé.

Compagne. — Épouse, moitié, femme.

Compagnie. — Troupe, bande, société, réunion, association.

Compagnon. — Camarade, ami, copain, condisciple.

Comparaison. — Similitude, confrontation, collationnement, parallèle, rapprochement.

Comparer. — Examiner, confronter, assimiler, rapprocher, collationner, opposer.

Compartiment. — Division, recoin, case, rayon.

Compasser. — Mesurer. — S'étudier, affecter.

Compassion. — Miséricorde, pitié, commisération, sensibilité, attendrissement, charité.

Compatir. — S'apitoyer, s'attendrir, sympathiser.

Compensation. — Équivalence, balance, équilibre, dédommagement, remède, remise.

Compenser. — Balancer, équilibrer, corriger, dédommager, équivaloir, remédier, rétablir.

Compère. — Bon vivant. — Complice. — Parrain. — Copain.

Compétence. — Aptitude, savoir, capacité, entente, habileté, science. — Attribution, pouvoir, ressort, autorité.

Compétiteur. — Émule, rival, concurrent.

Complainte. — Plainte, doléance, jérémiade, chant.

Complaire. — Plaire, flatter, séduire, charmer.

Complaisance. — Déférence, condescendance, soin, approbation, plaisir, satisfaction, obligeance, douceur, bon office, serviabilité, prévenance, faiblesse, indulgence.

Complément. — Supplément, suite, surplus.

Complet. — Intégral, entier, total.

Compléter.—Achever, terminer, parfaire. — Joindre, adjoindre, ajouter.

Complexe. — Composé, entrelacé, difficile, rude, malaisé, ardu, pénible, difficultueux, délicat, gênant, épineux, compliqué, embrouillé, entortillé, obscur, embarrassant, indéchiffrable, irréalisable, inexécutable, enchevêtré, inextricable.

Complexion. — Naturel, tempérament, constitution, caractère, organisation, organisme.

Complication. — Aggravation, désordre, accident, difficulté.

Complicité. — Connivence, coopération, affiliation.

Compliment. — Félicitation, éloge, flatterie, approbation, louange, politesse, glorification, panégyrique, apologie.

Compliqué. — Embarrassé, difficile, complexe.

Complot. — Brigue, cabale, conjuration, conspiration, menée, intrigue.

Comporter. — Admettre, souffrir, permettre, autoriser.

Composé. — Combiné, apprêté, affecté.

Composer. — Faire, former, assembler. — Travailler, produire. — Arranger, régler, apprêter, affecter, combiner, organiser.

Compost (*hort.*). — Mélange, composition.

Compréhension. — Entendement, intelligence, jugement, facilité. — Vision, pénétration, perspicacité.

Comprendre. — Embrasser, contenir, renfermer. — Saisir, concevoir, entendre, pénétrer, discerner, deviner.

Comprimer. — Serrer, opprimer, condenser, oppresser.

Compromettre. — S'en rapporter, s'en remettre, commettre. — Exposer, mêler. — Discréditer, déconsidérer, déshonorer.

Compte (A bon). — A bon marché, à prix réduit, sans grand'peine. — Tout de bon, effectivement.

Compter. — Calculer, supputer, dénombrer, évaluer. — Réputer, regarder comme, faire cas de. — Régler, payer.

Concéder. — Accorder, octroyer. — Convenir, admettre.

Concentrer. — Réunir, rassembler, grouper, unir. — Renfermer, dissimuler.

Conception. — Compréhension, entendement, intelligence, esprit, raison, bon sens, jugement, génie, discernement. — Imagination, réflexion, pensée. — Concept, idée, notion, connaissance.

Concerner. — Toucher, regarder, importer à, avoir rapport.

Concert. — Accord, intelligence, harmonie. — Café chantant.

Concerter. — Accorder, projeter, délibérer, conjurer, comploter, conspirer.

Concession. — Octroi, privilège. — Abandon, cession, aliénation, capitulation, approbation.

Concevoir. — Entendre, saisir, comprendre. — Former, créer, imaginer. — Penser, croire.

Concierge. — Portier, suisse, gérant, cerbère, pipelet. — Garde, geôlier, guichetier, gardien.

Conciliabule. — Assemblée, conférence, conspiration, cabale.

Concilier. — Mettre d'accord, rendre favorable, bien disposer, accorder, gagner.

Concis. — Laconique, précis, succinct, exact, bref, court, serré.

Conclure. — Arrêter, régler. — Inférer, déduire, raisonner, aboutir. — Opiner, donner son avis. — Terminer, finir, achever.

Conclusion. — Conséquence, résultat. — Déduction, péroraison.

Concomitance. — Concordance.

Concorde. — Paix, union, intelligence, harmonie.

Concourir. — Coïncider, converger. — Rivaliser, lutter, aspirer, disputer, jouter.

Concours. — Affluence, foule, multitude, presse. — Rencontre, coïncidence. — Intervention, coopération, aide. — Examen, lutte, dispute, compétition, joute.

Concupiscence. — Ardeur, passion, cupidité, avidité, convoitise, **envie**, désir, appétit.

Concurrence. — Rivalité, émulation, dispute, conflit, compétition.

Concussion. — Malversation, exaction, péculat, prévarication.

Condamnation. — Blâme, désapprobation, punition.

Condamner. — Reprendre, réprimander, réprouver, trouver à redire, improuver, fronder, épiloguer, désavouer, blâmer, punir, désapprouver, censurer.

Condenser. — Épaissir, forcer, comprimer, solidifier, concentrer, resserrer, presser, fouler, tasser, serrer.

Condition. — État, situation, position, emploi, profession, manière d'être, qualité. — Arrangement, stipulation, réserve, clause, obligation, exception, restriction, réglementation.

Conditionner. — Faire, fabriquer. — Stipuler.

Condoléance. — (*V. Consolation.*)

Conduire. — Guider, administrer, diriger, commander, gouverner, régir, piloter. — Mener, emmener, transporter, accompagner, régler, inspirer.

Conduite. — Régie, administration, gouvernement, direction, gestion. — Manière d'agir, procédé. — Vie, mœurs.

Confection. — Fabrication, exécution, réalisation.

Confédération.—Ligue, alliance, coalition.

Conférence. — Comparaison, collation. — Conversation, entretien, colloque, dialogue, discours, causerie.

Conférer. — Déférer, accorder, donner. — Comparer, collationner. — Disserter, discuter.

Confesser. — Avouer, reconnaître. — Sonder, convenir, faire avouer.

Confesseur. — Confident, directeur.

Confession.—Aveu, déclaration.

Confiance. — Foi, créance, crédit. — Sécurité, tranquillité.

Confidence. — Secret, communication.

Confier (Se). — Se fier, se livrer, s'abandonner.

Confiner. — Reléguer, enfermer, séquestrer. — Limiter, borner, renfermer. — Toucher, raser, avoisiner, côtoyer.

Confins. — Limites, bornes, frontières, lisière, terme, fin, extrémité, bout, barrière.

Confirmation. — Assurance, affirmation. — Approbation, ratification.

Confirmer. — Assurer, affirmer, affermir, raffermir. — Sanctionner, attribuer. — Attester, montrer, certifier, viser, ratifier, corroborer.

Confiseur. — Confiturier.

Conflagration. — Guerre, hostilités, choc.

Conflit. — Lutte, compétition, conflagration, bataille, collision, choc, mêlée, rencontre, engagement.

Confondre. — Mêler, brouiller, troubler. — Associer, identifier. — Réduire, faire échouer, atterrer. — Étonner, stupéfier.

Conformation.— Configuration, façon, forme, figure.

Conforme. — Pareil, semblable, identique, similaire, textuel, littéral.

Conformité. — Ressemblance, similitude. — Soumission.

Confortable. — Aise, commodité.

Conforter. — Ranimer, relever, consoler, affermir, réconforter.

Confraternité. — Bonnes relations, amitié.

Confrère. — Collègue, associé.

Confronter. — Vérifier, comparer, collationner, mettre en présence.

Confus. — Obscur, embrouillé, équivoque, flottant. — Indécis, imprécis, indéfini, indéterminé, vague. — Confondu, réuni. — Embarrassé, déconcerté, interdit.

Confusion. — Désordre, trouble pêle-mêle. — Mélange, promiscuité. — Honte, embarras.

Congé. — Permission, autorisation, repos, chômage, vacances, relâche, délassement, loisir. — Séparation, renvoi, exclusion, signification, expulsion.

Congédier. — Renvoyer, expulser, mettre à la porte, remercier, chasser, éconduire.

Congélation. — Épaississement, solidification, coagulation, refroidissement.

Congénère. — Semblable.

Congratuler. — Féliciter, complimenter, louer.

Congrès. — Réunion, assemblée.

Congru. — Convenable, exact, proportionné, précis.

Conjecture. — Présomption, supposition, probabilité, hypothèse.

Conjoindre. — Joindre, attacher, lier. — Unir, marier.

Conjointement. — Ensemble, en même temps, simultanément. — De concert.

Conjonctif. — Qui joint, qui unit.

Conjoncture. — Circonstance, occasion, aventure, coïncidence, entrefaite, incident, épisode, cas, occurrence.

Conjuguer. — Unir, joindre. — Énoncer.

Conjungo. — Mariage, union.

Conjuration. — Cabale, complot, machination, intrigue, conciliabule, conspiration, brigue, menée. — Magie, charme, enchantement. — Exorcisme, adjuration.

Conjurer. — Comploter, se liguer. — Implorer, supplier, prier. — Exorciser, chasser, adjurer.

Connaissance. — Discernement, conscience. — Sentiment, notion. — Culture, compétence, instruction.

Connaisseur. — Expert, habile. — Amateur, appréciateur.

Connexe. — Uni, lié, analogue, pareil, équivalent, semblable.

Connexion. — (*V. Connexité*.)

Connexité. — Union, connexion, affinité, alliance, liaison, enchaînement, communauté, accord, cohérence.

Connivence. — Complicité, aide, conjuration.

Consacrer. — Vouer, dédier. — Sacrer, bénir. — Destiner, dévouer, affecter, attribuer. — Sanctionner, affermir.

Consanguinité. — Parenté, souche, origine, source, lignée, atavisme.

Conscience. — Pensée, perception, sensation, idée, notion. — Discernement, jugement. — Ame, cœur, sentiment. — Soin, scrupule.

Consciencieux. — Scrupuleux, soigneux, sérieux, honnête, probe.

Conscription. — Recrutement. — Levée.

Consécration. — Apothéose, destination, sanction, confirmation.

Conseil. — Avis, avertissement, indication, instruction. — Résolution, parti, dessein. — Remontrance, exhortation, direction, inspiration, admonestation.

Conseiller. — Exhorter, influer, peser, engager, suggérer. — Moraliser, entraîner, exciter, admonester, styler, diriger, inspirer, influencer, sermonner, chapitrer, inciter, catéchiser.

Consentement. — Accord, adhésion, acquiescement, approbation, assentiment, agrément, permission.

Consentir. — Adhérer, accéder, acquiescer, souscrire, approuver.

Conséquence. — Conclusion, déduction. — Suite, corollaire, résultat.— Importance, gravité.

Conséquent. — Qui suit. — Juste, raisonnable.

Conserver. — Maintenir, garder, préserver, réserver, prolonger, entretenir, consolider, perpétuer.

Considérable. — Grand, important, énorme, immense, spacieux, vaste, ample, long, colossal, démesuré, illimité, haut, élevé, large, étendu, infini.

Considérablement. — En grande quantité, beaucoup, abondamment, énormément, copieusement, amplement, immensément, démesurément, formidablement.

Considération. — Estime, déférence, égard, ménagement, respect. — Réputation, célébrité, renommée, honneur, popularité, notoriété.

Considérations. — Remarques, observations, réflexions, pensées, notes, raisons, motifs.

Considérer. — Examiner, envisager, contempler, observer, regarder, remarquer, voir, étudier, peser, approfondir. — Se préoccuper de, tenir compte de, avoir égard à. — Estimer, faire cas de. — Juger, réputer.

Consolant. — Consolateur, réconfortant.

Consolation. — Soulagement, condoléance, apaisement, allégeance, atténuation, allégement, dédommagement, adoucissement, remède, baume, réconfort, refuge.

Consoler. — Soulager, adoucir, dédommager, alléger, apaiser, réconforter, calmer, remonter, tranquilliser, atténuer, cicatriser, raffermir, ragaillardir,

Consolider. — Affermir, attacher, arrêter, assurer, fixer, solidifier, arc-bouter.

Consommé. — Mené à bout, terminé. — Parfait, accompli,

éprouvé. — Employé, usé, détruit. — Bouillon.

Consommer.—Achever, accomplir. — Consumer, employer, user, dissiper, manger.

Conspiration. — Cabale, complot, conjuration, brigue, intrigue.

Conspirer. — Concourir, contribuer à. — Comploter, conjurer, cabaler, briguer, intriguer.

Conspuer. — Honnir, vilipender, bafouer, railler, huer, persifler.

Constamment. — Incessamment, continuellement, assidûment, toujours, sans cesse, sans relâche, fermement, invariablement.

Constance. — Fidélité, attachement, fermeté, courage. — Persévérance, stabilité. — Persistance, opiniâtreté, ténacité, entêtement, acharnement.

Constant. — Permanent, fixe, stable. — Ferme, invariable, résistant, durable, solide. — Assuré, authentique, indubitable, positif, sûr, évident, formel. — Résolu, décidé, inébranlable, fidèle, attaché à.

Constater. — Avérer, vérifier, prouver, s'assurer, voir, regarder, relater, remarquer, observer.

Consteller. — Parsemer, émailler.

Consterner. — Étonner, surprendre, chagriner, désoler, navrer, frapper, désespérer, affliger, altérer, contrister.

Constitution. — Complexion, naturel, tempérament. — Loi, charte, pacte social, contrat social, loi organique.

Construire. — Édifier, bâtir, élever, dresser, ériger.

Consultation. — Examen, avis, conseil, délibération, direction, inspiration, suggestion.

Consulter. — Prendre conseil, se diriger par. — Examiner, conférer, délibérer, étudier.

Consumer. — Consommer, user, détruire, dissiper, absorber, dépenser. — Ronger, affaiblir, abattre, épuiser.

Contact. — Attouchement, toucher, tact. — Rapport, fréquentation, relation, voisinage, contiguïté, rapprochement.

Contagion. — Communication, transmission, infection.

Conte. — Récit, fable, fiction, roman, nouvelle, anecdote. — Mensonge, duperie.

Contemplatif. — Observateur, curieux, contemplateur, rêveur.

Contempler. — Considérer, envisager, regarder, méditer, examiner, observer, admirer.

Contemporain. — Actuel, du même temps.

Contenance. — Capacité, étendue, superficie. — Attitude, maintien, posture, prestance, représentation, air, mine, physionomie, visage.

Contenir. — Tenir, être composé de, comprendre, renfermer. — Retenir, arrêter, maîtriser, modérer, maintenir, réprimer, refouler.

Content. — Qui s'accommode, qui se contente de. — Aise, ravi, satisfait, joyeux, gai, enjoué.

Contentement. — Satisfaction, ravissement, enchantement, joie, rayonnement, liesse, aise, bonne humeur.

Contenter. — Satisfaire, assouvir, exaucer, apaiser, plaire à.

Contentieux. — Litigieux.

Conter. — Relater, exposer, faire un récit, narrer, raconter, dire, retracer, décrire.

Contestation. — Débat, dispute, altercation, querelle. — Différend, démêlé, discussion, contradiction, controverse, chicane.

Contester. — Nier, douter, récuser, contredire, disputer, discuter, débattre, quereller, controverser.

Contexture. — Tissu, tissure, texture. — Liaison, union, arrangement, agencement.

Contigu. — Proche, adjacent, attenant, joignant, prochain, voisin, limitrophe, mitoyen, adossé, environnant.

Continence. — Chasteté, pureté, pudicité, pudeur.

Continent. — Chaste, pur, pudique, vertueux, innocent, décent.

Continu. — Continuel, prolongé, ininterrompu, éternel, perpétuel, permanent, sans arrêt, sans trêve, sans répit, d'affilée.

Continuation. — Suite, prolongement.

Continuel. — Perpétuel, éternel, sempiternel, immortel, définitif, durable, stable, solide, fixe, ferme, indéfini, continu, persistant.

Continuellement. — Toujours, sans cesse, sans interruption, constamment.

Continuer. — Prolonger, étendre, poursuivre, persévérer, persister, maintenir, perpétuer, éterniser, s'entêter.

Continuité. — Persistance, enchaînement, prolongement, suite, continuation.

Contorsion. — Contraction, exagération.

Contour. — Circuit, enceinte, limite, tour, pourtour, cercle, périphérie, bordure, couronne.

Contracter. — S'engager. — Etre atteint. — Réduire, resserrer, se replier, crisper.

Contradiction. — Opposition, empêchement, contestation, objection, désaccord, dénégation.

Contraindre. — Forcer, violenter, réduire, nécessiter, obliger, imposer, astreindre, exiger. — Gêner.

Contrainte. — Gêne, obligation, sujétion, nécessité, exigence, violence, coercition.— Retenue.

Contraire. — Contradictoire, opposé, différent, inverse. — Nuisible, défavorable.

Contrarier. — Contredire. — Faire obstacle. — Fâcher, inquiéter, dépiter, opposer, repousser, refluer.

Contrariété. — Contradiction, opposition. — Obstacle, traverse, difficulté, contretemps. — Dépit, humeur.

Contraste. — Opposition, disparité, variété, antithèse, différence, dissemblance, diversité.

Contrat. — Pacte, convention, marché, traité, engagement, compromis, entente, libellé, arrangement, stipulation, accord, règlement.

Contre. — En opposition à, en face de, auprès, proche de, malgré, nonobstant.

Contrebande. — Fraude, tromperie.

Contrebandier. — Fraudeur.

Contre-coup. — Répercussion, ébranlement, commotion, secousse, ricochet.

Contredire. — Contrarier, contrecarrer, contrepointer. — Dédire, combattre. — Contester, protester, réclamer, objecter, opposer, chicaner, réfuter.

Contrée. — Région, pays, territoire, endroit, lieu, parage.

Contrefaçon. — Imitation, reproduction, copie, contrefaction, adultération, falsification, sophistication, frelatage. — Feinte, hypocrisie, grimace, fausseté, inexactitude, simagrée.

Contrefaire. — Copier, imiter, reproduire, singer. — Feindre, simuler, déguiser. — Dénaturer, fausser, sophistiquer, farder, maquiller, frelater, truquer.

Contrefort. — Appui, soutien, épaulement, arc-boutant, pilier, poteau, accotoir, accoudoir.

Contre-pied (A). — A rebours, en sens contraire, en contradiction.

Contrepoids. — Balancier. — Équilibre, compensation.

Contrepoison. — Antidote, remède, correctif.

Contresens. — Erreur, aberration, fourvoiement, non-sens, méprise, confusion.

Contrevenir. — Transgresser, désobéir, enfreindre, agir contre, déroger.

Contribuer. — Concourir, coopérer, participer, collaborer.

Contribution. — Participation — Impôt, tribut, subside, taille, corvée, taxe, prestation, imposition, subvention, droit, cens, dîme, patente.

Contrister. — Affliger, fâcher, attrister, mortifier, chagriner, désoler, navrer, peiner.

Contrition. — Remords, repentir, componction, attrition, pénitence.

Contrôle. — Censure, examen, vérification, surveillance, inspection.

Contrôler. — Vérifier, surveiller, poinçonner, inspecter. — Censurer, examiner, critiquer.

Controuvé. — (*V. Faux.*)

Controverse. — Dispute, débat, discussion, querelle, contention, chicane, polémique, conflit.

Contusion. — Lésion, meurtrissure, blessure, mutilation.

Convaincre. — Persuader, prouver, démontrer, montrer, expliquer.—Établir, confirmer, corroborer.

Convenable. — Décent, bienséant, sortable, séant. — Conforme, proportionné, opportun.

Convenance. — Décence, bienséance. — Analogie, correspondance, rapport.

Convenir. — Reconnaître, admettre, avouer.— S'accorder. — Régler, arrêter. — Cadrer, être conforme. — Satisfaire, avantager, faire l'affaire. — Plaire, être accepté.

Convention. — Accord, contrat, marché, pacte, traité, engagement, clause, entente, arrangement. transaction.

Converger. — Diriger, concentrer, tendre, se rapprocher.

Conversation. — Colloque, conférence, entretien, dialogue, causerie, parler, babillage, propos, interview, conciliabule, pourparler, palabre, bavardage, commérage, causette.

Conversion. — Transmutation, changement, mutation, convertissement. — Évolution, volte-face. — Reniement, palinodie, abjuration, apostasie.

Convertir. — Changer, transmuer, transformer, métamorphoser, convaincre, persuader.

Conviction. — Persuasion, certitude, foi. — Preuve.

Convier. — Inviter, prier, appeler, convoquer, mander. — Engager, induire.

Convive. — Hôte, commensal, invité, convié.

Convoiter. — Vouloir, souhaiter, avoir envie, désirer, soupirer, ambitionner, aspirer, prétendre.

Convoler. — Se marier, épouser.

Coordination. — (*V. Union.*)

Copie. — Imitation, reproduction, contrefaçon, doublure,

répétition. — Papier, écrit, duplicata, transcription, fac-similé.

Copier.— Transcrire, reproduire, imiter, contrefaire, répéter, doubler.

Copieusement. — Beaucoup, abondamment, amplement, considérablement, énormément, fort.

Coquetterie. — Provocation, galanterie. — Agrément, grâce. — Élégance, séduction, mignardise, prétention.

Coquillage. — Coquille, mollusque.

Coquin. — Lâche, infâme, criminel, astucieux. — Maraud, bélître, faquin, vaurien, garnement, pendard.

Coquinerie. — Scélératesse, friponnerie, méfait, indélicatesse, malpropreté.

Cordage. — Corde, câble, grelin, filin, ficelle.

Cordial. — (*V. Franc.*)

Coriace. — Dur, résistant. — Tenace, avide, dur, avare,

Cornes. — Bois, ramure, andouiller.

Cornu. — Fourchu, saillant. — Bizarre, extravagant, déraisonnable.

Corporation. — Association, communauté, métier, assemblée.

Corps. — Ensemble, agglomération, masse, charpente, organisme. — Tronc, partie principale. — Épaisseur, consistance.

Corpulent. — Gros, gras, énorme, ventru, bedonnant.

Correct. — Juste, fidèle, exact, convenable, impeccable, décent.

Correction. — Châtiment, peine, réprimande, admonition. — Amendement, réforme, changement.

Correspondance. — Rapport, conformité, corrélation, relation, moyen de communication. — Lettre, billet, dépêche, télégramme, missive, épître.

Correspondre. — Répondre, se rapporter à, communiquer. — Écrire, télégraphier

Corridor. — Vestibule, galerie, couloir, passage, entrée.

Corriger. — Reprendre, réprimander, redresser, châtier, punir. — Tempérer, adoucir, amender. — Revoir, retoucher, redresser, rectifier, réformer, rétablir, bonifier.

Corroborer. — Confirmer, appuyer, prouver, démontrer.

Corroder. — Ronger, user, détruire, manger.

Corrompre. — Gâter, vicier, infecter, pourrir. — Altérer, dénaturer, dépraver, pervertir. — Séduire, suborner.

Corrompu. — Gâté, altéré, vicié, pourri. — Pervers, impur, vicieux, dépravé. — Suborné, séduit.

Corruption. — Décomposition, putréfaction, altération. — Dépravation.

Corsage. — Buste, taille.

Corvée. — (*V. Travail.*)

Cosmographie. — Cosmologie, cosmogonie.

Cosmopolite. — Exotique, étranger.

Cosse. — Enveloppe, gaine, fourreau, tégument, gousse, glume.

Cossu. — Richard, riche, opulent, crésus, nabab, millionnaire, milliardaire.

Costume. — Vêtement, habillement. — Mise, tenue, affublement, accoutrement, ajustement, effets, trousseau, toilette.

Cote. — Contribution, impôt. — Cours, prix.

Côte. — Bord, rivage, rive. — Coteau, colline. — Nervure, saillie.

Côté. — Face, pan, profil, aspect. — Endroit, point. — Direction, point de vue.

Coterie. — Cénacle, société, association, chapelle. — Cabale, camarilla.

Cotillon. — Jupe, jupon, robe, cotte, vêtement.

Cotisation. — Contribution, quote-part, écot.

Cotonneux. — Duveté, mollasse, ouateux. — Mou, flasque.

Cou. — Col, encolure, gorge, jabot, nuque.

Couard. — Pusillanime, poltron, lâche, faible, peureux, trembleur, timide, pleutre, craintif.

Couardise. — (*V. Peur.*)

Coucher. — Étendre. — Pencher, courber, rabattre, abattre, incliner. — Loger, dormir.

Coude. — Angle, courbe, encoignure, tournant.

Coudoyer. — Heurter, pousser, toucher, bousculer, tamponner, buter.

Coudre. — Attacher, assembler, fixer, lier.

Coulant. — Fluide, aisé, naturel. — Facile, accommodant, indulgent, commode.

Couler. — Rouler, glisser, verser, circuler, pénétrer. — S'écouler, passer. — Dégoutter, égoutter, pleurer, suinter. — Découler, résulter. — Glisser, s'échapper — Fondre, mouler.

Couleur. — Ton, teinte, nuance, tonalité, coloris, coloration. — Apparence, prétexte, subterfuge.

Coulisse. — Rainure. — Glissière, châssis, volet.

Couloir. — Passage, dégagement. corridor, vestibule, entrée.

Coup. — Bourrade, poussée, rencontre, secousse, heurt, choc, commotion, collision, ricochet. — Décharge, détonation. — Atteinte, attaque, blessure, tape, taloche, horion, volée, brossée, dégelée, rossée, correction, voie de fait, bastonnade. — Son, bruit.

Coupable. — Fautif, responsable.

Couper. — Séparer, diviser, inciser, tailler, découper, amputer, trancher, rogner.

Couple. — Paire, double, ensemble, duo.

Coupure. — Coupe, section, tranche, morceau. — Entaille. balafre, estafilade, coche, encoche. — Retranchement, suppression, sectionnement.

Courage. — Cœur, bravoure, intrépidité, hardiesse, valeur, audace, vaillance. — Fermeté, résolution, énergie, ardeur.

Courageux. — Brave, vaillant, valeureux, crâne, intrépide, indomptable, ardent, bouillant, téméraire, audacieux, — Énergique, résolu, ferme.

Courant. — Cours, direction.

Courber. — Abaisser, humilier, baisser, assujettir, soumettre, plier, ployer, cintrer, arquer, recourber, fléchir, infléchir, arrondir, cambrer, tordre.

Courbette. — Révérence, salut, politesse, prévenance, platitude, courtisanerie.

Courir. — Courre, poursuivre, avancer, circuler, voler, parcourir, trotter, galoper, filer, détaler, décamper. — Se dépêcher, s'empresser. — S'étendre, se prolonger. — Hanter, fréquenter.

Couronnement. — Fin, achèvement. — Sacre.

Couronner. — Entourer, surmonter, dominer. — Honorer, récompenser. — Combler, accomplir.

Courroux. — Colère, irritation, exaspération, fureur, furie, emportement.

Course. — Trajet, distance, parcours. — Joute, épreuve sportive. — Démarche, commission. — Excursion, incursion.

Court. — Bref, concis, laconique, abrégé, insuffisant. — Nain, rabougri, minuscule, courtaud, petit.

Courtier. — Entremetteur, commissionnaire, intermédiaire, agent, commerçant.

Courtisan. — Flatteur, adulateur. — Favori, mignon, menin.

Courtiser. — Flatter, aduler, caresser, faire la cour, peloter.

Courtois. — Gracieux, affable, complaisant, aimable, correct, civil.

Couteau. — Coutelas, navaja, poignard, canif, couperet.

Coûter. — Valoir, coter, fixer, estimer, s'élever à, revenir à, monter à.

Coutume. — Usage, habitude, pratique, tradition, manie, routine, mode. — Législation, droit.

Coutumier. — Qui a l'habitude, qui a coutume. — Habituel, usager, ordinaire, usuel, familier, traditionnel.

Couver. — Entretenir, préparer, développer.

Couvert. — Abri, toiture, toit, couverture, dehors.

Couvrir. — Envelopper, abriter, protéger, garantir. — Cacher, déguiser, celer, voiler, garnir. — Pallier, excuser, effacer, réparer. — Dominer, étouffer.

Cracher. — Expectorer, crachoter, graillonner, saliver, baver, écumer.

Craindre. — Redouter, avoir peur, appréhender, trembler, frissonner, frémir, s'effrayer, s'épouvanter, s'alarmer. — Révérer, respecter. — Ne pas oser, hésiter.

Crainte. — Effroi, appréhension, effarement, frayeur, terreur, frisson, épouvantement, alarme, inquiétude.

Cran. — Entaille.

Crâne. — Brave, décidé, fier, déterminé, hardi, intrépide, résolu, téméraire, effronté, querelleur.

Crapule. — Débauché, voyou.

Crasse. — Saleté, ordure. — Avarice.

Crasseux. — Sale, dégoûtant, ignoble. — Chiche, ladre, avare.

Crayon. — Canevas, croquis, dessin, esquisse.

Créateur. — Inventeur, auteur, producteur, Dieu, Tout-Puissant, Éternel, Seigneur, Être suprême.

Crédit. — Faveur, considération, autorité, influence, confiance, créance. — Terme.

Crédule. — Superstitieux, naïf, aveugle, gobeur, gogo.

Crédulité. — Superstition, croyance aveugle.

Créer. — Faire, fabriquer, produire, susciter, inventer, imaginer. — Fonder, instituer. — Procréer, engendrer, enfanter, donner naissance, mettre au jour.

Crépu. — Frisé, ondulé, onduleux.

Crétin. — Idiot, stupide, bête, dégénéré.

Creuser. — Approfondir, pénétrer, fouiller, sonder.

Creux. — Évidé, profond, vide. — Vain, futile, chimérique.

Crevasse. — Fente, déchirure, fissure, dégradation, ouverture, cassure, lézarde.

Crever. — Éclater, se déchirer, se rompre. — Mourir.

Cri. — Clameur. — Gémissement, plainte, exclamation.

Criard. — Grondeur, aigre, braillard, tapageur, piailleur, hurleur.

Crible. — Claie, passoire, blutoir, tamis, bluteau, sas.

Crier. — Vociférer, hurler, brailler, s'exclamer.

Crime. — Faute, péché, délit, forfait, brigandage, scélératesse, méfait, attentat, assassinat, meurtre.

Crise. — Alarme, danger, péril, risque, détresse, trouble, angoisse.

Critique. — Jugement, appréciation, opinion, avis, sentiment, discussion, blâme, satire.

Crocher. — Crocheter, accrocher.

Crocheter. — Ouvrir, forcer, cambrioler.

Crochu. — Courbé, recourbé, fourchu.

Croire. — Accroire, supposer, admettre, adopter, conjecturer, s'imaginer, penser, présumer, se figurer. — Ajouter foi, avoir confiance, être persuadé.

Croisement. — Entrelacement. — Accouplement.

Croissance. — Crue, développement, progression, augmentation, agrandissement, progrès.

Croître. — Augmenter, se développer, s'élever, gagner, pousser, profiter.

Croquer. — Manger, dévorer. — Esquisser, dessiner.

Croquis. — (*V. Canevas.*)

Crotte. — Fange, boue, bourbe, limon, vase, immondices.

Crotter. — Salir, maculer, souiller.

Crouler. — S'effondrer, s'affaisser, disparaître, s'abattre, s'ébouler, culbuter, s'écrouler, tomber. — Ébranler, agiter, secouer.

Croupeton (A). — Accroupi, à quatre pattes.

Croupir. — Pourrir, se gâter, végéter, stationner.

Croûte. — Surface, couche. — Tableau.

Croyance. — Foi, créance, confiance, conviction. — Opinion, attente, prévision.

Cruauté. — Férocité, inhumanité, insensibilité, rigueur, dureté, rudesse, brutalité, barbarie, sauvagerie. — Atrocité.

Cruel. — Féroce, barbare, inhumain, rigide, sévère, brutal, inexorable, farouche, violent, impitoyable, sauvage, sanguinaire, dur, rigoureux, rude. — Fâcheux, douloureux, atroce.

Crypte. — Souterrain, cave, caveau.

Cube. — Parallélipipède, solide. — Volume, masse, bloc.

Cueillette. — Récolte, vendange, cueille, cueillage, cueillaison.

Cueillir. — Ramasser, recueillir, détacher, récolter, moissonner.

Cuire. — Rôtir, frire, bouillir, torréfier, griller, roussir, brûler, chauffer, échauder, mijoter, rissoler, braiser, réduire.

Cuisant. — Aigu, violent, virulent.

Cuistre. — Valet. — Pédant.

Culbute. — Saut, chute, cabriole, voltige.

Culbuter. — Renverser. — Tomber, sauter.

Culminant. — Élevé, surélevé, dominant, élancé, proéminent.

Cultivateur. — (*V. Agriculteur.*)

Cupidité. — Concupiscence, convoitise, avidité, âpreté.

Cure. — Soin, souci. — Guérison, traitement. — Presbytère.

Curé. — Prêtre, ecclésiastique, pasteur, desservant.

Curer. — Nettoyer, purifier, approprier, récurer.

Curieusement. — Avec curiosité. — Délicatement, précieusement, avec soin, minutieusement.

Curieux. — Soigneux, attentif, fureteur, sondeur, enquêteur, investigateur, scrutateur. — Indiscret, chercheur, explorateur.

Curiosité — Indiscrétion, inquisition, recherche, investigation, espionnage. — Souci, soin. — Chose rare, nouvelle.

Cuver. — Fermenter.

Cyclone. — Trombe, tourbillon, tornade, ouragan.

Cylindrer. — Presser, aplatir, calandrer.

Cynisme. — Effronterie, impudence, immoralité, grossièreté, impolitesse, incorrection, incivilité, sans-gêne, impertinence, insolence, inconvenance.

D

Dada. — Marotte, idée fixe. — Cheval.

Daigner. — Vouloir, condescendre, consentir.

Dais. — Baldaquin, voûte, estrade.

Dallage. — Pavage, pavé, carrelage, mosaïque.

Dalmatique. — Tunique, chasuble, vêtement.

Damer. — Fouler, battre, tasser, enfoncer.

Dameret. — Damoiseau, muguet, élégant, godelureau, friquet, freluquet.

Damnation. — Châtiment, peine, tourment, torture, malédiction.

Damner. — Torturer, tourmenter, châtier, maudire.

Dandin. — Sot, niais, dadais, nigaud, benêt.

Dandiner. — Balancer, déhancher, se dodeliner.

Danger. — Péril, risque, hasard, inconvénient.

Dangereux. — Nuisible, pernicieux, périlleux, hasardeux, redoutable, menaçant, aventuré, risqué, critique, angoissant.

Dans. — En, dedans, en dedans, à l'intérieur de, au sein de, selon.

Danse. — Chorégraphie, rigodon, contredanse, entrechat, ballet, évolution.

Danser. — S'agiter, sauter, baller, tricoter, se trémousser.

Danseur. — Chorégraphe, cavalier, acrobate.

Dard. — Trait, pointe, lance, pique, javelot, flèche, épieu.

Darder. — Lancer, frapper, piquer, diriger, décocher.

Dariole. — Flan.

Dauber. — Battre, frapper. — — Attaquer, injurier, railler, persifler.

Davantage. — Plus, en plus, au delà, au-dessus, supérieurement, en sus, en outre, plus longtemps, par surcroît.

De. — Avec, par, à l'aide de, depuis, en, sur, pour, parmi, vers, entre.

Dé. — Domino.

Débâcle. — Rupture, déroute, culbute, défaite, échec, ruine, revers, désastre, chute, naufrage, écroulement, déconfiture, catastrophe, débandade.

Débâcler. — Débarrasser, déménager.

Déballer. — Ouvrir, étaler.

Débandade. — (*V. Débacle.*).

Débander. — Détendre, ôter un bandeau. — Mettre en débandade, disperser.

Débarbouiller. — Laver, nettoyer. — Dégager, éclaircir.

Débarcadère. — Port, quai, arrivée.

Débarquer. — Arriver, descendre, atterrir, accoster, aborder.

Débarrasser. — Dégager, débrouiller, délivrer, déblayer, libérer, ôter, enlever, dépouiller, déposséder, décharger.

Débat. — Différend, discussion, altercation, querelle, dispute, contestation, démêlé, controverse, polémique.

Débattre. — Discuter. — Contester, disputer.

Débauche. — Crapulerie, excès, incontinence, luxure, dissolution, libertinage, corruption, dévergondage, licence, indécence, débordement, inconduite, dérèglement, immoralité.

Débauché. — Libertin, noceur, viveur, coureur, dévergondé, pervers, dépravé, dissipateur, bambocheur, luxurieux, cynique, crapuleux, impudique, immoral.

Débile. — Faible, frêle, fragile, impuissant, affaibli, chétif, délicat, menu, malingre, fluet, étiolé, souffreteux.

Débit. — Commerce, vente. — Récitation, diction. — Marchand de vin, mastroquet, comptoir.

Débiter. — Détailler, vendre. — Réciter, exposer, déclamer, prononcer.

Déblai. — Débarras, décombre, plâtras.

Déblatérer. — Bavarder, raconter, papoter, médire, diffamer, calomnier, vilipender, dénigrer.

Déblayer. — Dégager, enlever, débarrasser, aplanir.

Déboire. — Mortification, déplaisir, désagrément, désappointement, regret, dégoût, tourment, tribulation, déception, déconvenue.

Déboîter. — Disloquer, démonter, séparer, retirer, désarticuler.

Débonnaire. — Bon, doux, conciliant, accommodant. — Innocent, bénin.

Débonnaireté. — Bénignité, bienfaisance, bienveillance, bonté, humanité, douceur.

Débordement. — Invasion, irruption, expansion, inondation, effusion. — Libertinage, dissolution.

Déborder. — Échapper, inonder, se répandre, s'emporter, envahir, s'épandre.

Débotté (Au). — Dès l'arrivée.

Débouché. — Issue, extrémité. — Écoulement, placement. — Perspective, certitude.

Déboucher. — Dégager, libérer, ouvrir, déblayer, dégarnir.

Déboucler. — Dégager, désenchaîner, défriser.

Débourrer. — Vider, décharger.

Debout. — Droit, dressé.

Débouter. — Repousser, rejeter.

Débris. — Perte, destruction, ruine.

Débris. — Décombres, ruines, morceaux, parties, restes, fragments, miettes.

Débrouiller. — Démêler, éclaircir, élucider, distinguer, discerner, trier.

Début. — Commencement, entrée, essai, origine, source, départ, principe.

Décacheter. — Ouvrir, déficeler.

Décadence. — Ruine, destruction, renversement, dégradation, déchéance. — Déclin, décours.

Décamper. — Partir, filer, prendre la poudre d'escampette, se retirer, fuir, s'en aller, disparaître.

Décapiter. — Couper, trancher, décoller, guillotiner, abattre.

Décéder. — Mourir, passer, trépasser.

Déceler. — Découvrir, dévoiler, révéler, éventer.

Décemment. — Convenablement, honnêtement, modestement.

Décence. — Réserve, modestie, retenue, pudeur. — Bienséance, convenance. — Dignité, gravité.

Décent. — Honnête, modeste, réservé, retenu, pudique.

Déception. — Mécompte.

Décerner. — Décréter, prononcer, enjoindre. — Accorder, donner, octroyer, remettre, conférer, adjuger, attribuer.

Décès. — Trépas, mort, fin.

Décevoir. — Tromper, abuser, surprendre, leurrer, en imposer, amuser, donner le change. — Enjôler, embabouiner, duper, attraper.

Déchaîner. — (V. Libérer.)

Décharge. — Déchargement. — Acquit, quittance. — Allégement, soulagement.

Décharger. — Enlever, alléger, soulager, diminuer. — Asséner violemment. — Acquitter.

Décharner. — Amaigrir, dépouiller, émacier, atrophier, étriquer, amincir.

Déchausser. — Débotter. — Déraciner.

Déchéance. — Chute, disgrâce. — Dégénération.

Déchiffrer. — Lire, démêler, découvrir, expliquer, épeler.

Déchiqueter. — Tailler, couper, déchiffrer, diviser, découper, désagréger, morceler, émietter, pulvériser, mettre en lambeaux.

Déchirer. — Fendre, ouvrir, traverser, déchiqueter, lacérer, mettre en pièces. — Médire, diffamer, traîner dans la boue, vilipender.

Déchoir. — Diminuer, s'affaiblir, dégénérer. — Dévier, tomber, s'amoindrir, décliner, décroître.

Décidé. — Déterminé, résolu, délibéré, crâne, hardi.

Décider. — Résoudre, déterminer, arrêter, édicter. — Juger, prononcer. — Vider, terminer, arrêter, disposer, régler, ordonner.

Décime. — Dîme, taxe, dixième.

Décisif. — Tranchant, péremptoire, déterminé, délibéré, dogmatique.

Décision. — Résolution, fermeté. — Jugement, parti, délibération.

Décisions. — Canons, décret.

Déclamer. — Réciter, prononcer. — Invectiver, discourir.

Déclancher. — Causer, déterminer, lâcher.

Déclaration. — Aveu, révélation. — Discours, manifeste, proclamation, acte solennel. — Énonciation, énumération (*jurispr.*).

Déclarer. — Découvrir, manifester. — Révéler, dévoiler, divulguer, dénoncer. — Publier, proclamer.

Déclassement. — Mutation. — Diminution de valeur.

Déclin. — Décours, décadence, chute, dépression, décroissance.

Décliner. — S'affaiblir, dégringoler, s'abaisser, pencher. — Écarter, éloigner, éviter, refuser.

Déclivité. — Inclinaison, pente, descente.

Décocher. — Lancer, émettre, darder, tirer, jeter, envoyer.

Décolleté. — Libre, bas, licencieux, égrillard, impudique.

Décombres. — Ruines, restes, débris, déblais, démolitions, éboulis.

Décomposer. — Altérer, corrompre, troubler. — Séparer, partager, diviser, désunir, désassembler. — Analyser, étudier, dépecer, déchiqueter, partager, distinguer, discerner.

Décomposition. — Analyse, étude. — Altération, corruption. — Démembrement, dislocation.

Décompte. — Retenue, déduction, retranchement. — Déception.

Décompter. — Soustraire, déduire, retrancher, rabattre, défalquer, rogner.

Déconcerté. — Troublé, décontenancé, interdit, confondu, stupéfié, pétrifié, désorienté, dérouté, interloqué.

Déconcerter. — Troubler, déranger, disjoindre. — Déjouer, rompre. — Décontenancer, interdire, confondre, stupéfier, désorienter, dérouter, interloquer.

Déconfire. — Défaire, mettre en déroute. — Embarrasser réduire au silence, contrarier

Déconfiture. — Déroute, carnage, extermination, débâcle, catastrophe, écroulement. — Ruine, faillite, banqueroute.

Décontenancer. — (*V. Déconcerter.*)

Déconvenue. — Malencontre, mésaventure, insuccès, échec, désillusion, déception.

Décoration. — Ornement, parure, emblême, symbole, chamarrure. — Insigne, ruban, distinction, croix.

Décorer. — Orner, embellir, parer, enjoliver, garnir, agrémenter, festonner, enguirlander.

Découdre. — Détacher, défaire. — Se battre.

Découler. — Procéder, provenir, dériver, émaner, résulter, s'ensuivre, se déduire.

Découper. — Diviser, partager, tailler, sectionner, recouper, dépecer, ébrancher. — Profiler, dessiner.

Découragement. — Désespoir, anéantissement, affaissement, démoralisation, désappointement, accablement, prostration, abattement, désespérance, démoralisation.

Découverte. — Trouvaille, invention. — Reconnaissance, exploration.

Découvrir. — Dégarnir, dénuder. Inventer, trouver. — Déceler, dévoiler, révéler, divulguer, publier. — Annoncer, déclarer, manifester. — Apercevoir, voir.

Décrasser. — Laver, nettoyer, débarbouiller, curer.

Décréditer. — Décrier, dénigrer, noircir, discréditer, diffamer, déshonorer, déprécier.

Décrépitude. — Vieillesse, caducité, sénilité, déclin.

Décréter. — Régler, décider, ordonner.

Décrier. — (*V. Décréditer.*)

Décrire. — Représenter, exposer, dépeindre, tracer, retracer, détailler.

Décrocher. — Désaccrocher, délier, détacher, dépendre.

Décroissance. — Décroissement, affaiblissement, diminution, déclin.

Décroître. — Baisser, devenir moindre, diminuer.

Décrotter. — Nettoyer, brosser, frotter, curer.

Dédaigner. — Repousser, mépriser.

Dédaigneux. — Impérieux, altier, fier, hautain, rogue, arrogant, insolent, méprisant.

Dédain. — Mépris, orgueil, fierté, morgue, arrogance.

Dédale. — Labyrinthe. — Embarras, complication, confusion.

Dedans. — A l'intérieur, dans, contre, au dedans.

Dedans. — Intérieur, contenu, cœur, centre.

Dédicace. — Consécration, hommage, offrande.

Dédier. — Vouer, consacrer. — Faire hommage, adresser, offrir.

Dédire. — Contredire, désavouer, rétracter, renier, disconvenir, démentir.

Dédit. — Désaveu, rétractation. — Somme stipulée.

Dédommagement. — Réparation, compensation, indemnité, revanche.

Dédoubler. — Diviser, réduire, partager, séparer.

Déduire. — Soustraire, retrancher. — Énumérer, exposer. — Conclure, inférer, raisonner.

Défaillance. — Affaiblissement, faiblesse, évanouissement, dépérissement, appauvrissement.

Défaillir. — Faire défaut, manquer. — S'éteindre, s'affaiblir, dépérir, se détériorer, s'évanouir.

Défaire. — Déranger, déplacer, détruire, rompre. — Abattre, affaiblir. — Vaincre, mettre en déroute, battre. — Débarrasser, dégager, dépêtrer, supprimer, anéantir, abolir, annihiler, annuler.

Défaite. — Déroute, insuccès. — Soumission, sujétion. — Excuse, prétexte, échappatoire, faux-fuyant.

Défalquer. — Retrancher, rabattre, déduire.

Défaut. — Privation, faute, manque, pénurie, absence. — Point sensible, côté faible, intervalle. — Inconvénient, irrégularité, imperfection, difformité, incorrection. — Ridicule, vice. — Manquement, refus, absence (*jurispr.*).

Défaveur. — Disgrâce, malheur, discrédit.

Défavorable. — Désavantageux, nuisible, préjudiciable, dommageable, néfaste.

Défection. — Abandon, délaissement. — Fuite, désertion.

Défectueux. — Mauvais, imparfait, incorrect.

Défectuosité. — Imperfection, condition défectueuse, malfaçon, difformité.

Défendre. — Soutenir, protéger, garantir, venir en aide, sauver. — Plaider, justifier, disculper. — Prohiber, interdire, empêcher. — Enjoindre, ordonner.

Défendu. — Protégé, mis à couvert. — Prohibé, interdit.

Défense. — Prohibition, opposition, interdiction. — Résistance, soutien, protection, — Justification, excuse, plaidoirie, disculpation. — Avocat, barreau.

Déférence. — Respect, égard, considération, vénération. — Complaisance, condescendance, hommage.

Déférer. — Conférer, donner, décerner, attribuer, accorder. — Traduire, assigner, citer, actionner.

Déferrer. — Déconcerter, interdire.

Défi. — Provocation, bravade, insulte. — Cartel, duel.

Défiance. — Méfiance, crainte, incrédulité, suspicion, doute, prévention, appréhension.

Déficit. — Manque, absence, passif, découvert.

Défier. — Provoquer, braver, affronter.

Défier (Se). — Se prémunir, douter, se méfier.

Défiguré. — Altéré, dénaturé. — Laid, difforme.

Défilé. — Col, détroit, gorge, pas, passage.

Défiler. — Marcher, passer, disparaître. — Évoluer, manœuvrer.

Définir. — Expliquer, déterminer, préciser.

Défléchir. — Détourner, dévier.

Défoncer. — Enfoncer, briser, dégrader, effondrer. — Retourner, creuser, fouiller, bêcher (*agric.*).

Déformation. — Altération, contrefaçon.

Déformer. — Changer, altérer, difformer, défigurer.

Défricher. — Mettre en culture, piocher, bêcher, labourer. — Éclaircir, démêler, expliquer.

Dégagement. — Retrait, libération, affranchissement, émancipation, indépendance. — Communication, passage. — Détachement, aisance. — Émanation, production, diffusion (*chim.*).

Dégaine. — Démarche, façon, allure.

Dégainer. — Tirer, exhiber, sortir.

Dégarnir. — Retirer, dépouiller, supprimer, enlever, désarmer, réduire, affaiblir, amoindrir.

Dégât. — Dévastation, dommage, ravage, ruine, bouleversement.

Dégénération. — Dégénérescence, abâtardissement, altération, dégradation, déchéance.

Dégénérer. — S'abâtardir, se détériorer, se transformer, déchoir, décliner, décroître.

Dégénérescence. — (*V. Dégénération.*)

Dégorger. — Débarrasser, déboucher. — Nettoyer. — Rendre gorge, restituer.

Dégoût. — Répugnance, horreur, aversion, antipathie, haine, répulsion, écœurement, éloignement.

Dégoûtant. — Fastidieux, ennuyeux, insupportable, odieux. — Répugnant, rebutant, repoussant.

Dégoûter. — Ennuyer, fatiguer, rebuter, répugner, écœurer, lasser, déplaire.

Dégrader. — Faire déchoir. — Avilir, déprimer, dépriser. — Détériorer, endommager.

Dégrafer. — (*V. Oter.*)

Dégraisser. — Oter la graisse, faire maigrir. — Rançonner, dépouiller (*fam.*). — Détacher, nettoyer.

Degré. — Escalier, marche, gradin, pas, échelon. — Rang, grade — Transition, acheminement. — Ordre, division, déférence, gradation.

Dégrèvement. — Diminution, détaxe, décharge, réduction, remise, exonération, immunité, libération.

Dégrever. — Décharger, affranchir, soulager, débarrasser, réduire, diminuer. — Supprimer, éteindre.

Dégringolade. — Décadence, déchéance, chute. — Glissade, effondrement, affaissement, descente, éboulis, culbute, écroulement.

Dégringoler. — Rouler, déchoir, glisser. — S'effondrer, ébouler, s'affaisser, choir, s'abattre, culbuter, crouler, s'écrouler.

Déguerpir. — Sortir, se retirer, fuir, prendre le large, s'éloigner, s'échapper, disparaître, s'esquiver, s'éclipser.

Déguiser. — Masquer, travestir, dénaturer, tromper, changer, taire, celer, dissimuler, cacher. — Voiler, farder, envelopper, pallier.

Dehors. — Extérieur, apparence, façade, aspect.

Déjeté. — Laid, mal fait, difforme, courbé, gauche, contourné, bancal, boiteux.

Déjoindre. — (V. Disjoindre.)

Delà. — Plus loin, de l'autre côté.

Délabrer. — Déchirer, affaiblir, ruiner, démolir, anéantir.

Délaissement. — Abandon, renoncement.

Délaisser. — Abandonner, laisser, renoncer, quitter, lâcher, planter là, répudier.

Délateur. — Accusateur, dénonciateur.

Délayer. — Détremper, fondre, liquéfier, dissoudre.

Délectable. — Agréable, délicat, délicieux, exquis, savoureux.

Délégué. — Envoyé, commissaire, mandataire, député, ambassadeur, émissaire.

Délétère. — Irrespirable, insalubre, corrompu, nauséabond, nocif, destructeur.

Délibération. — Discussion, réflexion, examen. — Décision, résolution.

Délibérer. — Examiner, discuter, réfléchir. — Décider, résoudre.

Délicat. — Délicieux, agréable, bon, exquis, délectable. — Subtil, fin, délié. — Embarrassant, difficile, scabreux. — Tendre, doux, frêle, faible, ténu, léger. — Ombrageux, susceptible. — Scrupuleux, probe.

Délicatesse. — Faiblesse, débilité. — Finesse, pénétration, sagacité, subtilité. — Légèreté, distinction, élégance. — Sensibilité, bon goût. — Ménagement, circonspection. — Soin, scrupule, probité.

Délice. — Plaisir, volupté, agrément, jouissance, joie.

Délicieux. — (V. Délectable et Bon.)

Délié. — Mince, ténu, fin, grêle, menu. — Habile, souple, pénétrant, adroit, subtil.

Délier. — Dénouer, défaire, détacher, déchaîner, délacer. — Dégager, exempter, absoudre, libérer.

Délimiter. — Fixer, borner, séparer, circonscrire, limiter.

Délirant. — Extravagant, désordonné, fou. — Enivrant, délicieux, étourdissant.

Délire. — Égarement, frénésie. — Enthousiasme, exaltation.

Délit. — Faute, infraction, péché, forfait.

Délivrer. — Affranchir, relaxer, dégager, relâcher. — Livrer, remettre. — Débarrasser, dispenser, libérer, sauver.

Déloger. — Partir, décamper, disparaître, s'en aller. — Renvoyer, chasser, expulser, débusquer, congédier.

Déloyal. — Perfide, traître, félon, parjure.

Déluge. — Inondation, pluie. — Débordement, affluence.

Déluré. — Vif, dégourdi.

Demande. — Désir, souhait, instance, prière, vœu, démarche, sollicitation, requête, réclamation. — Écrit, supplique, placet, pétition. — Prétention, conclusion. — Question, problème.

Demander. — Solliciter, prier. — Questionner, interroger. — Quémander, implorer, quêter, mendier. — Enjoindre, prescrire, exiger.

Démanteler. — Démolir, raser, détruire, abattre, ruiner, déclasser.

Démarche. — Allure, marche, pas. — Maintien, tenue, tournure, aspect, air, mine. — Sollicitation, visite, demande.

Démarrer. — Détacher, rompre. — Partir, quitter, lever l'ancre.

Démêler. — Débrouiller, éclaircir. — Discerner, distinguer, séparer, diviser, reconnaître.

Démembrer. — Découper, tailler. — Détacher, partager, diviser, morceler, briser, désunir, disloquer, mutiler.

Déménagement. — Départ, fuite. — Transport.

Démence. — Folie, délire, égarement, aliénation. — Manie, déraison, extravagance.

Démener (Se). — S'agiter, se débattre, se mouvoir, se secouer, se trémousser. — S'irriter, s'émouvoir.

Démenti. — Dénégation, contestation, contradiction, désaveu.

Démesuré. — Énorme, monstrueux. — Outré, excessif, exorbitant, extrême, immodéré.

Démettre. — Disloquer, déplacer. — Révoquer, destituer, débouter.

Demeurant (Au). — Au surplus, au reste, du reste.

Demeure. — Habitation, maison, séjour, domicile, résidence. — Retard, délai, retardement.

Demeurer. — Rester, se tenir, s'arrêter. — Séjourner, gîter, habiter, loger, résider. — Subsister, durer. — Persister, s'obstiner, s'entêter, s'éterniser, s'attarder.

Demi. — Moitié. — A moitié, en partie.

Demi-dieu. — Héros, génie.

Démission. — Renonciation, abandon, abandonnement, abdication, désistement, résiliation.

Démolir. — Raser, démanteler, détruire, supprimer, défaire, renverser. — Terrasser, ruiner (*fam.*).

Démon. — Esprit, génie, inspiration. — Satan, diable, Lucifer.

Démoniaque. — Diabolique, méchant, malin, énergumène, aliéné. — Satanique, infernal, possédé.

Démonstratif. — Convaincant, évident, probant, pertinent, persuasif, péremptoire, catégorique. — Expansif, exubérant.

Démonstration. — Témoignage, protestation, exubérance. — Raisonnement, leçon, preuve.

Démonter. — Désunir, désassembler, relâcher, détraquer. — Déconcerter, déranger, révolter, décourager, abattre, casser les bras.

Démontrer. — Prouver, établir, justifier, corroborer, confirmer. — Témoigner, protester.

Démunir. — Spolier, dépouiller, déposséder.

Dénaturer. — Pervertir, dépraver. — Transformer, changer.

Dénégation. — Déni. — Contestation.

Déni. — Refus. — Dénégation.

Dénicher. — Découvrir, débusquer. — Sortir, s'évader.

Dénigrer. — Noircir. — (*V. Décréditer.*)

Dénombrement. — Compte, recensement, énumération. — Liste, catalogue, rôle, nomenclature, état, inventaire.

Dénoncer. — Faire connaître, publier, déclarer, annoncer. — Signaler, déférer, accuser.

Dénonciateur. — Accusateur, délateur, sycophante.

Dénouement. — Terme, fin, solution, catastrophe.

Dénouer. — Détacher, desserrer, délier, défaire, rompre, déchaîner, dégrafer, délacer. — Terminer, solutionner.

Denrées. — Marchandises, subsistances, vivres.

Dense. — Compact, épais.

Dent. — Quenotte, croc, défense.

Dénuder. — Dépouiller, dénuer, déposséder, démunir, spolier.

Dénué. — Dépourvu, privé, pauvre, indigent.

Dénûment. — Besoin, disette, pauvreté, misère, indigence, pénurie, privation, manque.

Départir. — Distribuer, partager, dispenser, répartir. — Répandre, donner, accorder.

Dépasser. — Excéder, franchir, outrepasser, passer, surpasser. — Devancer, précéder.

Dépaysé. — Embarrassé, déconcerté, dérouté.

Dépecer. — Démembrer, diviser, morceler, couper, disséquer. — Eplucher, analyser.

Dépêche. — Lettre, correspondance, télégramme, courrier.

Dépêcher. — Tuer, se défaire. — Presser, hâter, accélérer. — Expédier, envoyer.

Dépeindre. — Peindre, représenter, décrire.

Dépenaillé. — Défait, délabré, pâle, flétri.

Dépendance. — Subordination, sujétion, assujettissement. — Annexe, accessoire, appartenance, mouvance, ressort, succursale.

Dépens. — Frais, dépenses, déboursés.

Dépense. — Usage, emploi. — Débours, charge, frais. — Dissipation, gaspillage, prodigalité.

Dépenser. — Employer, débourser, user, consumer, gaspiller, dilapider.

Dépensier. — Dissipateur, prodigue, gaspilleur, dilapidateur.

Dépérir. — Périr, s'affaiblir, se détériorer, se délabrer, décliner.

Dépêtrer (Se). — Se dégager, se débarrasser, se délivrer, se libérer, s'affranchir, s'émanciper.

Dépeupler. — Dégarnir, dépouiller, épuiser.

Dépit. — Colère, courroux, bile, ire, emportement.

Dépiter. — Chagriner, fâcher.

Déplacer. — Transporter, transposer, transférer, transborder.

Déplaisant. — Malplaisant, désagréable, fâcheux, ennuyeux, importun, antipathique, choquant.

Déplaisir. — Mécontentement, contrariété, chagrin, ennui, amertume, inquiétude, désappointement.

Déplier. — Ouvrir, dérouler, étaler, déployer, déballer, développer, déficeler, dépaqueter.

Déploiement. — Étalage, exhibition. — Étendue, développement.

Déplorable. — Lamentable, pitoyable, regrettable.

Déployer. — Étendre, développer. — Manifester, montrer, étaler, faire paraître.

Déportation. — Relégation, transportation. — Bannissement, éloignement, exil, proscription, ostracisme.

Déportement. — Excès, débauche, libertinage, désordre, dévergondage, dépravation, dissipation, inconduite.

Déporter. — Reléguer, transporter, exiler, bannir, éloigner, proscrire.

Déposer. — Destituer, démettre, révoquer. — Quitter, se défaire, se dépouiller. — Mettre en dépôt, remettre, donner en garantie. — Témoigner.

Déposition. — Déchéance, destitution. — Témoignage.

Déposséder. — Enlever, soustraire, ravir, frustrer, ôter.

Dépôt. — Magasin, entrepôt. — Abcès, apostume.

Dépouille. — Peau, vêtement. — Aubaine, butin, proie, prise, trophée.

Dépouillement. — Spoliation, prise, dépossession, rapt, pillage, rapine, vol. — Relevé, examen, décompte.

Dépouiller. — Dépecer, écorcher, dénuder. — Enlever, arracher, déposséder, spolier, détrousser. — Faire le relevé, examiner, établir le compte.

Dépourvu. — Dénué, privé, dépouillé, destitué.

Dépravé. — Vicieux, pervers, corrompu, débauché.

Déprécier. — Rabaisser, ravaler, salir, ternir, entacher, déconsidérer, flétrir, dépriser, décrier, discréditer, vilipender, diffamer, attaquer.

Déprédation. — Pillage, rapine, dégât. — Malversation, concussion.

Dépression. — Abaissement, affaissement, enfoncement. — Humiliation, diminution. — — Dépréciation, baisse.

Déprimer. — Affaisser, enfoncer. — Humilier, rabaisser, avilir.

Dépriser. — (*V. Dégrader.*)

Député. — Ambassadeur, envoyé, délégué. — Représentant, honorable, élu.

Déraciner. — Extirper, arracher, extraire, enlever. détacher, déterrer, déplanter,

Déraidir. — Assouplir, amollir détendre, malaxer.

Déraisonnable. — (*V. Absurde.*)

Dérangement. — Trouble, incommodité. — Dérèglement, désordre.

Déranger. — Troubler, détourner, détraquer, interrompre, dérégler, désordonner, confondre, mêler, emmêler, embrouiller, enchevêtrer, désorganiser, disloquer, troubler, révolutionner.

Déréglé. — Irrégulier, détraqué, mal réglé, désordonné, dérangé.

Dérider. Égayer, épanouir. — Rire, désopiler.

Dérision. — Raillerie, risée, persiflage, moquerie, ironie.

Dérisoire. — (*V. Important.*)

Dérive. — (*V. Direction.*)

Dériver. — Procéder, émaner, découler, s'ensuivre, résulter.

Dérober. — Voler, soustraire, distraire, dévaliser, détrousser, dépouiller, subtiliser, extorquer, escroquer, usurper.

Dérogation. — Infraction, atteinte.

Déroger. — Tourner, enfreindre, transgresser, violer.

Dérouiller. — Façonner, former, polir, instruire. — Fourbir, astiquer, nettoyer.

Dérouler. — Etendre, développer, étaler, déplier.

Déroute. — Défaite, désordre, désarroi, ruine, fuite, insuccès, revers, débâcle, échec.

Dérouter. — Détourner, écarter, dépister, égarer. — Déconcerter, étonner, surprendre, stupéfier.

Derrière. — En arrière, au dos. — A la suite, après.

Désabuser. — Détromper, désillusionner, éclairer, désaveugler.

Désaccord. — Dissentiment, désunion, division.

Désagréable. — Insupportable, déplaisant, fâcheux, antipathique, importun, rebutant, choquant.

Désagréger. — Décomposer, désunir, disjoindre, diviser.

Désagrément. — Ennui, chagrin, tracas, déplaisir, contrariété, contretemps, désenchantement, peine.

Désaltérer. — Apaiser, calmer, soulager, satisfaire, étancher, rafraîchir, abreuver.

Désappointer. — Décevoir, démonter, désorienter, dérouter, décontenancer, interdire, confondre.

Désapprendre. — Oublier.

Désapprobation. — Désaveu, blâme, critique, remontrance, réprimande, semonce, reproche, réprobation.

Désapprouver. — Blâmer, reprendre, critiquer, reprocher, censurer, désavouer, improuver, réprimander, semoncer.

Désarçonner. — Confondre, démonter, désappointer, troubler, déconcerter. — Renverser, culbuter.

Désarmer. — Fléchir, apaiser, adoucir. — Dépouiller, priver.

Désarroi. — Désordre, confusion, perturbation, détresse.

Désastre. — Calamité, catastrophe, infortune, défaite.

Désastreux. — Funeste, effroyable, atroce, malheureux, ruineux, épouvantable.

Désavantage. — Infériorité, préjudice, inconvénient.

Désavantager. — Frustrer, déshériter, exhéréder.

Désaveu. — Rétractation, négation, désapprobation, blâme, critique.

Désavouer. — Nier, se défendre de, désapprouver, repousser, condamner. — Renier.

Descendre. — Faire irruption, débarquer, mettre pied à terre, aller plus bas, baisser. — Déchoir, s'abaisser, se ravaler, rouler.

Descente. — Pente, inclinaison, déclin, chute.

Description. — Image, peinture, aperçu, ébauche, esquisse, croquis, portrait, tableau. — État, détail, inventaire.

Désenchanter.—Désillusionner, rompre le charme.

Désenfler. — Dégonfler, aplatir.

Désert. — Inhabité, solitaire, désolé, sauvage.

Désert. — Solitude, sahara, steppe, savane, pampa.

Déserter. — Abandonner, lâcher, passer à l'ennemi.

Déserteur. — Transfuge, traître.

Désertion. — Délaissement, abandon, reniement.

Désespérance. — Désespoir, affaissement, consternation, prostration, découragement,
abattement, accablement, démoralisation, affalement.

Déshabiller. — Dépouiller, réduire à la misère. — Dévêtir, ôter, retirer.

Déshériter. — Exhéréder, priver, frustrer, dépouiller.

Déshonnête. — Malhonnête, déloyal. — Obscène, sale, grossier.

Déshonneur. — Ignominie, infamie, honte, opprobre, turpitude.

Déshonorant. — Flétrissant, ignominieux, infamant, déshonorable, honteux, scandaleux.

Déshonorer. — Décrier, décréditer, déconsidérer, déprécier. — Flétrir, dégrader. — Faire tort, ôter l'éclat, détruire l'harmonie, salir, ternir, entacher.

Désigner. — Indiquer, faire connaître, marquer. — Fixer, montrer, assigner. — Choisir, dénommer. — Signaler, dénoncer.

Désinence. — Terminaison, finale.

Désinfecter. — Purifier, assainir, antiseptiser.

Désintéressement. — Détachement, abnégation, dévouement, sacrifice.

Désinvolture. — Aisance, abandon, laisser-aller.

Désir. — Souhait, vœu, envie, convoitise, cupidité, appétit.

Désirer. — Convoiter, vouloir, souhaiter, soupirer, avoir envie, ambitionner, aspirer à, briguer.

Désistement. — Renonciation, résiliation, sacrifice, abdication, démission.

Désobéissance. — Infraction, transgression, contravention. — Rébellion, insubordination, insoumission, indiscipline, indocilité.

Désobliger. — Desservir, déplaire.

Désoccupation. — Inaction, inoccupation, loisir, chômage.

Désœuvré. — Inoccupé, paresseux, oisif.

Désœuvrement. — Inactivité, inertie, oisiveté.

Désolation. — Mal, peine, douleur, tourment, chagrin, affliction.—Contrariété, ennui, mécontentement.

Désoler. — Ruiner, saccager, dévaster, infester, ravager. — Affliger, attrister. — Contrarier, importuner, incommoder.

Désordre.— Confusion, trouble, désarroi, dissension. — Dérangement, dérèglement. — Désorganisation, perturbation. — Pillage, dégât, tumulte.

Désorganisation.— Altération, perturbation. — Désarroi, désordre.

Désorienter. — Égarer. — Perdre. — Déconcerter, démonter, interloquer, dérouter, embarrasser, décontenancer, ébahir, interdire.

Despote. — Tyran, maître, tyranneau, autocrate.

Despotisme. — Arbitraire, absolutisme, tyrannie.

Dessaisir. — Déposséder, ôter, enlever, retirer.

Dessaisir (Se). — Céder, renoncer. — Remettre.

Dessaler (*fam.*). — Dégourdir, déniaiser.

Dessécher. — Mettre à sec, épuiser, tarir. — Amaigrir, affaiblir. — Rendre insensible.

Dessein. — Intention, volonté, résolution, parti, détermination. — Entreprise, plan, projet, idée, conception. — Vue, visée, but.

Desserrer.—Relâcher, dénouer, délacer, défaire.

Dessiner. — Tracer, reproduire, figurer, représenter, indiquer, croquer, ébaucher, esquisser, crayonner.

Dessous. — Ressort secret, partie inconnue. — Désavantage, infériorité.

Dessus. — Partie supérieure, haut. — Avantage, supériorité, prééminence.

Destin. — Destinée, sort, hasard, fortune, étoile, fatalité, avenir.

Destinée. — (*V. Destin.*)

Destituer. — Révoquer, démettre, casser, déposer. — Priver, dénuer, dépourvoir.

Destruction. — (*V. Défaire.*)

Désunion. — Mésintelligence, rupture, discorde. — Division, séparation.

Désunir. — Séparer, disjoindre, isoler, diviser. — Rompre l'accord, brouiller.

Détachement. — Troupe, peloton. — Indifférence, froideur, sacrifice.

Détacher. — Nettoyer, enlever les taches.

Détacher. — Dégager, défaire, séparer, délier. — Isoler, extraire, disjoindre. — Éloigner, écarter. — Faire ressortir, mettre en relief. — Envoyer à, lancer, appliquer.

Détail. — Division, partage. — Partie, portion, élément, fraction, fragment, parcelle. — Énumération, exposé.

Détaillant. — Boutiquier, marchand, commerçant.

Déteindre. — S'effacer, perdre sa couleur, se décolorer.

Détendre. — Relâcher, enlever, détacher, desserrer, déraidir.

Détenir. — Retenir, garder, emprisonner.

Déterger. — Nettoyer, purifier, laver.

Détérioration. — Dégradation, altération, endommagement, ruine.

Détermination. — Décision, résolution, volonté, dessein.

Déterminer. — Préciser, définir, fixer, établir. — Décider, régler. — Occasionner, produire, causer.

Déterrer. — Exhumer. — Trouver, découvrir.

Détestable. — Abominable, exécrable, très mauvais, odieux, haïssable.

Détester. — Condamner, réprouver, maudire. — Haïr, abhorrer, exécrer.

Détonation. — Bruit, explosion, éclat, éclatement.

Détour. — Circuit, sinuosité, repli, crochet, coude, méandre. — Ruse, biais, diversion, digression, subtilité.

Détourner. — Distraire, divertir, — Écarter, éloigner, préserver. — Détorquer, éluder. — Dissuader, déconseiller. — Soustraire. — Déranger.

Détraction. — Dépréciation, médisance.

Détresse. — Malheur, infortune, adversité, disgrâce, dénûment, angoisse, danger.

Détriment. — Tort, dommage, préjudice, dam, iniquité, illégalité, partialité, abus.

Détroit. — Défilé, gorge, col, passe.

Détromper. — Désabuser, tirer d'erreur, désillusionner, éclairer, déciller les yeux.

Détrousser. — Dépouiller, piller, dévaliser, spolier, ravir.

Détruire. — Démolir, abattre, ruiner, renverser, anéantir, défaire.

Dette. — Obligation, devoir. — Emprunt, passif.

Deuil. — Tristesse, douleur.

Dévaler. — Descendre, aller en bas. — Tomber, dégringoler, glisser.

Dévaliser. — (*V. Détrousser*).

Devancer. — Précéder, surpasser, avoir le pas sur, prévenir.

Devancier. — Prédécesseur. — Aïeul, ancêtre.

Devant. — En avant, en face, en présence de. — Auparavant.

Devanture. — Vitrine, étal, étalage.

Dévaster. — Désoler, ravager, ruiner, rendre désert.

Développement. — Extension, déploiement, croissance. — Explication, éclaircissement.

Développer. — Éclaircir, expliquer. — Dérouler, étendre, allonger, déployer. — Progresser, croître.

Déverser. — Courber, incliner, pencher. — S'épancher, se répandre.

Dévêtir. — Dépouiller, déshabiller.

Déviation. — Écart, erreur, dérangement.

Dévier. — S'écarter, se détourner, errer.

Devin. — Prophète, sorcier, magicien, augure, voyant.

Deviner. — Prédire, découvrir, conjecturer, interpréter, discerner, augurer, pronostiquer, annoncer, présager. — Prévoir, comprendre, saisir.

Dévisager. — Défigurer, déchirer le visage. — Observer, examiner, lorgner, toiser, reluquer, guigner.

Devise. — Sentence, allégorie. — Emblème, symbole.

Deviser. — Converser, s'entretenir, causer, potiner, jaser, bavarder.

Dévoiler. — Découvrir, révéler, publier, divulguer.

Devoir. — Obligation. — Travail, exercice, tâche.

Dévolu. — Transporté, transféré, échu, acquis.

Dévorer. — Avaler, manger, ronger. — Consumer, anéantir, détruire. — Tourmenter, inquiéter. — Épuiser, ruiner, dissiper.

Dévot. — Dévotieux, pieux, religieux, fidèle. — Bigot, cagot, tartufe, cafard, hypocrite.

Dévotieux. — (*V. Dévot.*)

Dévotion. — Piété, ferveur, onction, extase, mysticisme. — Cagoterie, bigoterie, tartuferie. — Dévouement, attachement.

Dévouer. — Vouer, consacrer, sacrifier.

Dévouement. — Attachement, fidélité, sacrifice.

Dextérité. — Adresse, savoir-faire, habileté, agilité, prestesse.

Diable (A la). — Sans soin, à la hâte, en désordre.

Diabolique. — Infernal, démoniaque, satanique, possédé.

Dialecte. — Idiome, langage, patois, jargon, argot.

Dialectique. — Raisonnement, argumentation, logique.

Dialogue. — Conversation, entretien, colloque.

Dialoguer. — Converser, causer, parler, s'entretenir.

Diane. — Signal, avertissement, réveil.

Diaphane. — Transparent, lumineux, clair, translucide.

Diaprer. — Semer, parer, orner, émailler, consteller, barioler, chatoyer, marbrer, moucheter, pommeler.

Dictatorial. — Absolu, souverain, impérieux, despotique, césarien, tyrannique, autocratique, oppressif.

Dictature. — Pouvoir, gouvernement.

Dicter. — Faire, écrire. — Inspirer, suggérer. — Prescrire, imposer, ordonner.

Diction. — Élocution, débit, prononciation, déclamation, récitation.

Dictionnaire. — Glossaire, lexique, encyclopédie, vocabulaire, *gradus*, *thésaurus*.

Dicton. — Maxime, sentence, proverbe, adage, aphorisme, mot, apophtegme, formule, précepte.

Diffamé. — Attaqué, déshonoré, discrédité, décrédité, dénigré, calomnié.

Différence. — Dissemblance, disproportion, inégalité, disparité. — Diversité, variété, séparation, distinction, opposition, écart.

Différend. — Débat, contestation, démêlé, discussion.

Différent. — Distinct, dissemblable.

Différer. — Retarder, remettre, renvoyer, reculer, tarder, atermoyer, tergiverser, surseoir, temporiser, traîner.

Difficile. — Ardu, pénible, épineux, compliqué, délicat, laborieux, dur, rude. — Exigeant, capricieux, peu accommodant.

Difficulté. — Embarras, obstacle, complication, gêne.

Difficultueux. — Ombrageux, pointilleux, ardu, pénible, compliqué, laborieux, malaisé, embrouillé, impraticable.

Difforme. — Contrefait, informe, horrible, laid, hideux, affreux, disgracieux, tors, tordu, monstre.

Diffus. — Prolixe, bavard, désordonné.

Diffusion. — Expansion, propagation. — Abondance, amplification.

Digérer. — Absorber, assimiler. — Mettre en ordre, mûrir, méditer. — Souffrir, endurer, supporter, accepter.

Digne. — Qui mérite, qui a droit, méritant. — honnête, honorable, capable. — Convenable, séant, juste. — Réservé, grave, décent, fier, solennel, majestueux.

Dignité. — Honneur, haute fonction. — Majesté, gravité, solennité, décence, grandeur, noblesse. — Fierté, respect de soi-même.

Digue. — Barrière, obstacle, barrage, barre, entrave, arrêt, frein.

Dilapider. — Gaspiller, dissiper, disperser.

Dilatation — Augmentation, développement, agrandissement, accroissement, extension, enflure, grossissement, ballonnement.

Dilater. — Développer, amplifier, étendre, grossir, enfler, boursoufler. — Réjouir, épanouir.

Diligence. — Activité, empressement, célérité, hâte, promptitude, rapidité. — Application, zèle, soin. — Chaise de poste, malle-poste, coche, patache, omnibus, voiture publique.

Diligent. — Attentif, appliqué, soigneux. — Actif, empressé, zélé, expéditif, prompt, rapide.

Diluer. — Étendre d'eau, mouiller, délayer, détremper.

Dîme. — Prélèvement, taille, impôt, droit, taxe, tribut.

Dimension. — Étendue, mesure, proportion, grandeur, taille, format.

Dîmer. — Lever, percevoir, prélever, imposer, taxer.

Diminuer. — Amoindrir, accourcir, abréger, apetisser, resserrer. — Se détruire, s'altérer, s'affaiblir.

Dindon. — Niais, stupide, imbécile, benêt.

Dindonner. — Attraper, duper.

Diplomate. — Adroit, fin, subtil, roué.

Diplôme. — Titre, grade. — Acte, charte.

Dire. — Exposer, énoncer, parler. — Nommer, désigner, exprimer. — Réciter, lire, débiter. — Raconter, célébrer, chanter. — Juger, penser, disserter. — Propager, répandre, colporter, ébruiter, publier. — Communiquer, avertir, prévenir, conseiller.

Direct. — Droit, naturel, immédiat. — Formel, absolu, rigoureux, exact.

Directement. — Tout droit, sans détour. — Sans intermédiaire, sans entremise.

Directeur. — (V. Chef.)

Direction. — Orientation, but, côté, sens. — Chemin, route, destination. — Gouvernement, administration, conduite, gestion.

Diriger. — Pousser, tourner vers. — Administrer, conduire, gérer.

Discernement. — Distinction, appréciation, jugement. — Clairvoyance, lucidité, pénétration, perspicacité.

Discerner. — Distinguer, démêler, débrouiller, éclaircir, juger, apprécier. — Séparer, faire la distinction, isoler. — — Voir, apercevoir, reconnaître, remarquer, observer, constater.

Disciple. — Écolier, élève. — Adepte, partisan.

Discipline. — Police, subordination, obéissance, soumission, docilité. — Instruction, doctrine, science.

Discipliner. — Plier, soumettre, assujettir, dresser.

Discontinuation. — Cessation, interruption, suspension, discontinuité, intermittence.

Discontinuer. — Finir, cesser, interrompre, arrêter, suspendre, intercaler, interpeller.

Disconvenance. — Disproportion, désaccord, opposition.

Disconvenir. — Contester, objecter, s'opposer, contredire, contrecarrer.

Discord. — Désaccord, querelle, mésintelligence, dissension.

Discordant. — Opposé, contraire, disproportionné. — Faux, dissonant, incohérent. — Mêlé, confus, désordonné.

Discorde. — Désunion, dissension, division.

Discourir. — (V. Parler.)

Discours. — Harangue, allocution, conférence, causerie. — Parole, débit, élocution. — Conversation, entretien, propos. — Dissertation, essai, composition.

Discourtois. — (V. Grossier.)

Discrédit. — Dépréciation, défaveur, déconsidération, déshonneur, flétrissure, tache, tare, honte.

Discret. — Séparé, mis à part. — Retenu, modéré, réservé, circonspect, mesuré.

Discrétion. — Retenue, réserve, modération, discernement, circonspection, mesure.

Disculper. — Justifier, excuser, défendre.

Discussion. — Débat, examen, étude. — Dispute, litige, querelle, démêlé, contestation, chicane, controverse, polémique, désaccord, conflit.

Discuter. — Traiter, agiter, débattre, examiner, disputer, quereller, contester, chamailler, batailler.

Disert. — Éloquent, spirituel, persuasif, convaincant, élégant, brillant, fleuri.

Disette. — Famine, pauvreté, indigence, besoin, nécessité, misère, dénûment, pénurie, détresse.

Disgrâce. — Défaveur, discrédit. — Malheur, adversité, infortune.

Disgracieux. — Déplaisant, fâcheux, ennuyeux. — Discourtois, désagréable, malgracieux.

Disjoindre. — Déjoindre, séparer, écarter, diviser, désunir, désarticuler, disloquer, désagréger.

Disjonction. — Désunion, écartement, division, séparation, désarticulation, dislocation.

Disloquer. — Luxer, déboîter, rompre. — Diviser, morceler, disjoindre, désagréger.

Disparaître. — Cesser d'être visible, cesser d'exister, être éclipsé. — Se retirer, s'éloigner, s'esquiver, s'enfuir, décamper, s'éclipser.

Disparate. — Différent, dissemblant, disproportionné, hétérogène, discordant, incohérent.

Disparité. — Différence, dissemblance, disproportion, diversité, inégalité.

Dispense. — Exemption, immunité, autorisation, permission, exonération, décharge, libération, franchise.

Dispenser. — Distribuer, départir. — Décharger, relever, affranchir, dégager, débarrasser, soustraire, exempter, libérer, exonérer. — Absoudre, acquitter.

Disperser. — Éparpiller, diviser, séparer. — Mettre en fuite, dissiper, chasser, disséminer.

Disponible. — Vacant, libre, inoccupé. — Aliénable (*juris.*).

Dispos. — Vif, alerte, preste, sain, gaillard.

Disposer. — Arranger, installer, distribuer, approprier. — Apprêter, préparer. — Engager, déterminer. — Décider, prescrire, ordonner, régler.

Dispositif. — Installation, plan, arrangement, disposition, aménagement, agencement, organisation.

Disposition. — Dispositif, arrangement, ordre, classement, coordination, groupement, méthode, système, harmonie, symétrie, distribution. —

Manière d'être, tendance. — Penchant, inclination, aptitude, vocation, goût.

Dispute. — Controverse, discussion, débat, contention. — Querelle, altercation, contestation, chicane.

Disqualifier. — Déshonorer, déconsidérer.

Disque. — Palet, plateau, plaque, corps rond.

Dissémination. — Dispersion, propagation, division.

Dissension. — Diversité, opposition. — Discorde, désordre, désaccord.

Dissimuler. — Feindre, faire semblant. — Cacher, taire, celer, déguiser, masquer, voiler, couvrir.

Dissipateur. — Prodigue, dépensier, gaspilleur, dilapidateur.

Dissoudre. — Défaire, dénouer, ruiner, annuler, faire cesser, retirer les pouvoirs. — Délayer, liquéfier.

Dissuader. — Détourner, déconseiller.

Distance. — Espace, intervalle, éloignement. — Différence, dissemblance, disparité.

Distancer. — Dépasser, devancer, précéder. — Surpasser, prévenir.

Distant. — Éloigné, espacé.

Distendre. — Dilater, écarter, écarteler.

Distiller. — Extraire, cohober, condenser. — Laisser couler, épancher. — Secréter, dégoutter.

Distinct. — Différent, séparé. — Visible, clair, précis, net.

Distingué. — Différencié, diversifié. — Reconnu, discerné, démêlé. — Éminent, remarquable, supérieur. — Élégant, de bon ton, affable, poli.

Distinguer. — Spécifier, différencier, ne pas confondre, séparer. — Démêler, discerner, reconnaître, apercevoir. — Marquer une préférence, remarquer, honorer.

Distraction. — Démembrement, séparation. — Plaisir, amusement, délassement. — Inadvertance, étourderie, légèreté, irréflexion, absence, oubli, omission.

Distraire. — Séparer, démembrer, extraire, enlever. — Divertir, amuser, récréer. — Détourner, voler, escroquer.

Distribuer. — Répartir, partager, dispenser. — Disposer, ordonner, diviser.

Distribution. — Répartition, partage. — Disposition, ordonnance.

Dit. — Mot, propos, maxime.

Diurne. — Quotidien, journalier.

Divaguer. — Vaguer, errer. — S'écarter, déraisonner.

Divergence. — Écart, désaccord, diversité.

Divertir. — Écarter, détourner. — Amuser, récréer, distraire. — Dissiper, dilapider.

Divertissement. — Récréation, plaisir, amusement, jeu, distraction, passe-temps.

Dividende. — Revenu, intérêt.

Divination. — Prévision, prescience, pressentiment. —

Horoscope, prophétie, présage, oracle. — Magie.

Diviniser. — Exalter, honorer, glorifier.

Divinité. — Dieu, déité.

Diviser. — Partager, séparer, couper, fractionner, fragmenter, découper, disjoindre, sectionner, scinder, morceler. — Désaccorder, désagréger, désunir.

Division. — Désunion, schisme, scission, morcellement, partage, fractionnement, sectionnement, séparation. — Haine, inimitié, antipathie. — Classe, catégorie, groupe, fraction, portion, partie, parcelle, pièce, coupure, découpure, tranche.

Divorce. — Séparation, répudiation, rupture. — Dissension, désunion, désaccord.

Divorcer. — Se séparer, se brouiller, se désunir, rompre, répudier.

Divulguer. — Publier, déceler, dévoiler.

Docile. — Flexible, souple, obéissant, soumis, discipliné.

Docilité. — Douceur, obéissance, soumission, souplesse, flexibilité, discipline, subordination.

Docte. — Instruit, savant, érudit, lettré, cultivé.

Doctrine. — Savoir, science, érudition. — Dogme, théorie, système, opinion, enseignement.

Document. — Renseignement, titre, preuve.

Dodiner. — Bercer, balancer, osciller.

Dodu. — Gras, obèse, ventru, pansu, gros, corpulent, potelé, replet, rebondi, joufflu.

Dogmatique. — Impérieux, tranchant, décisif.

Dogme. — Religion, croyance.

Doit (On). — Il faut, il est nécessaire.

Doléance. — Complainte, jérémiade, lamentation.

Doléances. — Plaintes, griefs, demandes, représentations.

Dolent. — Affligé, peiné, contristé, abattu, éploré, plaintif. — Geignant, pleurnicheur.

Domaine. — Possession, propriété, bien, exploitation, habitation, fief, terre, terrain.

Domestique. — Laquais, serviteur, valet.

Domicile.—Résidence, demeure, habitation, appartement, logement, maison, séjour, logis, intérieur, pénates, foyer, home.

Dominant. — Prédominant, qui prévaut, prépondérant. — Dominateur, supérieur, surélevé.

Domination. — Autorité, puissance, pouvoir, empire, suprématie.

Dommage. — Perte, préjudice, tort, détriment.

Dompter. — Vaincre, triompher, réduire, surmonter, subjuguer, soumettre, faire fléchir, faire céder. — Apprivoiser, assujettir, dresser.

Don.— Qualité, avantage, talent. — Présent, gratification, cadeau, offrande, libéralité.

Donation. — Cession, transmission, contrat (*jurispr.*).

Donner. — Faire don, faire le sacrifice de, accorder, procurer, octroyer, concéder. — Offrir, présenter, apporter, remettre, livrer, céder, fournir, abandonner. — Communiquer, transmettre, exposer, énoncer, faire connaître. — Imputer, attribuer, décerner, conférer, supposer. — Prescrire, imposer, assigner. — Heurter contre, atteindre, frapper, porter un coup.

Dormir. — Sommeiller, reposer.

Dot.— Douaire, apport, dotation.

Douane. — Octroi, régie, entrée, gabelle.

Double. — Duplicata, copie, fac-similé, couple, paire, répétition.

Doubler. — Augmenter, répéter, ajouter, multiplier, accélérer.

Double sens. — Ambiguïté, équivoque, amphibologique.

Doucement. — Délicatement, légèrement, lentement, graduellement, peu à peu. — Mollement, faiblement, patiemment — Commodément, agréablement.

Doucereux. — Douceâtre, fade. — Affecté, onctueux, mielleux, cauteleux, insinuant.

Douceur. — Docilité, mansuétude, bonté, modération, mesure, suavité, onctuosité.

Douillet.—Doux, mollet, tendre, délicat. — Chatouilleux, sensible, efféminé.

Douleur.—Souffrance, tourment, peine, affliction, désolation. — Tristesse, mélancolie, chagrin.

Doute. — Incertitude, irrésolution, indécision, indétermination. — Hésitation, scrupule, soupçon, crainte, appréhension. — Scepticisme.

Douter. — Ne pas savoir, n'être pas sûr, hésiter, supposer, soupçonner.

Douter (Se). — Pressentir, soupçonner, imaginer, conjecturer, se méfier.

Douteux. — Problématique, incertain, contestable, récusable, équivoque, hypothétique. — Irrésolu, indécis, timide. — Suspect, dangereux.

Doux. — Suave, délicat, exquis, agréable. — Tempéré, faible,, tiède. — Bon, humain, affable, indulgent, obligeant. — Soumis, tendre, inoffensif.

Doyen. — Le plus ancien, le plus âgé. — Chef, directeur.

Dragée.—Amande, pistache, aveline. —Balle, projectile, plomb.

Dragon. — Surveillant, cerbère, gardien terrible. — Mutin, turbulent, acariâtre.

Dragonne (A la). — Hardiment, lestement, rondement.

Draguer. — Nettoyer, approprier, curer, récurer.

Drapeau. — Étendard, bannière, fanion, enseigne, pavillon, guidon, gonfalon, pennon, oriflamme, cornette, flamme.

Dresser. — Lever, élever, ériger, établir, édifier, faire, exécuter, préparer, disposer. — Tourner, diriger, instruire, former, façonner.

Drogue. — Médicament, ingrédient, remède.

Droguer (*fam.*). — Attendre, se morfonde, poser.

Droit. — Debout, dressé. — Juste, équitable, sincère, judicieux, sensé, loyal, honnête, sain. — Fixe, ferme, tendu, raide, montant, rigide, assuré.

Droit. — Raison, justice. — Faculté, règle.

Droiture. — Loyauté, équité, sincérité, franchise. — Rectitude.

Drôle. — Rusé, fripon, roué. — Original, bizarre, plaisant, comique, amusant, gai, spirituel, singulier, étonnant, désopilant, clown.

Dru. — Épais, touffu, serré, bien venant. — Fort, vigoureux, gaillard, vif, gai, décidé.

Duel. — Rencontre, combat, affaire, cartel, provocation.

Dune. — Monticule, hauteur, colline.

Dupé. — Trompé, déçu. — Escroqué, volé, leurré, suborné.

Duper. — Attraper, tromper, abuser, leurrer, décevoir, piper, enjôler, entortiller, suborner.

Dur. — Coriace, ferme, solide, résistant. — Rigoureux, rude, impitoyable, inhumain. — Pénible, affligeant.

Durable. — Permanent, constant, stable, immuable, impérissable, ferme, indestructible, indélébile, éternel, immortel.

Durant. — Pendant.

Durcir. — Endurcir, fortifier.

Durée. — Temps, cours, laps, suite, continuité, constance, fidélité.

Dureté. — Solidité, résistance. — Rudesse, sévérité, méchanceté, rigueur, implacabilité.

Durillon. — Callosité, verrue.

Dynastie. — Race, famille.

E

Eau. — Liquide, onde.

Ébahi. — Abasourdi, ébaubi, émerveillé, surpris, étonné, interdit, penaud, stupéfait.

Ébahir. — Stupéfier, interdire, déconcerter.

Ébattement. — Passe-temps, délassement, distraction, divertissement, récréation, jeu, plaisir.

Ébauche. — Essai, esquisse, canevas, préparation, commencement.

Ébaucher. — Préparer, commencer, disposer, dégrossir. — Esquisser, donner l'idée.

Éblouir. — Aveugler, troubler. — Émerveiller, séduire, fasciner.

Éboulement. — Effondrement, écroulement, chute, ruine, dégringolade.

Ébouler. — Crouler, écrouler, s'affaisser, s'effondrer, faire rouler, se renverser, dégringoler, culbuter.

Ébrancher. — Couper, tailler, rogner, restreindre. — Élaguer, émonder, dégarnir (*hort.*).

Ébranlement. — Mouvement, tremblement, secousse, commotion, vibration, agitation. — Émotion, émoi.

Ébranler. — Secouer, balancer, agiter, remuer, mettre en branle, faire vibrer. — Faire chanceler, atteindre. — Émouvoir, toucher.

Ébrécher. — Endommager, détériorer, dégrader, écorner, échancrer. — Amoindrir, diminuer, entamer.

Ébullition. — Effervescence, fermentation, éruption.

Écarter. — Séparer, disjoindre, mettre à part. — Éloigner, détourner, dévier, espacer.

Écervelé. — Imprudent, téméraire, malavisé, inconséquent, étourdi, évaporé, distrait, léger, inconsidéré, irréfléchi, braque.

Échafauder.—Dresser, arranger, combiner, disposer, baser, fonder, établir. — Préparer, bâtir, concevoir.

Échancrer. — Évider, entailler, creuser, découper.

Échancrure. — Entaille, coupure, empiétement, trouée.

Échange. — Changement, troc, change, permutation. — Communication, envoi.

Échanger. — Troquer, faire échange, changer. — Se communiquer, se remettre, se lancer.

Échantillon. — Modèle, type, spécimen. — Aperçu, idée. — Portion, fragment.

Échappatoire. — Faux-fuyant, prétexte, excuse, subterfuge.

Échappée. — Sortie, promenade, fuite, escapade. — Ouverture, horizon.

Échapper. — Fuir, esquiver, éviter. — Guérir, s'en tirer, réchapper. — S'évanouir, se dissiper, n'être plus tenu.

Échapper (S'). — S'évader, s'enfuir, se sauver. — Se dérober, s'esquiver. — S'écouler, s'épandre.

Écharper. — Blesser, mutiler, entailler, tailler en pièces.

Échauder.—Brûler, ébouillanter, ébouillir.

Échauffer. — Exciter, enflammer, animer. — Irriter, impatienter.

Échauffourée. — Rencontre, engagement. — Insuccès.

Échéance. — Terme, époque.

Échec. — Revers, dommage, perte, insuccès.

Échelle. — Degré, marche. — Rapport, comparaison.

Échelon. — Degré, marche, barreau.

Échelonner. — (*V. Poser.*)

Écheveau. — Embrouillamini.

Échevelé. — Épars, flottant, désordonné, pendant, ébouriffé, hérissé, mal peigné, hirsute.

Échine. — Dos, colonne vertébrale.

Échiner. — Massacrer, tuer, assommer, rompre de coups.

Échiner (S'). — Se fatiguer, s'éreinter, s'épuiser.

Écho. — Répétition, imitation, reproduction.

Échoir. — Etre dévolu, être acquis. — Venir à terme.

Échouer. — Toucher le fond, se perdre. — Ne pas réussir, avorter. — Se heurter, se briser.

Éclabousser. — Salir, souiller, crotter.

Éclaircir. — Expliquer, développer, rendre intelligible. — Informer, renseigner, instruire, éclairer, édifier. — Démêler, débrouiller, mettre en lumière, élucider, démontrer.

Éclairage. — Clarté, lumière.

Éclairé. — Instruit, averti, sage. — Éclairci, mis en lumière.

Éclatant. — Sonore, retentissant, bruyant. — Frappant, lumineux, magnifique, splendide.

Éclater. — Luire, reluire, briller, resplendir. — Se briser, se rompre, faire explosion.

Éclectisme. — Choix.

Éclipse. — Déchéance, défaveur, obscurcissement.—Disparition, absence, défaillance.

Éclipser. — Cacher, dérober, intercepter. — Surpasser, effacer, obscurcir. — S'enfuir, décamper, se retirer.

Éclore. — Commencer, apparaître, se manifester, se produire, naître. — S'ouvrir, s'épanouir, fleurir (*hort.*).

Éclosion. — Apparition, naissance, commencement, manifestation, production, épanouissement.

Écluse. — Barrage, vanne.

Écluser. — Fermer, enclaver, retenir, barrer.

Écœurer. — Répugner, dégoûter, soulever le cœur. — Abattre, décourager.

École. — Enseignement, expérience, leçon. — Doctrine, opinion, secte. — Manière, caractère. — Établissement d'instruction.

Écolier. — Élève, disciple, collégien, lycéen, étudiant. — Apprenti, novice, académiste.

Éconduire. — Éloigner, congédier, repousser, renvoyer, chasser. — Refuser, s'excuser.

Économie.—Ménage, bon ordre, administration. — Mesure, bon emploi.— Épargne, parcimonie, frugalité, avarice.

Écorché. — Égratigné, déchiré, mis à nu. — Rançonné, dépouillé, exploité.

Écorcher. — Dépouiller, déchirer, endommager. — Mal prononcer, estropier. — Rançonner, exploiter.

Écorner. — Entamer, ébrécher, diminuer, réduire, amoindrir, mutiler, échancrer.

Écornifleur. — Parasite, pique-assiette. — Plagiaire, escroc.

Écosser. — Éplucher, égrener.

Écot. — Part, quote-part. — Souche, tronc (*forest.*).

Écoulement. — Sortie, passage, débouché. — Flux, mouvement. — Vente, débit.

Écouler (S'). — S'évanouir, se perdre, disparaître, se passer, s'enfuir, s'échapper. — S'en aller, cheminer. — Couler, fluer.

Écourter. — Rogner, abréger, tronquer, rapetisser.

Écoutants. — Auditeurs. — Catéchumènes, néophytes.

É couter. — Suivre, prêter l'oreille, être attentif. — Accueillir, entendre, ouïr. — Céder, obéir.

Écrabouiller. — Écraser, mettre en bouillie, broyer, triturer, moudre, piler, pulvériser.

Écran. — Paravent, abri, éventail.

Écraser. — Briser, broyer, aplatir, moudre, hacher, triturer, pulvériser, piler, désagréger, émietter, concasser. — Défigurer, comprimer. — Anéantir, réduire, abattre, perdre.—Fatiguer, importuner, accabler. — Humilier, abaisser, rapetisser, surpasser.

Écrire. — Tracer, marquer, fixer, inscrire.— Orthographier, ponctuer. — Informer, annoncer (par lettre). — Rédiger, composer, publier. — Transcrire, consigner, expédier, copier, rôler, grossoyer.

Écrit. — Traité, convention, acte. — Livre, ouvrage, publication.

Écriteau. — Épigraphe, inscription. — Enseigne, affiche, annonce, pancarte.

Écrivain. — Auteur, styliste, publiciste, littérateur, homme de lettres.

Écroulement. — Éboulement, chute, culbute, dégringolade.

Écrouler (S'). — Crouler, s'ébouler, tomber, culbuter, renverser, s'abattre, s'effondrer, choir, rouler, dégringoler. — Périr, s'anéantir.

Écume. — Bave, mousse, sueur, crachat, bouillonnement.

Écumer. — Baver, mousser, suer, bouillonner. — Purifier, débarrasser, purger, prélever, écornifler. — Être exaspéré. — Piller, plagier. — Exercer la piraterie, détrousser.

Écumeur. — Parasite, écornifleur. — Plagiaire. — Corsaire, pirate, détrousseur, pillard, flibustier, aventurier.

Écurer. — Nettoyer, curer, récurer, approprier, polir, essuyer, décrotter.

Écusson. — Blason, armoiries, armes, emblème, devise.

Éden. — Paradis, lieu de délices.

Édifice. — Construction, monument, bâtiment, maison, immeuble, habitation. — Arrangement, combinaison, échafaudage.

Édifier. — Bâtir, construire, élever. — Créer, fonder, combiner, arranger, établir. — Instruire, renseigner, éclairer. — Donner l'exemple.

Édit. — Règlement, constitution, loi, ordonnance, décret, arrêté, arrêt, sentence.

Édition. — Publication, impression, reproduction.

Éducation. — Instruction, enseignement, formation, direction morale. — Soin, nourriture, élève, élevage.

Édulcorer. — Adoucir, sucrer, mitiger.

Effacer. — Raturer, rayer, biffer, gratter, démarquer, supprimer, faire disparaître. — Éclipser, obscurcir, faire oublier.

Effaré. — Troublé, ahuri, apeuré, hagard, stupide, terrifié, terrorisé, effarouché.

Effarouché. — Effrayé, affolé, mis en émoi, effaré. — Ombrageux, craintif, défiant.

Effaroucher. — Effrayer, faire fuir, éloigner, effarer, épouvanter. — Choquer, blesser, offenser, scandaliser.

Effectivement. — En effet, évidemment, sûrement. — Réellement, positivement, en réalité.

Effectuer. — Réaliser, accomplir, exécuter.

Efféminer. — Affaiblir, énerver, amollir, dégrader, avilir.

Effervescence. — Ébullition, fermentation. — Bouillonnement, échauffement. — Agitation, émotion, exaltation, emportement. — Révolution.

Effet. — Conséquence, suite, résultat, influence, portée. — Réalisation, exécution, application. — Impression, sensation.

Effeuiller. — Dépouiller, dégarnir, arracher.

Effigie. — Image, figure, portrait. — Empreinte, marque, sceau. — Reproduction, représentation, imitation, apparence.

Effilé. — Effiloché, effrangé. — Aminci, atténué, délié, étroit, aigu.

Efflanqué. — Amaigri, creusé, exténué, fluet, maigre.

Effondrer. — Défoncer, crouler, tomber, culbuter, s'affaisser. — Remuer, retourner (*agric.*).

Efforcer (S'). — Tâcher, tenter, s'évertuer, faire effort, s'acharner, lutter, peiner.

Effrayant — Effroyable, épouvantable, horrible, affreux, redoutable, terrible, terrifiant, formidable.

Effroi. — Terreur, épouvante, frayeur, appréhension, crainte, peur, frisson, angoisse, transes, affres, panique.

Effronté. — Impudent, insolent, sans vergogne, sans-gêne, éhonté, cynique, hardi, outrecuidant.

Effronterie. — Audace, hardiesse, impudence, insolence.

Effroyable. — Incroyable, prodigieux, inimaginable. — (*V. Effrayant.*)

Effusion — Épanchement, abandon. — Tendresse, élan.

Égal. — Pareil, semblable, équivalent, comparable. — Invariable, uniforme, régulier. — Uni, plat, plain, ras. — Indifférent.

Égaler. — Égaliser, rendre égal, niveler. — Équivaloir, valoir, équipoller, atteindre, balancer, compenser, équilibrer, contrebalancer.

Égalité. — Conformité, équivalence, similitude, équation — Uniformité, unité, régularité. — Persistance, équilibre, pondération, modération.

Égards. — Déférence, considération, respect, condescendance. — Ménagements, attentions, prévenances.

Égarement. — Trouble, délire, folie, démence, frénésie, aliénation, aberration, hallucination, absence, affolement.

Égarer. — Détourner, écarter, faire errer. — Fourvoyer, tromper, abuser. — Troubler, faire perdre la raison.

Égide. — Bouclier, cuirasse. — Sauvegarde, protection, tutelle, patronage, appui.

Église. — Assemblée, communion, secte. — Temple, paroisse, cathédrale, chapelle, basilique, sanctuaire. — Coterie, cabale.

Égoïste. — Personnel, intéressé, insensible.

Égratigner. — Déchirer, griffer, effleurer, toucher. — Blesser, médire.

Égrener. — Égrapper. — Unir, polir.

Éhonté. — Impudent, effronté, déhonté, qui a toute honte bue, cynique.

Élaborer. — Préparer, perfectionner, assimiler, travailler, réaliser.

Élaguer. — Émonder, couper, retrancher, diminuer, supprimer, écarter.

Élan. — Mouvement, entraînement, élancement, essor, impulsion. — Vivacité, ardeur, enthousiasme, zèle, emportement.

Élancé. — Lancé, entraîné. — Mince, bien pris, grêle, fluet, efflanqué, maigre.

Élargir. — Agrandir, étendre, accroître, augmenter, dilater, développer. — Relaxer, relâcher, lâcher, libérer.

Élection. — Choix, nomination, scrutin, vote, suffrage.

Électriser. — Animer, exalter, transporter, enthousiasmer.

Élégance. — Grâce, distinction, agrément. — Goût, délicatesse, cachet, chic.

Élégant. — Dandy, gandin, muguet, muscadin, distingué.

Élégiaque. — Mélancolique, triste, tendre, plaintif.

Élément. — Principe, substance. — Milieu, atmosphère familière.

Éléments. — Principes, rudiments, notions.

Élémentaire. — Simple, fondamental. — Facile, connu, courant, commode, aisé.

Élévation. — Hauteur, éminence. — Élèvement, hausse, augmentation, accroissement. — Noblesse, grandeur d'âme.

Élève. — Disciple, écolier, étudiant.

Élevé. — Haut, érigé, dressé. — Accru, augmenté. — Noble, sublime, transcendant. — Éduqué, instruit, nourri, formé.

Élever. — Lever, relever, soulever, exhausser, hausser, rehausser, faire monter. — Accroître, augmenter, surélever. — Construire, bâtir, édifier, ériger. — Exalter, vanter, préconiser. — Ennoblir. — Nourrir, allaiter, entretenir, cultiver. — Instruire, éduquer, former.

Elfe. — Génie, magicien, sorcier, sylphe.

Élire. — Nommer, désigner, donner son suffrage. — Choisir, préférer, aimer mieux, opter, adopter.

Élite. — Fleur, choix.

Élocution. — Diction, débit, expression. — Style, arrangement des mots.

Éloge. — Louange, applaudissement, compliment, approbation. — Apologie, panégyrique, glorification.

Éloignement. — Lointain, distance, intervalle. — Absence. — Antipathie, aversion, répugnance, dégoût.

Éloigner. — Écarter, mettre à distance. — Retarder, différer. — Éviter, détourner, rejeter.

Éloquence. — Art d'émouvoir, chaleur, talent de persuader, maîtrise du langage, élégance, déclamation, rhétorique.

Éloquent. — Disert, persuasif, entraînant, émouvant, enflammé, sublime, pathétique, puissant.

Élucubrer. — Produire, composer, écrire.

Éluder. — Fuir, éviter, échapper, esquiver, se dérober.

Émail. — Vernis, nielle, émaillure. — Variété, diversité.

Émailler. — Orner, embellir, parer, parsemer. — Nieller.

Émanation. — Provenance, dérivation, exhalaison, miasme, bouffée.

Émaner. — Procéder, provenir, découler, dériver, descendre de.

Émargement. — Reçu, acquit, récépissé.

Émarger. — Rogner, diminuer. — Acquitter, signer pour décharge. — Toucher, recevoir, encaisser, empocher.

Embabouiner. — Amadouer, enjôler.

Emballer. — Envelopper, empaqueter. — Faire partir, expédier (*fam.*).

Embarder. (*marit.*). — Faire avancer. — Etre roulé (par le flot).

Embargo. — Défense de sortir, interdit, interdiction.

Embarquer. — Engager, pousser, aventurer, lancer. — Appareiller.

Embarras. — Difficulté, obstacle, encombrement, barrière, empêchement, anicroche, entrave, obstruction. — Faire ses embarras, grands airs, pose, manières, ostentation. — Gêne, malaise, timidité.

Embarrassant. — Pénible, difficile, gênant, malaisé, incommodant.

Embarrasser. — Embrouiller, compliquer, entortiller. — Arrêter, entraver, obstruer. — Importuner, incommoder, troubler.

Embaucher. — Engager, attirer, enrôler.

Embaumer. — Parfumer, exhaler, fleurir, aromatiser. — Conserver, momifier.

Embellir. — Orner, agrémenter, décorer, parer, rendre beau, enjoliver, poétiser, idéaliser.

Emblème. — Symbole, devise, hiéroglyphe, signe, image.

Emboîter. — Enchâsser, assembler, accoupler, joindre, ajuster.

Embourber. — Plonger, enfoncer, empêtrer, embarrasser.

Embrasement. — Incendie, feu, sinistre. — Désordre, trouble.

Embrassade. — Embrassement, accolade, étreinte, démonstration, baisement, enlacement, caresse.

Embrasser. — Enlacer, enserrer, étreindre, serrer. — Saisir, atteindre. — Ceindre, environner, entourer. — Prendre, choisir, adopter, suivre. — Contenir, comprendre.

Embrasure. — Ouverture, baie, niche, créneau.

Embrouillement. — Brouillamini, confusion, désordre, incertitude.

Embryon. — Fœtus, germe, début, commencement.

Embûche. — Embuscade, piège, ruse, surprise, machination, traquenard, guet-apens, appât, amorce, panneau.

Émérite. — Accompli, habile, étonnant, supérieur.

Émerveiller. — Étonner, remplir d'admiration, éblouir, fasciner.

Émeute. — Insurrection, sédition, révolte, rébellion, soulèvement, tumulte, mutinerie.

Éminence. — Monticule, tertre, hauteur, colline. — Supériorité, excellence.

Éminent. — Supérieur, élevé, excellent, distingué, insigne.

Émissaire. — Espion, envoyé, ambassadeur.

Émission. — Production, manifestation, mise en circulation, diffusion.

Emmailloter. — Envelopper, entourer, se rendre maître.

Emmancher. — Entamer, commencer, engager (fam.).

Emmêler. — Embrouiller, enchevêtrer.

Emménager. — Ranger, distribuer, installer, meubler, se fixer, s'établir, élire domicile.

Emmener. — Entraîner, emporter.

Emmiellé. — Doucereux, flatteur.

Émoi. — Émotion, agitation, trouble, alarme, crainte, inquiétude, excitation, impression, saisissement.

Émoluments. — Appointements, salaire, paye, gages, honoraires, traitement, rémunération.

Émonder. — Nettoyer, débarrasser, ébrancher, tailler, abattre, couper.

Émotion. — (V. Émoi.).

Émousser. — Diminuer, affaiblir, épointer.

Émouvoir. — Toucher, remuer, surexciter, troubler, émotionner, agiter, alarmer.

Emparer (S'). — Se saisir, envahir, usurper, accaparer, prendre, capturer, ravir, rafler.

Empêchement. — Difficulté, obstacle, entrave, embarras, embargo.

Empereur. — César, tsar, monarque, potentat, souverain.

Empester. — Infecter, empoisonner, empuantir, souiller, corrompre, puer.

Empêtré. — Contraint, gêné, embarrassé, entravé.

Empêtrer. — Lier, entraver, gêner, embarrasser.

Emphase. — Exagération, prétention.

Emphatique. — Ampoulé, boursouflé, guindé, enflé, redondant, solennel, pompeux.

Empiéter. — Gagner, prendre, usurper.

Empiler. — Amonceler, entasser, amasser.

Empire. — Règne, royaume. — Ascendant, influence, crédit. — Autorité, pouvoir, domination, puissance, commandement, prestige, maîtrise.

Empirer. — S'aggraver, s'empirer, péricliter, décliner.

Empirique. — Charlatan.

Emplacement. — Lieu, place, endroit, position, situation.

Emplette. — Achat, acquisition, marché.

Emplir. — Remplir, rendre plein, combler, bourrer, bonder, gaver, gorger, saturer.

Emploi. — Usage, destination. — Occupation, fonction, place.

Employé. — Commis, scribe, fonctionnaire, agent, subalterne.

Empoigner. — Saisir, serrer, arrêter. — Intéresser, émotionner (fam.).

Emportement. — Violence, colère, courroux, ire, fureur, transport.

Emporter. — Enlever, emmener, ôter, arracher, ravir, entraîner.

Empreinte. — Impression, marque, trace, signe, sceau, cachet, vestige, stigmate.

Empressement. — Zèle, vivacité, diligence, soin, hâte, célérité.

Emprisonner. — Contenir, retenir, entourer, enfermer, comprimer, incarcérer, interner, séquestrer, écrouer.

Emprunté. — Faux, supposé, factice, trompeur. — Contraint, gêné, embarrassé, gauche.

Ému. — Agité, ébranlé, excité, inquiet. — Attendri, touché.

Émulation. — Rivalité, antagonisme, jalousie.

Émule. — Compétiteur, rival.

En. — Dans, à l'intérieur de, pendant. — Comme, de même que.

Encadrer. — Garnir, entourer, insérer, border, enchâsser.

Encaisser. — Recevoir, toucher. — Enfermer, contenir.

Encan. — Enchère, vente, criée, adjudication.

Enceindre. — Entourer, environner, enclore, encadrer.

Enceinte. — Tour, circonférence, circuit, périmètre. — Enclos, salle. — Grosse (méd.).

Encenser. — Flatter, louer, aduler, louanger.

Enchaîner. — Attacher, retenir, captiver. — Asservir, subjuguer, dompter. — Coordonner, unir, lier.

Enchantement. — Charme, félicité, satisfaction. — Incantation, magie, conjuration.

Enchanter. — Charmer, ravir, captiver, ensorceler, plaire, délecter, conquérir, séduire.

Enchère. — Encan, offre, adjudication, vente, criée.

Enchérir. — Renchérir, surenchérir, augmenter.

Enclavé. — Entouré, retenu, enfermé, encastré, enclos, enserré, encagé, emmuré.

Enclore. — Entourer, environner, ceindre, enceindre, enfermer, enclaver, calfeutrer, clôturer, palissader, barricader.

Enclos. — Enceinte, espace clos. — Clôture, muraille, haie, entourage.

Encoche. — Entaille, coche, coupure.

Encoignure. — Coin, angle, coude.

Encombrement. — Entassement, amas.

Encontre (A l'). — En opposition à. — A l'opposite, en face, à la rencontre.

Encore. — Davantage, aussi, en plus, en outre, de nouveau, derechef.

Encourager. — Stimuler, animer, exciter, aiguillonner. — Favoriser, protéger.

Encrasser. — Obstruer, boucher, salir, graisser, maculer.

Encyclopédie. — Dictionnaire, répertoire.

Endémique. — Habituel, ordinaire, permanent. — Localisé.

Endiguer. — (*V. Fermer.*)

Endoctriner. — Instruire, conseiller. — Faire croire, influencer, entortiller, circonvenir.

Endormir. — Engourdir, apaiser, adoucir, calmer, assoupir, hypnotiser.

Endosser. — Revêtir, assumer, accepter, garantir, couvrir.

Endroit. — Lieu, séjour, localité, place, pays, position, situation, emplacement. — Aspect, point de vue. — Partie, passage, portion, côté. — Source, origine, provenance.

Endurant. — Patient, tolérant, calme, résistant.

Endurci. — Insensible, indifférent. — Résistant, robuste, plié à, dur.

Endurer. — Souffrir, supporter, tolérer, permettre. — Pâtir, éprouver.

Énergie. — Force, vigueur, courage, fermeté, résolution, volonté. — Puissance, action, vertu.

Énergique. — Courageux, hardi, robuste, ferme, résolu. — Actif, puissant, efficace.

Énerver. — Affaiblir, amollir, ôter la force. — Agacer, exciter, tourmenter.

Enfance. — Bas-âge.

Enfant. — Jeune, bébé, poupon, marmot.

Enfantin. — Puéril, insignifiant.

Enfants. — Fils, descendants. — Partisans, disciples, sectateurs.

Enfermer. — Entourer, environner, enclore, envelopper. — Contenir, cacher, garder en soi.

Enferrer (S'). — Se percer. — Se perdre, s'embrouiller, s'enfoncer, se nuire.

Enfiévrer. — Agiter, émotionner, troubler, passionner, surexciter, enflammer.

Enfiler. — S'engager, s'avancer, pénétrer, entrer. — Tromper, abuser (*fam.*).

Enfin. — A la fin, finalement.

Enflammer. — Exciter, animer. — Irriter, envenimer. — Embraser, incendier, allumer.

Enflé. — Gonflé, bouffi, boursouflé. — Grossi, volumineux. — Majestueux, ampoulé, redondant.

Enfler. — Grossir, augmenter, gonfler, bomber, renforcer. — Exagérer, surfaire.

Enfoncer. — Couler, pousser à fond, faire pénétrer. — Pousser, forcer, briser. — Repousser, chasser. — Vaincre, déjouer, ruiner (*fam.*).

Enfouir. — Enterrer, mettre en terre. — Cacher, dissimuler.

Enfreindre. — Transgresser, contrevenir, désobéir, résister, passer outre.

Enfuir (S'). — S'échapper, s'évader, se sauver, s'esquiver, disparaître, s'évanouir.

Engager. — Inviter, exhorter, convier. — Obliger, lier. — Commencer, entamer.

Engin. — Instrument, ustensile, arme, piège, machine.

Engloutir. — Absorber, avaler, engouffrer. — Dissiper, dépenser, dévorer, perdre.

Engorgement. — Obstruction, gêne, embarras.

Engouement. — Entichement, infatuation, enthousiasme, ravissement.

Engouffrer. — Dévorer, engloutir.

Engourdir. — Paralyser.

Engourdissement.— Paralysie, torpeur, sommeil, inaction, apathie.

Énigmatique. — Mystérieux, obscur, occulte, sibyllin.

Enivrement. — Exaltation, trouble, ivresse.

Enjoué. — Gai, réjouissant, amusant, drôle, gaillard, jovial.

Enlever. — Soulever, lever, élever, porter. — Arracher, ravir, emporter, entraîner. — Retirer, ôter, défaire.

Ennemi. — Qui hait, hostile, contraire. — Malfaisant.

Ennoblir. — Élever, grandir, rehausser, idéaliser.

Ennui. — Contrariété, anicroche, avanie, embarras, souci, inquiétude, tracas, désagrément, tristesse, nostalgie.

Ennuyant. — Contrariant, fâcheux, importun, inopportun, intempestif, malencontreux.

Ennuyeux. — Fastidieux, insupportable, désagréable, dégoûtant, contrariant, triste, pénible.

Énoncer. — Avancer, exprimer formuler, articuler.

Énorme. — Démesuré, excessif, extraordinaire, volumineux, formidable.

Enquérir (S'). — Rechercher, s'informer, étudier.

Enquête. — Recherche, étude, information.

Enraciner (S'). — Se fixer, s'établir, s'implanter.

Enrayer. — Arrêter, retenir, suspendre, réfréner, immobiliser.

Enrichir. — Augmenter, développer, orner, embellir, doter.

Enrouler. — Serpenter, onduler, contourner.

Ensanglanté. — Souillé, taché, rougi.

Enseigne. — Bannière, étendard, drapeau, guidon. — Écriteau, pancarte, affiche, inscription, cartouche, panonceau.

Enseigner.— Indiquer, montrer, démontrer, apprendre, instruire, professer, prêcher, propager, éduquer, initier, former, éclairer, révéler.

Ensemble. — A la fois, simultanément, conjointement, en même temps, de concert. — L'un avec l'autre. — Généralité, totalité.

Ensemble. — Tout, total, masse. — Accord, harmonie. — Cohésion, uniformité.

Ensevelir. — Recouvrir, faire disparaître, cacher, envelopper.

Ensorcellement. — Sort, sorcellerie, sortilège, maléfice. — Préjugé, passion aveugle.

Ensuite. — Après, par la suite, puis, ultérieurement, postérieurement.

Entacher. — Souiller, tacher, salir, compromettre, ternir.

Entaille. — Coupure, incision, hachure.

Entamer. — Inciser, couper. — Empiéter, porter atteinte. — Commencer, engager.

Entasser. — Amasser, amonceler, cumuler, accumuler, agglomérer, collectionner.

Entendement. — Esprit, raison, intelligence, conception. — jugement, compréhension, bon sens.

Entendre. — Comprendre, concevoir. — Écouter, prêter l'oreille. — Percevoir, discerner, distinguer, ouïr.

Entendu. — Capable, habile, adroit, intelligent, ingénieux, industrieux, compétent.

Enterrement. — Inhumation, sépulture. — Convoi, obsèques, funérailles.

Enterrer. — Enfouir, inhumer, ensevelir.

Entêté. — Têtu, opiniâtre, obstiné, volontaire, tenace, entier.

Enthousiasme. — Exaltation, admiration, passion, extase, entraînement, frénésie, délire, transport, ravissement, lyrisme, exaltation.

Enticher. — Infatuer, engouer, fasciner.

Entier. — Complet, total, intact, intégral, absolu, sans réserve, sans restriction, sans arrière-pensée, sans atteinte. — Fier, obstiné, têtu.

Entité. — Existence, essence, être.

Entorse. — Atteinte, altération.

Entortillé. — Embarrassé, diffus, gêné, confus, obscur, contourné.

Entortiller. — Envelopper, entourer. — Circonvenir, séduire.

Entour (A l'). — Autour.

Entourer. — Environner, envelopper, enclore.

Entr'acte. — Intermède, repos, intervalle.

Entrailles. — Viscères, boyaux, intestins. — Sein, milieu, intérieur.

Entraîner. — Traîner, conduire, emmener, emporter, tirer. — Etre la cause, avoir pour effet, avoir pour conséquence.

Entraves. — Liens, gêne, contrainte, obstacle, embarras, menottes.

Entre. — Dans, au milieu, parmi.

Entre-bâiller. — Entr'ouvrir, écarter.

Entrechat. — Saut, cabriole, danse.

Entrée. — Accès, abord. — Ouverture, seuil, pas, porte. — Début, commencement. — Occasion, prétexte. — Admission, réception. — Intermède, divertissement (*théât*.).

Entrelacer.—Joindre, mélanger, combiner, confondre, nouer, lier.

Entremise. — Médiation, intervention, intercession.

Entreprenant. — Ambitieux, hardi, ôsé, actif.

Entreprendre. — Prendre à tâche, essayer. — S'attaquer à, poursuivre, pousser, tourmenter. — Empiéter, usurper. — Attenter, chercher à nuire.

Entreprise. — Dessein, projet, plan, opération. — Industrie, exploitation.

Entrer. — Pénétrer, s'introduire, s'insinuer, se glisser, se faufiler, envahir, faire irruption. — Etre admis, être reçu. — Faire partie, être compris, être contenu. — S'insinuer, envahir.

Entre-temps. — Intervalle.

Entretenir. — Maintenir, conserver, prolonger, tenir en bon état. — Nourrir, repaître. — Parler, causer, conférer, converser, deviser.

Entretien. — Conversation, colloque, dialogue, causerie, propos, conciliabule.

Entrevoir. — Deviner, soupçonner, pressentir, prévoir. — Apercevoir, voir à peine.

Entrevue. — Rencontre, visite, audience.

Envahir. — Usurper, s'emparer. — Occuper, gagner, se répandre sur, s'étendre dans. — (*V. Entrer.*)

Envelopper. — Entourer, englober, environner, cerner, enclore, enfermer. — Emballer, empaqueter, entortiller, emmitoufler. — Cacher, déguiser, dissimuler, couvrir, pallier, obscurcir, voiler.

Envenimer. — Infecter, empoisonner, irriter, exaspérer, rendre plus cuisant.

Envergure. — Largeur, extension, étendue, déploiement.

Envers. — Opposé, contraire, verso, derrière.

Envie. — Haine chagrine, jalousie, convoitise. — Désir, souhait, volonté. — Besoin, appétence.

Envieux. — Désireux, cupide, jaloux.

Envier. — Porter envie, désirer, vouloir, convoiter, avoir envie, souhaiter, briguer, guigner, ambitionner, soupirer.

Environner. — Mettre autour, entourer, enfermer, enceindre.

Envoi. — Expédition, message, colis.

Envoler (S'). — S'enfuir, s'échapper, s'en aller. — S'écouler, fuir, disparaître, passer.

Envoyé. — Messager, ambassadeur, député, délégué, émissaire, exprès, estafette, courrier.

Épais. — Gros, fort, solide, lourd, consistant. — Serré, touffu, dru. — Dense, compact, peu fluide, massif. — Grossier, sans élégance.

Épanchement. — Déversement, diffusion. — Effusion, confidence. — Extravasation (*méd.*).

Épandre. — Étendre, répandre, étaler.

Épanouir. — Étendre, développer, ouvrir, étaler. — Rendre joyeux, dilater.

Épargne. — Économie, ménage, parcimonie, ménagement, modération.

Épargner. — Économiser, réserver, ménager. — Faire grâce, laisser subsister, user d'indulgence.

Éparpiller. — (*V. Diviser.*)

Épars. — Séparé, divisé, épandu, répandu, flottant, en désordre.

Épaule. — Omoplate.

Épauler. — Aider, appuyer, assister. — Mettre à l'abri, garantir.

Épée. — Braquemart, espadon, estoc, estramaçon, sabre, glaive, rapière, latte, briquet, coupe-chou, colichemarde, flamberge, cimeterre, yatagan.

Éperon. — Ergot, rostre, pointe, saillie. — Stimulant, excitant.

Éperonner. — Stimuler, pousser, exciter, aiguillonner.

Éphèbe. — Jeune homme, adolescent, jouvenceau, damoiseau, blanc-bec.

Éphémère. — Fragile, périssable, passager, précaire, temporaire, provisoire, momentané.

Épi. — Touffe, assemblage.

Épicurien. — Voluptueux, sensuel.

Épidémie. — Contagion, entraînement, engouement.

Épier. — Guetter, lorgner, reluquer, surveiller, observer, surprendre, espionner, inspecter.

Épigraphe. — Écriteau, inscription. — Pensée, sentence, citation.

Épilogue. — Conclusion, résumé. morale, dénouement.

Épiloguer. — Trouver à redire, censurer, critiquer, contrôler, fronder, chicaner, discuter, ergoter.

Épine. — Piquant, écharde, pointe, ronce. — Douleur, ennui, inconvénient, difficulté.

Épineux. — (*V. Difficile.*)

Épingler. — Attacher, fixer.

Épique. — (*V. Héroïque.*)

Épithète. — Adjectif, attribut, qualificatif.

Épître. — Lettre, missive, message, dépêche.

Épointer. — Casser la pointe, émousser.

Éponger. — Étancher, essuyer, nettoyer, laver.

Épouser. — Prendre parti pour, embrasser, s'attacher à.

Épouser (S'). — S'unir, se marier, convoler, s'allier.

Épouvantable. — Effroyable, horrible, affreux, redoutable, monstrueux, formidable, effrayant, terrible, terrifiant.

Épouvante. — Terreur, effroi, frayeur, fuite éperdue. (*V. Peur.*)

Époux. — Mari, conjoint, couple, ménage.

Épreuve. — Essai, expérience, tentative, vérification.

Épreuves. — Dangers, douleurs, souffrances, malheurs, chagrin, peines.

Épuisement. — Affaiblissement, exténuation, prostration, fatigue. — Tarissement, pénurie.

Épuiser. — Tarir, assécher, mettre à sec. — Exténuer, fatiguer. — Appauvrir, ruiner, absorber, consommer.

Épuiser. (S'). — Se tarir, s'affaiblir, se fatiguer. — S'employer, se prodiguer.

Épuration. — Purification, appropriation. — Suppression, élimination, exclusion.

Épurer. — Purger, purifier, nettoyer, approprier. — Rectifier, perfectionner, châtier. — Éliminer, exclure.

Équilibre. — Proportion, mesure, harmonie, égalité, balance.

Équilibré — Pondéré, harmonisé, égalisé.

Équitable. — Juste, impartial, intègre, consciencieux, droit.

Équité. — Justice, droiture, impartialité, égalité.

Équivalent. — Pareil, semblable, égal, de même valeur.

Équivoque. — Ambigu, amphibologique. — Suspect, louche, mystérieux, énigmatique.

Érailler. — Écorcher, effiler, relâcher.

Érection. — Élévation, construction. — Institution, établissement. — Redressement, raideur, rigidité, tension.

Éreinté. — Fatigué, rompu, brisé, harassé, accablé, fourbu, cassé, échiné, moulu, exténué, surmené. — Maltraité, critiqué.

Éréthisme. — Exaltation, excitation, irritation (*physiol.*). — Violence, exaspération surexcitation.

Ergot. — Éperon, griffe, serre.

Ergoter. — Chicaner, épiloguer, objecter, raisonner, discuter, argumenter, sophistiquer.

Ériger. — Élever, construire, dresser. — Instituer, établir, fonder.

Ermitage. — Monastère, cloître, couvent.

Ermite. — Solitaire, cénobite, anachorète.

Érosion. — Corrosion, altération, dégradation, usure, délabrement, vétusté.

Errements. — Conduite, manière, procédé, ornière, routine.

Errer. — Vaguer, aller à l'aventure, cheminer, vagabonder, déambuler, flâner. — S'égarer, flotter, dévier. — Se tromper, faillir.

Erreur. — Égarement, écart, extravagance. — Sophisme, paralogisme, raisonnement faux. — Malentendu, confusion, quiproquo. — Illusion, apparence. — Méprise, faute, bévue, mécompte. — Préjugé, fausse opinion, préoccupation, fausseté, prévention.

Éructation. — Rot, renvoi, hoquet.

Érudit. — Docte, savant, chercheur, instruit, cultivé.

Érudition. — Savoir, recherche savante, science, culture.

Éruption. — Sortie violente. — Évacuation, apparition (*méd.*).

Escalader. — Gravir, monter, grimper, enjamber.

Escalier. — Degré, échelle, montée.

Escarcelle. — Sac, bourse, gousset, porte-monnaie.

Escarpe. — Assassin, voleur, bandit, rôdeur.

Escarpé. — Roide, abrupt, montant, malaisé.

Escient (A bon). — Sciemment, en connaissance de cause. — Tout de bon, véritablement.

Esclandre. — Scandale, tapage, bruit. — Attaque, rixe.

Esclavage. — Servitude, assujettissement, asservissement, dépendance, gêne, contrainte.

Esclave. — Serf, ilote, captif, prisonnier.

Escobar. — Fourbe, hypocrite, jésuite.

Escompter. — Dépenser d'avance, fonder un espoir.

Escorter. — Accompagner, conduire, protéger, reconduire.

Escrimer (S'). — Se battre, se disputer. — Ferrailler. — S'exercer, s'appliquer à, faire effort.

Escroc. — Larron, voleur, filou, fripon, coquin, tripoteur.

Escroquer. — Extorquer, soustraire, filouter, voler.

Espace. — Intervalle, distance, éloignement. — Atmosphère, étendue, infini, ciel, immensité, surface, superficie.

Espacer. — Séparer, ménager des intervalles.

Espèce. — Race, genre, groupe.

Espérance. — Attente, expectative, perspective. — Espoir, confiance, croyance.

Espérer. — Attendre, aspirer, entrevoir, avoir confiance, se promettre, se flatter.

Espiègle. — Vif, malicieux, malin, éveillé.

Espion. — Émissaire, rapporteur, délateur, mouchard.

Espionner. — Épier, surveiller.

Esprit. — Ame, souffle, vie, direction. — Génie, production, création, invention. — Humour, verve, finesse, malice, sel, causticité, vivacité. — Humeur, caractère, aptitude, disposition. — Principe, impulsion, tendance.

Esprit faible. — Ame faible, cœur faible, caractère faible, esprit crédule.

Esprit fort. — Impie, irréligieux, incrédule, libre penseur.

Esquisse. — Plan, projet, modèle, ébauche, croquis.

Esquiver. — Éviter, éluder, se soustraire.

Esquiver (S'). — Se dérober, se retirer, s'échapper, s'enfuir.

Essai. — Épreuve, expérience, vérification, expérimentation, tentative, entreprise. — Avant-goût, prémices. — Échantillon, partie, portion.

Essaim. — Groupe, ensemble, colonie, multitude, bande, troupeau.

Essaimer. — Émigrer, se disperser.

Essayer. — Vérifier, expérimenter, éprouver, mettre à l'épreuve, déguster. — Tâter, sonder, reconnaître, apprécier. — Tenter, tâcher, faire ses efforts.

Essence. — Substance, être. — Qualité, caractère, nature. — Extrait.

Essentiel. — Indispensable, nécessaire. — Grave, important, sérieux.

Essor. — Vol, volée, développement, élan, départ, envolée.

Essoufflé. — Haletant, hors d'haleine, suffoqué, oppressé.

Essuyer. — Frotter, nettoyer, fourbir, polir, lisser, astiquer, sécher, torcher. — Subir, endurer, souffrir, affronter, supporter.

Est. — Levant, orient.

Estafette. — Courrier, messager, envoyé.

Estampille. — Empreinte, cachet, marque.

Ester. — Poursuivre, se présenter en justice.

Estimation. — Évaluation, appréciation. — Jugement, estime.

Estime. — Considération, respect. — Opinion, jugement, appréciation, cote.

Estimer. — Évaluer, apprécier, priser. — Croire, réputer, présumer. — Faire cas, avoir de la considération.

Estocader. — Porter des coups de pointe, escrimer. — Argumenter, répliquer vivement.

Estomper. — Dessiner, ombrer. — Adoucir, voiler, gazer.

Estropier. — Tronquer, mutiler, blesser, défigurer, altérer.

Établir. — Poser, asseoir, fixer, installer, disposer. — Construire, élever, ériger, fonder, instituer. — Démontrer, prouver, montrer.

Étai. — Appui, soutien, support, étançon, secours, aide, épaulement.

Étalage. — Exposition, exhibition. — Montre, parade, ostentation.

Étaler. — Exposer, exhiber, déployer, disposer, étendre. — Faire voir, faire parade.

Étanche. — Imperméable. (*V. Sec.*)

Étancher. — Sécher, arrêter l'écoulement. — Boucher, aveugler. — Calmer, apaiser.

Étape. — Gîte, arrêt, halte, repos. — Marché, entrepôt, comptoir.

État. — Condition, manière d'être, disposition. — Situation, position, profession. — Liste, tableau, mémoire, inventaire. — Gouvernement, pouvoir, administration. — Ensemble des citoyens, corps de nation.

Étayer. — Appuyer, affermir, soutenir, aider, servir, consolider.

Éteindre. — Étouffer, faire cesser, souffler. — Calmer, apaiser, adoucir, affaiblir. — Détruire, faire disparaître, effacer, anéantir.

Étendard. — Drapeau, enseigne, guidon, bannière, oriflamme, pavillon, fanion.

Étendre. — Éparpiller, répandre, déplier, étaler, déployer. — Allonger, coucher. — Renverser, tuer. — Développer, accroître, augmenter, amplifier.

Étendue. — Grandeur, surface, superficie, emplacement. — Développement, longueur, importance. — Distance, éloignement, portée.

Éternel. — Perpétuel, continuel, immortel, indestructible, impérissable, immuable, inaltérable, interminable, sempiternel, infini. — Indéfini, lassant, fatigant.

Éterniser. — Faire durer, prolonger indéfiniment, traîner en longueur. — Perpétuer, immortaliser.

Étêter. — Couper la tête. — Ébrancher, élaguer (*forest.*)

Éther. — Espace, atmosphère, ciel, firmament.

Éthéré. — Pur, élevé, sublime (*poét.*). — Fluide, subtil, volatil (*chim.*).

Étincelant. — Brillant, vif, luisant, lumineux, resplendissant, splendide, flamboyant, radieux, rutilant, éclatant, fulgurant, scintillant, phosphorescent, éblouissant, chatoyant.

Étincelle. — Éclair, lueur, trait de lumière. — Trait d'esprit.

Étinceler. — (*V. Briller.*)

Étiolement. — Affaiblissement, débilitation, délabrement.

Étioler. — Affaiblir, appauvrir, débiliter, décliner.

Étique. — Desséché, appauvri, émacié. — Maigre, sec, pauvre, mesquin, insuffisant.

Étiquette. — Écriteau, affiche, marque, désignation, indication. — Formulaire, cérémonial.

Étirer. — Allonger, tirer, étendre, développer.

Étoffer. — Corpulent, ample, qui a de l'embonpoint.

Étoile. — Astre, planète, comète. — Fortune, hasard, destin, destinée, fatalité

Étonnant. — Étrange, inouï, insolite, extraordinaire, phénoménal, prestigieux, surprenant, merveilleux, prodigieux, incroyable, stupéfiant, inconcevable, excentrique.

Étonnement. — Ébranlement, commotion, saisissement, ébahissement, stupéfaction, surprise. — Admiration stupeur, fascination.

Étonner. — Surprendre, troubler, étourdir, stupéfier, confondre, saisir, fasciner, émerveiller, interloquer.

Étouffer. — Suffoquer, bâillonner, étrangler. — Supprimer, détruire, perdre. — Éteindre, amortir, retenir.

Étourderie. — Imprévoyance, irréflexion, inattention, distraction, légèreté, inconséquence.

Étourdi. — Éventé, évaporé, inconséquent, irréfléchi, léger, écervelé, brouillon.—Confondu interdit, abasourdi, interloqué, renversé.

Étourdissement. — Trouble, ébranlement, dérangement. — Stupéfaction, étonnement.

Étrange. — Rare, extraordinaire, singulier, bizarre. — Choquant, déplacé, inconvenant, répréhensible.

Étranger. — Exotique, immigrant, métèque.

Étranglement. — Étouffement, compression, suffocation, constriction.

Étrangler. — Serrer, comprimer, étouffer. — Resserrer, rétrécir.

Être. — Exister, subsister, vivre. — Se trouver, avoir lieu, se voir, se présenter, réaliser.

Être. — Homme, personne, individu, créature. — Vie, naissance, origine. — Essence, entité.

Étreindre. — Serrer, presser, embrasser, enlacer.— Resserrer, retenir.

Étreinte. — Embrassement, enlacement. — Pression, étouffement, compression, serrement.

Étriqué. — Restreint, trop petit, resserré, rétréci. — Mesquin, minuscule.

Étroit. — Limité, borné. — Intime, inséparable. — Rigoureux, sévère, strict.

Étude. — Application, travail. — Recherche, affectation, apprêt.

Étudié. — Travaillé, fini, composé avec soin. — Affecté, recherché, apprêté, sans naturel.

Étudier — Apprendre, s'appliquer, s'instruire. — Préparer, méditer, s'exercer. — Observer, chercher, examiner.

Étudier (S'). — S'occuper à, travailler à, s'appliquer à, s'attacher à.

Étymologie. — Dérivation, origine, source, racine.

Euménides. — Furies.

Évacuation. — Sortie, issue, rejet, écoulement, dégorgement, expulsion.

Évacuer. — Sortir, quitter, se retirer, vider. — Rejeter, expulser, écouter, dégorger, vomir.

Évader (S'). — S'enfuir, s'échapper, se sauver, s'esquiver, s'éloigner.

Évaluer. — Estimer, apprécier, priser, déterminer, coter.

Évanouir (S'). — Disparaître, fuir, s'enfuir, se dissiper, s'effacer. — Tomber en faiblesse, perdre connaissance.

Évanouissement.—Disparition, effacement. — Défaillance, syncope, pâmoison.

Évaporé.— Dissipé, avantageux, vain, frivole.

Évaser. — Élargir, agrandir.

Évasif. — Fuyant, ondoyant.

Éveillé. — Excité, suscité. — Gai, vif, alerte.

Éveiller. — Exciter, animer, stimuler. — Provoquer, faire naître.

Événement — Aventure, incident, accident, fait, circonstance, conjoncture, occurrence, éventualité. — Issue, résultat, dénouement.

Éventé. — Indiscret, inconsidéré.

Éventualité. — (V. *Événement.*)

Évêque. — Pontife, prélat, primat.

Éviction. — Dépossession, éloignement, écartement, exclusion, renvoi, révocation, élimination, expulsion.

Évidence. — Certitude, clarté. — Truisme.

Évident. — Clair, manifeste, public, notoire, certain, sûr, assuré, positif, formel, indubitable, incontestable.

8

Évincer. — Déposséder, exclure, éloigner, écarter, congédier, renvoyer, éconduire, éliminer, remercier.

Éviter. — Fuir, se détourner, s'écarter, éluder, échapper à.

Évoluer.— Tourner, manœuvrer, se mouvoir. — Se dérouler, se développer, changer, progresser.

Évolution. — Transformation, développement, progrès. — Manœuvre, mouvement.

Évoquer. — Faire apparaître, faire surgir, apostropher, appeler, rappeler.

Exact. — Régulier, ponctuel. — Précis, juste, mathématique. — Conforme, vrai, fidèle. — Absolu, rigoureux, sévère. — Correct, soigné, exemplaire.

Exaction. — (*V. Escroc, voleur.*)

Exactitude. — Attention, soin, vigilance. — Justesse, précision. — Ponctualité, fidélité, régularité. — Pureté, correction.

Exagération — Outrance, amplification, hyperbole, disproportion, superfluité, pléthore.

Exagérer.— Développer, outrer, amplifier. — Faire valoir, faire ressortir.

Exaltation. — Glorification, louange. — Enthousiasme, surexcitation, transport, effervescence, animation, stimulation.

Exalté. — Loué, glorifié, prôné. — Surexcité, ardent, passionné.

Exalter. — Louer, vanter, célébrer, chanter, glorifier, porter aux nues. — Enflammer, transporter, enthousiasmer, passionner, échauffer, allumer, fanatiser.

Examiner. — Regarder, contempler, considérer, envisager, voir, inspecter, passer en revue, analyser.

Exaspérer. — Irriter, aigrir, aggraver, monter, soulever, exciter, affoler.

Exaucer. — Écouter favorablement, accorder, accomplir, satisfaire, combler.

Excédent. — Surcroît, reste, surplus, supplément, résidu.

Excéder. — Outrepasser, dépasser, surpasser. — Accabler, exténuer, fatiguer, épuiser. — Importuner, tourmenter.

Excellent. — Bon, délicieux, exquis. — Éminent, supérieur, vertueux.

Exceller. — Etre supérieur, être habile à.

Excentrique. — Loin du centre, en dehors du centre, qui éloigne du centre. — Bizarre, singulier, original, anormal, extravagant, insolite, étrange.

Excepté. — A l'exception de, hors, hormis, sauf.

Excepter. — Évincer, exclure, ôter, écarter, réserver.

Exception. — Anomalie, singularité, particularité. — Réserve, restriction.

Excès. — Débauche, dérèglement. — Violences, outrages.— Abus, exagération, surabondance.

Excessif. — Immodéré, outré, démesuré, exorbitant, abusif, exagéré, surabondant. — Extrême, violent.

Exciper. — Alléguer, s'autoriser de, s'appuyer sur, prétexter.

Excision. — Ablation.

Excitant. — Stimulant, excitatif, aiguillon.

Excitateur. — Fauteur, fomentateur, promoteur, instigateur, stimulateur. — Révolutionnaire.

Excitation. — Provocation, incitation. — Agitation, irritation. — Révolution.

Exciter. — Stimuler, encourager, animer, aiguillonner. — Inviter, porter, pousser à. — Irriter. — Faire naître, causer.

Exclamation. — Cri.

Exclamer (S'). — S'écrier, admirer, s'étonner.

Exclure. — Repousser, éliminer, retrancher, évincer, renvoyer. — Interdire, ôter le droit.

Excommunier. — Retrancher, repousser, rejeter, évincer, exclure (*de la communion*), anathématiser.

Excursion. — Course, voyage, tournée, marche, promenade. — Digression, dissertation.

Excuse. — Raison, allégation, prétexte. — Défaite, faux-fuyant. — Pardon.

Excuser (S'). — Se disculper, se justifier, se défendre, alléguer.

Exeat. — Permis, autorisation (*de sortie*).

Exécrable. — Odieux, maudit, abominable, détestable. — Pitoyable, très mauvais.

Exécration. — Menace, malédiction, imprécation, jurement. — Horreur, abomination, dégoût, répugnance.

Exécrer. — Haïr, avoir en horreur, abhorrer, maudire, abominer, détester, vomir.

Exécuter. — Effectuer, réaliser, accomplir. — Interpréter, rendre.

Exécution. — Accomplissement, réalisation, interprétation. — Supplice capital, décollation, décapitation.

Exemple. — Modèle, règle, idéal. — Type, patron, échantillon, spécimen, image, dessin, étalon. — Avertissement, leçon, châtiment.

Exempt. — Dispensé, exonéré, déchargé, libéré, préservé, affranchi, quitte, indemne.

Exemption. — Liberté, franchise. — Immunité, privilège, dispense, exonération, décharge.

Exercer. — Dresser, former, développer. — Mettre à l'épreuve. — Pratiquer, se livrer à. — Donner effet, mettre en usage, faire valoir.

Exercice. — Mouvement, marche. — Devoir, composition, épreuve. — Pratique, usage, application.

Exhalaison. — Odeur, émanation, fumet, vapeurs, relent, parfum, senteur, bouquet.

Exhaler. — Émettre, produire, dégager, vaporiser. — Manifester, exprimer.

Exhausser. — Lever, élever, soulever, relever, hausser, rehausser, faire monter, augmenter.

Exhéréder. — Déshériter, priver de l'héritage, exclure de la succession.

Exhiber. — Montrer, présenter, sortir, produire, étaler.

Exhortation. — Conseil, invite, encouragement, discours, sermon, leçon, avis, incitation, suggestion.

Exhumer. — Tirer de la sépulture, déterrer. — Tirer de l'oubli, ressusciter.

Exiger. — Réclamer, demander impérieusement, prétendre à. — Faire payer, faire fournir, prélever. — Nécessiter, avoir besoin.

Exigu. — Petit, mesquin, médiocre, minime, chétif, insuffisant.

Exil. — Expulsion, bannissement, renvoi. — Isolement, éloignement.

Exiler. — Chasser, éloigner, écarter, exclure, expulser, renvoyer, bannir.

Existence. — Etre, vie, jours. — Réalité, présence constatée.

Exister. — Etre, subsister, vivre, durer. — Se trouver, avoir lieu.

Exode. — Émigration, départ, migration. — Sortie, issue.

Exonération. — Décharge, dispense, soulagement, exemption, affranchissement.

Exonérer. — Affranchir, libérer, décharger, exempter, débarrasser, soulager.

Exorbitant. — Monstrueux, extraordinaire, incroyable, invraisemblable.

Exorciser. — Conjurer le démon, chasser le mauvais sort, rompre le charme.

Exorcisme. — Conjuration, prière. — Sortilège, charme, diablerie, incantation.

Expansion. — Dilatation, développement, prolongement. — Propagation, diffusion, extension. — Effusion, épanchement.

Expédient. — Facilité, ressource, trait d'adresse, ruse, stratagème, artifice, manigance, — Accord, conciliation. transaction (*jurispr.*).

Expédier. — Dépêcher, presser, hâter. — Faire partir, envoyer. — Se débarrasser de, congédier. — Ruiner, mettre à mal, faire mourir.

Expéditeur. — Envoyeur. — Commissionnaire, transitaire, entrepreneur, messager.

Expéditif. — Diligent, prompt, rapide, actif.

Expédition. — Activité, promptitude, diligence. — Envoi, colis, caisse, paquet. — Entreprise, voyage.

Expéditionnaire. — Commis, employé, copiste.

Expérience. — Épreuve, essai, tentative. — Savoir, pratique, habitude, routine, acquis. — Observation, expérimentation, connaissance.

Expérimentation. — Observation, étude, expérience.

Expérimenté. — Éprouvé, connu. — Instruit, habile, exercé, connaisseur.

Expiation. — Punition, châtiment, répression. — Réparation, rachat, sacrifice, satisfaction.

Expier. — Racheter, réparer, apaiser, satisfaire, purifier, laver, payer.

Expirer. — Mourir, exhaler le souffle, être détruit. — Prendre fin, arriver à terme, cesser, s'évanouir, se dissiper.

Explication. — Éclaircissement, justification, argument, interprétation, traduction. — Motif, cause, raison. — Débat, discussion.

Explicite. — Expliqué, développé, énoncé, formulé, formel, clair, net.

Expliquer. — Éclaircir, développer, rendre intelligible. — Déclarer, exprimer, manifester. — Interpréter, traduire.

Exploit. — Assignation, notification, acte, copie.

Exploits. — Prouesses, actions d'éclat, hauts faits, faits d'armes.

Exploiter. — Faire valoir, tirer produit, se servir. — Tirer parti, prélever un profit, vivre de, tromper, écornifler, pressurer, voler.

Explorateur. — Voyageur, chercheur, pionnier.

Explorer. — Parcourir, visiter, étudier. — Sonder, scruter.

Explosion. — Commotion, éclatement, expansion. — Manifestation, apparition.

Exportation. — Commerce à l'extérieur, transport à l'étranger, expédition au dehors.

Exposé. — Récit, énoncé, compte rendu.

Exposer. — (*V. Risquer.*)

Exposition. — Exhibition, étalage. — Salon, galerie. — Développement, explication, narration.

Exprès. — Précis, net, clair, explicite. — Déterminé, arrêté, ferme.

Exprès. — Expressément, à dessein, volontairement.

Expressif. — Significatif, énergique, éloquent. — Animé, éclairé, touchant.

Expression. — Mot, terme, locution. — Extérieur, attitude, manière.

Exprimer. — Extraire, presser. — Énoncer, traduire, rendre, signifier. — Dire, manifester, faire connaître.

Exproprier. — Déposséder, saisir, expulser.

Expulser. — Chasser, exclure, éliminer, renvoyer, faire évacuer, faire sortir.

Exquis. — Bon, excellent, délicieux. — Doux, suave, délectable, délicat, recherché.

Exsuder. — Sécréter, suinter, suer.

Extase. — Transport, ravissement, admiration, exaltation, adoration, mysticisme, absorption.

Extension. — Allongement, développement. — Relâchement, distension. — Accroissement, augmentation, étendue, déploiement, expansion, diffusion.

Extérieur. — Dehors, apparence, aspect, mine, attitude.

Exterminer. — Détruire, anéantir, abolir, faire disparaître, faire périr, extirper, immoler.

Extinction. — Perte totale, anéantissement, suppression. — Couvre-feu.

Extirper. — Déraciner, arracher, exterminer, anéantir, ôter, enlever, déterrer.

Extra. — Supplément, surplus. — Insolite, extraordinaire, merveilleux.

Extraction. — Origine, naissance, ascendance, souche, race.

Extrait. — Abrégé, sommaire, précis, résumé, analyse, passage,

Extraordinaire. — Singulier, rare, peu commun. — Merveilleux, étonnant, admirable. — Étrange, bizarre, choquant. — Exceptionnel, spécial.

Extravagant. — Insensé, fou, déraisonnable, égaré, toqué, détraqué, bizarre.

Extravaguer. — Délirer, divaguer, déraisonner, déménager, battre la campagne.

Extrême. — Excessif, violent, désordonné, hasardeux, outré. — Dernier, final, terminal, définitif.

Extrêmes. — Extrémités, dernières limites, points opposés, antipodes.

Extrémité. — Bout, fin. — Limite. — Agonie, mort. — Extrême grandeur, énormité, excès.

Extrinsèque. — Extérieur, externe.

Exubérance. — Surabondance, exagération, débordement. — Prolixité.

Exubérant. — Débordant, en dehors, démonstratif. — Prolixe, touffu.

Exultation. — Allégresse, grande joie, gaieté.

F

Fable. — Parabole, allégorie, apologue, moralité, légende. — Conte, roman, anecdote, mythe, fiction, récit. — Mensonge, invention, fantaisie, tromperie.

Fabricant. — Manufacturier, industriel, chef d'établissement.

Fabricateur. — Créateur, inventeur, producteur. — Forgeur, falsificateur.

Fabrication. — Production, création, invention.

Fabrique. — Manufacture, établissement industriel.

Fabriquer. — Faire, produire, créer, travailler, manufacturer.

— Imaginer, inventer, émettre, forger.

Fabuleux. — Imaginaire, faux, feint, controuvé, fictif, mensonger, illusoire, erroné. — Incroyable, fantastique, chimérique, exagéré, invraisemblable, inadmissible, prodigieux.

Façade. — Devant, face, front. — Aspect, extérieur.

Face. — Visage, figure, physionomie. — Vue, aspect, façade. — Surface, superficie.

Face à face. — Vis-à-vis, en face, de front, les yeux dans les yeux.

Facétie — Plaisanterie, bouffonnerie, charge, farce, mystification, tour, niche.

Facétieux. — Plaisant, comique, drôle, réjouissant, licencieux, loustic, gouailleur, plaisantin, moqueur.

Fâché. — Mécontent, indisposé, aigri, dépité.— Peiné, contrarié, marri, repentant. — Affligé, mortifié, attristé, contristé.

Fâcherie. — Humeur, mécontentement, bouderie, dépit, contrariété.

Fâcheux. — Regrettable, contrariant. — Pénible, difficile, — Importun, incommode, gênant. — Rigoureux, sévère, cruel.

Facies. — Apparence, aspect, ensemble, physionomie, port.

Facile. — Aisé, commode, réalisable, faisable, abordable, possible, exécutable, accessible, élémentaire. — Traitable, arrangeant, accommodant, indulgent, doux. — Faible, simple, complaisant.

Facilité. — Possibilité, commodité, simplicité. — Aisance, aptitude. — Condescendance, complaisance, faiblesse.

Façon. — Forme, figure, conformation, configuration.— Procédé, moyen, tournure. — Manière, mode d'être, méthode.

Façons. — Manières, procédés, air, ton. — Politesses, cérémonies.

Façonner. — Travailler, préparer, transformer, conformer, modifier. — Former, accoutumer, habituer.

Façonnier. — Maniéré, affecté, formaliste, cérémonieux.

Fac-similé. — Copie, imitation, reproduction.

Factice. — Imité, copié, falsifié. — Artificiel, faux, emprunté, composé.

Factieux. — Révolté, insurgé, rebelle, séditieux, mutin, révolutionnaire.

Faction. — Parti remuant, cabale, intrigue, sédition, complot, conspiration, agitation, rébellion, mutinerie, désordre.

Factum. — Exposé, mémoire, libellé.

Facture. — Manière, exécution, caractère. — Note, état, bordereau, compte, addition, mémoire, relevé.

Faculté. — Pouvoir, puissance, moyen, capacité. — Facilité, talent, aptitude. — École, université.

Fadaise. — Niaiserie, bagatelle, platitude, vétille, billevesée, sornette, baliverne, calembredaine.

Fade. — Insipide, plat, déplaisant, douceâtre.

Faible.—Débile, chétif, malingre, affaibli, infirme, sans force, sans vigueur. — Menu, grêle, mince, frêle, fragile, léger, défectueux.— Inconstant, sans fermeté, complaisant.

Faiblesse. — Syncope, évanouissement, pâmoison, défaillance. — Débilité, anémie, fragilité. — Insuffisance, infériorité, manque de puissance. — Complaisance, laisser-aller, apathie, irrésolution. — Faute, erreur, entraînement.

Faiblir. — Mollir, céder, plier, baisser, vaciller, chanceler, ployer. — S'épuiser, s'affaiblir.

Faillir. — Tomber, choir, commettre une faute. — Errer, se tromper, mal juger.

Faillite. — Suspension de payements, dépôt de bilan, déconfiture, banqueroute, krach.

Faim. — Besoin, appétit. — Misère, privation, famine, abstinence, jeûne.

Fainéant. — Paresseux, inutile, propre à rien, oisif, inactif, indolent, nonchalant, apathique, désœuvré, musard.

Fainéantise. — Paresse, oisiveté, inaction, apathie, inertie.

Faire. — Créer, produire, engendrer, façonner, fabriquer, construire. — Composer, combiner, arranger, disposer. — Accomplir, commettre, perpétrer. — Se conformer à, observer, mettre en pratique.— Former, accoutumer, habituer. — Se procurer, amasser, acquérir, gagner. — Représenter, contrefaire, jouer le rôle de, feindre d'être, affecter de. — Causer, déterminer, procurer. — Etre, constituer. — Agir, effectuer, exécuter, opérer, travailler, se comporter. — Semer, cultiver, récolter (agric.).

Fait (adj.). — Formé, exécuté, accompli, terminé, achevé. — Constitué, arrangé, disposé. — Habitué, accoutumé, capable, de, propre à.

Fait (subst.). — Acte, action, chose faite. — Événement, cas.

Faîte. — Sommet, cime, comble, point culminant.

Faix. — Charge, fardeau, surcharge, chargement, poids.

Fallacieux.— Trompeur, fourbe, insidieux, mensonger, nuisible, artificieux, hypocrite, spécieux.

Falot (subst.). — Lanterne, fanal, flambeau.

Falot (adj.). — Risible, plaisant, drôle, grotesque.

Falsifier. — Altérer, tronquer, dénaturer, fausser. — Contrefaire, imiter.

Famé. — Estimé, considéré, réputé.

Famélique. — Affamé, besogneux, miséreux.

Fameux. — Célèbre, connu, renommé, réputé, glorieux, illustre, insigne. — Excellent, admirable (fam.).

Familiariser. — Accoutumer, habituer, apprivoiser, dresser, entraîner.

Familiarité. — Intimité, habitude. — Sans-gêne, liberté, sans-façon, privauté.

Famille. — Maison, race, lignée, sang. — Souche, naissance, descendance, extraction, origine, dynastie, génération, parage, parenté.

Famine. — Absence d'aliments, manque de vivres.

Fanatique. — Exalté, zélé, ardent, chaleureux, fougueux, fervent, passionné, enthousiaste.

Faner (Se). — Se flétrir, se défraîchir, se décolorer, dépérir.

Fanfaron. — Menteur, hâbleur, vantard, bravache, matamore, rodomont, Gascon, fier-à-bras.

Fanfaronnade. — Jactance, vantardise, hâblerie, rodomontade, forfanterie, bravade, gasconnade.

Fange. — Boue, bourbe, crotte, immondice, vase, limon. — Bassesse, abjection, ignominie.

Fantaisie. — Caprice, humeur, goût, prédilection, volonté passagère. — Esprit, pensée, idée, rêverie, imagination, chimère, utopie, illusion.

Fantasque. — Capricieux, bizarre, extraordinaire, changeant, mobile, original, quinteux, bourru, difficile à contenter, maniaque, lunatique.

Fantastique. — Chimérique, imaginaire, incohérent, extravagant, fabuleux, incroyable.

Fantoche. — Marionnette, pantin, guignol.

Fantôme. — Simulacre, ombre, apparence, chimère. — Spectre, revenant, épouvantail, apparition.

Faquin. — Nullité, vaurien, garnement, homme de rien, sacripant, racaille.

Farce. — Parade, comédie bouffonne. — Bouffonnerie, mauvaise plaisanterie, niche, attrape, tromperie, leurre.

Farceur. — Bouffon, baladin, turlupin, histrion.—Plaisantin, facétieux.

Farcir. — Remplir, bourrer.

Fard. — Déguisement, faux ornement, feinte, dissimulation.

Fardeau. — Charge, poids, joug, faix.

Farder. — Couvrir, voiler, envelopper, pallier, dissimuler, déguiser.

Farder (Se). — S'enduire de fard, se grimer, se déguiser. — Etre affecté, être trompeur, dissimuler.

Farfouiller. — Déranger, bouleverser, mettre en désordre, fouiller, fureter, scruter, retourner.

Farouche.—Sauvage, indompté. — Rude, fier, intraitable, rébarbatif. — Dur, barbare, violent, cruel.

Fascination. — Ensorcellement, hypnotisme. — Attrait, éblouissement, charme, trouble, séduction.

Fasciner. — Charmer, éblouir, abuser. — Ensorceler, attirer, égarer, troubler, hypnotiser. — Entêter, infatuer, enticher.

Faste. — Luxe, somptuosité, magnificence, ostentation, étalage, apparat, grandeur, splendeur, opulence.

Fastes. — Calendrier. — Registres publics.

Fastidieux. — Dégoûtant, ennuyeux, importun, insupportable, fatigant, insipide, déplaisant, assommant, agaçant, énervant.

Fastueux. — Pompeux, somptueux, orgueilleux, opulent, magnifique. — Qui s'étale, qui fait parade, imposant.

Fat. — Sot, vain, avantageux, prétentieux, impertinent, poseur, orgueilleux, vaniteux.

Fatal. — Irrévocable, marqué par le destin, inévitable. —

Déplorable, nuisible, funeste, mortel.

Fatalité.—Destin, destinée, sort. — Circonstance malheureuse, éventualité fâcheuse, catastrophe, désastre.

Fatigue. — Lassitude, épuisement, éreintement, harassement, surmenage. — Travail, labeur, peine.

Fatigué.—Las, harassé, accablé, fourbu, éreinté, échiné, moulu, roué, surmené, excédé, brisé, rompu, épuisé, recru, abattu. — Importuné, lassé, ennuyé. — Défraîchi, fané, usé.

Fatiguer. — Lasser, épuiser, exténuer, échiner, surmener, briser, rompre, trimer, peiner, suer. — Importuner, excéder, ennuyer, assommer.

Fatras. — Désordre.

Faucher. — Couper, abattre, renverser.

Fausser. — Altérer, dénaturer, falsifier, pervertir, farder, fabriquer, maquiller, contrefaire, frelater, adultérer. — Courber, plier, tordre, bossuer.

Fausseté. — Mensonge, imposture, tromperie, inexactitude. — Duplicité, hypocrisie, dissimulation.

Faute. — Négligence, mauvaise action, péché. — Imperfection, manquement, défaut, défectuosité, vice. — Privation, manque, absence.

Fauve. — Roux, roussâtre, mordoré.

Faux. — Inexact, erroné, inventé, travesti, controuvé. — Vain, mal fondé. — Supposé, altéré, contrefait, falsifié. —Simulé, pastiché, copié, plagié, sophistiqué, frelaté, postiche. — Feint, factice, trompeur. — Fallacieux, menteur, mensonger.

Faveur — Bonnes grâces, bienveillance, appui. — Crédit, pouvoir, privilège, avantage. — Bienfait, grâce, bon office, complaisance.

Favorable. — Propice, bienveillant, obligeant.

Favori. — Préféré, protégé, élu, privilégié.

Féal. — Fidèle, loyal, dévoué.

Fécond. — Productif, fertile, fructueux, prolifique, plantureux, généreux, abondant.

Fédération. — Union, association, groupement, syndicat, amicale, société.

Feindre. — Simuler, faire semblant. — Imaginer, combiner, inventer, controuver, supposer. — Hésiter, faire difficulté.

Feinte. — Dissimulation, simulation, ruse, mensonge, tromperie, déguisement, hypocrisie. — Fiction, invention.

Félicitation. — Compliment, congratulation, éloge, glorification, panégyrique.

Félicité. — Contentement, bien-être, béatitude, bonheur, plaisir, prospérité, délices, aise, enchantement, joie, extase, paradis. — Chance, fortune.

Félon. — Traître, déloyal, infidèle, rebelle, méchant, hypocrite.

Félonie. — Rébellion, offense, trahison, déloyauté, méchanceté, infidélité, hypocrisie.

Fendant. — Fier-à-bras, rodomont, bravache, matamore.

Fendre. — Diviser, couper, ouvrir. — Séparer, écarter, traverser, pénétrer. — Fêler, crever, lézarder, rayer, creuser, rainer, strier.

Fenêtre. — Ouverture, jour, baie.— Croisée, châssis, vitrine, vasistas, lucarne, tabatière, œil-de-bœuf.

Fente. — Creux, cavité, trou, vide, intervalle, excavation. — Fêlure, fissure, gerçure, lézarde. — Échancrure, rainure, rayure, striure.

Féodalité. — Moyen âge, noblesse.

Ferme.—Dur, consistant, stable. — Constant, inébranlable, inflexible, énergique, résolu. — Vigoureux, solide, fort.

Ferme. — Convention de louage, cession de jouissance. — Métairie, domaine rural, exploitation agricole.

Fermentation. — Agitation, ébullition, effervescence.

Fermer. — Arrêter, fixer, terminer. — Clore, calfeutrer, murer, barricader, condamner, interdire l'entrée. — Boucher, obstruer, aveugler. — Empêcher l'accès, barrer le passage. — Enclore, entourer, cerner.

Fermeté. — Vigueur, force, solidité, résistance, stabilité. — Assurance, hardiesse, résolution, énergie, courage, décision, sang-froid. — Constance, opiniâtreté, ténacité, volonté.

Fermeture. — Barricade, barrage, clôture, porte, grille, châssis, volet, vantail. — Serrure, verrou. — Arrêt, cessation, suspension.

Féroce. — Farouche, sauvage, furieux, indomptable, barbare, cruel, sanguinaire, tigre. — Impitoyable, inhumain, implacable, inexorable, atroce.

Férocité. — Barbarie, cruauté, furie, violence, inhumanité, sauvagerie, atrocité, sévices, brutalité.

Fers. — Chaînes, menottes. — Esclavage, oppression.

Fertile. — Fécond, riche, producteur, abondant, fructueux, productif, prolifique.

Fervent. — Chaud, brûlant, ardent, enthousiaste, zélé, mystique.

Ferveur. — Piété, dévotion. — Ardeur, enthousiasme, zèle, flamme, feu, chaleur, exaltation.

Fête. — Solennité, anniversaire, jubilé, commémoration. — Réjouissance, cérémonie, gala, festival. — Kermesse, foire, assemblée.—Amusement, plaisir, divertissement, jeu, noce.

Fétide. — Puant, infect, immonde, répugnant, écœurant, nauséabond.

Feu. — Incendie, brasier, embrasement, sinistre. — Ménage, famille, foyer. — Fanal, signal, lueur, lumière. — Vivacité, ardeur, fougue, véhémence, entraînement. — Révolution, trouble, agitation. — Flamme, amour.

Feuille. — Journal, gazette, petit écrit, imprimé.—Verdure, feuillage.

Feuillée. — Abri, rinceau, ombrage, tonnelle, treille. — Frondaison, feuillage.

Feuilliste. — Folliculaire, aboyeur, rédacteur, journaliste.

Feuillu. — Touffu, fourni, garni, feuillé.

Fiacre. — Carrosse, citadine, landau, coupé, victoria, cab, voiture.

Fiancé. — Promis, futur.

Ficeler. — Attacher, lier, serrer, corder.

Ficher. — Fixer, faire pénétrer, planter, clouer, enfoncer, introduire. — Arrêter sur, immobiliser sur. — Intercaler, mêler.

Fichu. — Inconvenant, ridicule, mal fait. — Perdu (*fam.*).

Fictif. — Supposé, inventé, imaginaire, feint.

Fiction. — Invention, fable, conte, convention. — Mensonge, dissimulation.

Fidèle. — Dévoué, persévérant, constant. — Exact, vrai, sincère, véridique. — Sûr, probe, scrupuleux.

Fidélité. — Dévouement, attachement, constance. — Exactitude, vérité, sincérité. — Probité, scrupule.

Fiel. — Bile, humeur. — Amertume, rancœur, chagrin, douleur, peine. — Haine, méchanceté, animosité, antipathie.

Fier. — Farouche, sauvage, dur. —Violent, audacieux, intrépide. — Orgueilleux, dédaigneux, hautain, altier, arrogant, rogue.

Fier (Se). — Se confier, compter sur, s'appuyer sur.

Fierté. — Hardiesse, vigueur, intrépidité. — Dédain, hauteur, arrogance, orgueil.

Fiévreux. — Fébricitant, fébrile, agité, tourmenté, inquiet, troublé, dévorant.

Figer. — Cailler, coaguler, congeler, solidifier, condenser, épaissir, durcir, cristalliser.

Figuration. — Représentation, symbole. — Copie, fac-similé, schéma, plan, carte, dessin.

Figure. — Forme, aspect, apparence. — Visage, traits, face, physionomie. — Air, mine, maintien, contenance, expression, manière. — Effigie, image, portrait, silhouette, représentation, esquisse, schéma.

Figurer. — Représenter, dessiner, avoir la forme, donner l'aspect. — Jouer un rôle, paraître, tenir un rang.

Figurer (Se). — Croire, penser, supposer. — Imaginer, se peindre, rêver.

Filandreux. — Fibreux, coriace. — Ampoulé, entortillé.

Filer. — Tordre, tisser. — Accomplir, passer, couler. — Détendre, lâcher, larguer, laisser aller (*marit.*). — S'en aller, se retirer, s'esquiver (*fam.*). — Suivre, épier.

Filet. — Lacs, rets, embûche, piège. — Réseau, résille, nasse, épervier, verveux, filoche.

Filière. — Corde, cordage, ficelle. — Hiérarchie, suite d'emplois, suite de formalités. — Ordre de livraison, commande à terme (*comm.*).

Filou. — Fripon, voleur, larron, escroc. — Tricheur, grec.

Filtrer. — Passer à travers, transsuder.

Fin. — Bout, extrémité, terminaison, conclusion, solution, dénouement. — But, objet, destination, terme. — Mort, trépas, décès.

Fin. — Délié, menu, élégant, svelte, bien pris. — Pur, précieux, supérieur. — Subtil, sagace, délicat. — Rusé, adroit pénétrant.

Finalement. — Enfin, à la fin, en définitive, en fin de compte. — Définitivement, sans retour.

Financier. — Banquier, boursier, coulissier, agent de change. — Publicain, traitant, partisan, maltôtier.

Finaud. — Malin, finassier, rusé, habile, matois, roué, retors, futé.

Finesse. — Délicatesse, subtilité, sagacité, pénétration, perspicacité. — Ruse, astuce, perfidie, adresse, souplesse, artifice.

Fini. — Parfait, achevé, soigné.

Finir. — Mettre fin, cesser, ne pas continuer, clore. — Achever, terminer, conduire à terme. — Décider, vider, régler.

Fiole. — Bouteille, flacon, topette, carafon, gourde.

Fissure. — Fente, crevasse, lézarde, fêlure. — Sillon, rayure.

Fixe. — Invariable, permanent, immobile, vissé, fixé, stable, stationnaire, immuable, solide, ancré. — Déterminé, réglé.

Fixer. — Assurer, affermir, consolider, arrêter, immobiliser, river, assujettir, attacher. — Déterminer, régler, préciser, évaluer.

Flageller. — Fouetter, fustiger, fesser, maltraiter, châtier. — Attaquer violemment, cingler de critiques.

Flagorner. — Cajoler, flatter, amadouer.

Flagorneur. — Flatteur, adulateur, courtisan, louangeur.

Flagrant. — Constant, certain, incontestable, évident.

Flair. — Odorat, instinct.

Flairer. — Sentir, percevoir une odeur. — Pressentir, éventer, deviner, prévoir.

Flambant. — Brillant, flamboyant, brûlant, étincelant, rutilant, éclatant, scintillant, reluisant.

Flamber. — Brûler, briller, flamboyer, étinceler, scintiller.

Flamberge. — Épée, rapière.

Flamboyant. — Ardent, étincelant, brillant, scintillant, éclatant.

Flamme. — Lueur, feu, lumière, éclat, clarté. — Passion, ardeur amoureuse. — Banderole, bannière, drapeau.

Flanc. — Côté, hanche. — Sein, entrailles.

Flandrin. — Grand, mince, élancé, fluet.

Flâneur. — Paresseux, fainéant, musard.

Flanquer. — Entourer, garnir, placer à côté.

Flanquer (*fam.*). — Jeter, lancer, appliquer, administrer.

Flasque. — Mou, faible, lâche, sans vigueur.

Flatter. — Caresser, passer doucement la main.— Charmer, délecter. — Louer, louanger, aduler, flagorner. — Embellir, faire paraître plus beau, idéaliser.

Flatter (Se). — Se vanter, tirer vanité.— Espérer, se promettre, aimer à croire, se persuader.

Flatteur.— Caressant, insinuant. — Agréable, séduisant, doux, suave, délectable.— Adulateur, louangeur.

Fléau. — Cataclysme, catastrophe, désastre, ruine.

Flegmatique. — Pituiteux, lymphatique. — Froid, posé, impassible, calme.

Flétrir. — Faner, ternir, décolorer, défraîchir, rider.—Abattre, décourager, ôter l'énergie.

Flétrissure. — Marque d'infamie, atteinte à la réputation, stigmate.

Fleur.— Éclat, beauté, lustre.— Élite, meilleur. — Ornement, enjolivement, embellissement, parure.

Fleurer. — Exhaler une odeur, embaumer, parfumer.

Fleurir. — Épanouir, éclore. — Prospérer, se développer, progresser, briller, être florissant. — Parer, orner, embellir.

Fleuve. — Rivière, cours d'eau. — Cours, courant.

Flexible. — Souple, pliant, docile. — Malléable, plastique, maniable.

Flexion. — Fléchissement, inflexion, courbure.

Flonflon. — Refrain, couplet, chanson.

Florès (Faire). — Briller, fleurir. — Réussir, avoir du succès.

Flot. — Vague, houle, lame, marée, flux.

Flots. — Mer, onde, vague, lame. — Abondance, affluence, multitude.

Flotter.— Surnager, se soutenir, être porté, émerger, naviguer. — Voltiger, s'agiter. — N'être pas retenu, aller au hasard. — Hésiter, être incertain.

Flou. — Léger, gracieux, fondu. — Effacé, obscur, vaporeux.

Fluctuation. — Flottement, hésitation, agitation, oscillation, incertitude, irrésolution, changement, alternative.

Fluer. — Couler, s'écouler, s'épancher.

Fluet. — Mince, faible, frêle, chétif, délicat, petit.

Fluide.— Clair, coulant, limpide. — Mobile, insinuant, pénétrant.

Flux. — Vague, flot, marée. — Écoulement, effusion, évacuation.

Fœtus. — Embryon, germe.

Foi. — Fidélité, exactitude, véracité. — Créance, confiance, persuasion. — Croyance, religion.

Foire. — Marché, assemblée, kermesse, fête, jeux.

Fois (A la). — Ensemble, en même temps, simultanément, concurremment.

Foison (A). — Abondamment, copieusement, en grande quantité.

Folâtre. — Enjoué, badin, plaisant, gai, folichon.

Folie. — Délire, égarement, démence, aliénation. — Divagation, aberration, extravagance, déraison.— Manie, monomanie, toquade, bizarrerie.

Foncer. — Creuser, forer. — Attaquer, marcher sur, se jeter sur.

Fonction. — Emploi, ministère, charge, office, dignité, situation, poste, occupation.

Fonctionnaire. — Employé.

Fonctionner. — Agir, marcher, se mouvoir, faire sa fonction, travailler.

Fond. — Bout, extrémité, bas, creux, derrière. — Fondement, état permanent.

Fondant. — Juteux, aqueux. — Mouillé, ruisselant.

Fondation. — Création, établissement. — Legs, donation.

Fondement. — Appui, base, soutien. —Cause, raison, motif, prétexte.

Fonder. — Établir, instituer, organiser, ériger, créer. — Justifier, appuyer.

Fondre. — Délayer, liquéfier, dissoudre. — Combiner, réunir, confondre, amalgamer. — Diminuer, se réduire, maigrir. — S'abîmer, s'écrouler, tomber. — Assaillir, se lancer.

Fonds. — Terrain, sol, champ. — Argent, capital, pécule, bien. — Commerce, boutique, magasin, établissement, maison.

Fontaine. — Source, eau vive, ruisseau. — Réservoir, récipient, bassin, filtre, puits.

Forain. — Étranger, qui est de dehors, qui n'est pas du lieu.

Forains. — Bateleurs, batteurs d'estrade, banquistes, marchands.

Forban. — Bandit, pirate, corsaire. — Plagiaire.

Forçat. — Galérien, malfaiteur, criminel, transporté, relégué.

Force. — Puissance d'action, vigueur. —Violence, contrainte. — Habileté, talent, expérience. — Énergie, fermeté, caractère. — Intensité, efficacité, action.

Forcené. — Passionné, emporté, furieux, furibond, égaré, énergumène, effréné, outré.

Forcer. — Obliger, contraindre, faire subir. — Surmonter, vaincre, triompher.— Exagérer, outrer. — Hâter, précipiter.

Forêt. — Bois, solitude, lieu sauvage. — Multitude, grande quantité, amas.

Forfait. — Crime, attentat, méfait.

Forfaiture. — Prévarication, félonie, trahison.

Forjurer. — Délaisser, abandonner.

Forjurement. — Renonciation, abandon, délaissement.

Formaliser. (Se). — S'indigner, se fâcher, se révolter, se piquer, être mécontent.

Formaliste. — Vétilleux, cérémonieux, façonnier.

Formalité. — Manière, mode, procédé, règle, forme, loi, cérémonie.

Format.— Dimension, grandeur.

Formation.— Création, production, organisation, institution, constitution, élaboration, fondation.

Forme. — Figure, façon, manière, conformation, disposition, configuration. — État, aspect, dehors, dessin. — Structure, constitution, arrangement, proportion. — Formule, usage, tour, mode. — Moule, châssis, carcasse, garniture.

Formé. — Fait, façonné, établi. — Instruit, élevé, dressé. — Développé, avancé.

Formel. — Déterminé, exprès, précisé, explicite. — Authentique, certain, constant, incontestable, indubitable, sûr, positif, évident, rigoureux.

Former. — Créer, produire, donner l'être. — Fabriquer, façonner, figurer. — Organiser, instituer, établir. — Constituer, composer. — Méditer, projeter, concevoir, formuler. — Instruire, élever, éduquer.

Formidable. — Redoutable, terrible, épouvantable, effroyable, terrifiant, effrayant. — Imposant, considérable, énorme, monstrueux, colossal.

Formulaire. — Recueil, modèle, codex, traité.

Formule. — Modèle, rédaction, texte, forme. — Expression, terme.

Forpaiser. — Bannir, exiler, jeter hors (du pays). — Quitter son gîte, s'en aller, s'expatrier.

Fort (*adj.*). — Vigoureux, robuste. — Redoutable, grand, puissant, considérable. — Gros, résistant, solide. — Abondant, touffu, serré, dru. — Violent, actif, intense. — Rude, dur, âcre, désagréable. — Courageux, énergique, ferme. — Capable, habile, expérimenté.

Fort (*adv.*). — Extrêmement, fortement, beaucoup, ardemment. — Très, bien, tout à fait.

Fort (*subst.*). — Retraite, redoute, ouvrage, défense, fortin, forteresse, blockhaus, bastion, retranchement, redan, citadelle.

Fortement. — Avec force, vigoureusement, puissamment, énergiquement.

Fortifier. — Renforcer, enforcir, conforter, réconforter. — Corroborer, confirmer, affermir. — Entourer, protéger, défendre, retrancher.

Fortuitement. — Par hasard, sans cause, accidentellement, d'aventure, occasionnellement.

Fortune. — Hasard, chance, sort, destin. — Prospérité, succès, bonheur. — Biens, richesse, avoir.

Fortuné. — Heureux, prédestiné. — Riche, prospère, florissant.

Fosse. — Creux, trou, excavation, cavité.

Fou. — Insensé, aliéné, frénétique, enragé. — Déraisonnable, immodéré, extravagant, excessif, prodigieux. — Gai, enjoué, vif, pétulant, ardent.

Fouailler. — Fouetter, cingler, fustiger, flageller, cravacher. — Corriger, châtier.

Foudre. — Tonnerre, feu du ciel. — Colère, courroux, vengeance. — Catastrophe, destruction. — Tonneau.

Foudroyant. — Véhément, indigné. — Terrifiant, stupéfiant, épouvantable.—Brusque, immédiat, instantané.

Foudroyer. — Frapper, renverser, terrasser. — Atterrer, confondre, interdire, stupéfier.

Fouet. — Martinet, chambrière, discipline, garcette, cravache, étrivière, knout. — Châtiment, correction.

Fouetter. — Battre, agiter, mêler. — Stimuler, exciter, irriter, impatienter, émoustiller. — (*V. Fouailler.*)

Fougue. — Impétuosité, véhémence, passion, emportement, violence, ardeur, entrain, emballement.

Fougueux. — Impétueux, indompté, véhément, enflammé, emporté, violent, ardent, chaleureux, chaud, enthousiaste.

Fouille. — Ouverture, fosse, mine, puits. — Recherche, reconnaissance.

Fouille-au-pot. — Marmiton, gâte-sauce.

Fouiller. — Creuser, scruter, retourner. — Rechercher, étudier, examiner, fureter, approfondir, travailler.

Fouinard (*fam.*). — Curieux, chercheur, fureteur, renard.

Foule. — Multitude, presse, concours, affluence, cohue. — Vulgaire, commun.

Fouler. — Écraser, presser, serrer, comprimer, tasser, piler. — Piétiner, marcher sur. — Opprimer, accabler, appauvrir. —Blesser, distendre, confondre.

Four. — Fournil, chaufour. — Insuccès, échec, chute.

Fourbe. — Adroit, subtil, trompeur, perfide, méchant, indélicat, malhonnête.

Fourbu. — Harassé, fatigué, éreinté, brisé, rompu, épuisé, échiné, esquinté, exténué, rendu.

Fourcher. — Se diviser, bifurquer.

Fournir. — Procurer, approvisionner, livrer. — Pourvoir, garnir, munir, armer. — Achever, parfaire, accomplir.— Subvenir, contribuer, suffire.

Fourniture. — Approvisionnement, livraison, marchandise.

Fourrager.—Ravager, dévaster, ruiner, désoler, saccager. — Piller, marauder.

Fourreau. — Gaine, étui, enveloppe, fonte.

Fourrer. — Doubler, garnir, envelopper. — Introduire, mettre dans, enfoncer, insérer.

Fourrure. — Pelleterie.

Fourvoiement. — Erreur, méprise, bévue, balourdise, sottise, ânerie.

Fourvoyer. — Égarer, mettre hors du droit chemin, mettre en défaut, tromper, induire en erreur.

Fourvoyer (Se). — S'égarer, se perdre, s'éloigner, s'écarter, se détourner. — Se tromper, commettre une erreur.

Foyer. — Feu, cheminée, fourneau. — Maison, demeure, famille. — Siège, centre.

Fracasser. — Rompre, briser en éclats, mettre en pièces.

Fraction. — Partie, division, portion, section.

Fracture. — Rupture, cassure, blessure.

Fragile. — Cassant, facile à briser. — Débile, frêle, faible.— Passager, instable, périssable.

Fragment. — Morceau, débris, segment. — Partie, passage, extrait, division.

Frai (*ichtyol*). — Génération, reproduction, œuf.

Fraîchement. — Au frais. — Récemment, depuis peu, nouvellement. — Avec froideur.

Fraîcheur. — Lustre, brillant, éclat. — Pureté, vivacité, vigueur. — Froidure.

Frais. — Nouveau, récent, neuf. — Intact, sain, bien conservé. —Brillant, éclatant, vigoureux.

Frais. — Argent, dépense, débours, charge. — Coût, dépens (*jurispr*.).

Franc. — Affranchi, exempt, libre. — Sincère, cordial, ouvert, rond, vrai, loyal, droit, carré, net, catégorique.

Franchir. —Traverser, dépasser, sauter par-dessus, enjamber, escalader.

Franchise. — Liberté, immunité, exemption, dispense. — Sincérité, vérité, véracité, loyauté, droiture.

Franchissement. — Passage, traversée, escalade.

Frangé. — Bordé, orné. — Découpé, déchiqueté.

Frappant. — Impressionnant, saisissant, attachant, troublant, surprenant, extraordinaire.

Frapper. — Battre, maltraiter, heurter, cogner, donner un coup. — Impressionner, attirer l'attention. — Affecter, atteindre, affliger. — Punir, anéantir, faire mourir.

Fraude. — Tromperie, fourberie, supercherie, tricherie, déloyauté, mauvaise foi, improbité.

Frauder. — Tromper, tricher, escamoter, tripoter, filouter.

Frayer (*v. a.*). — Rendre praticable, tracer, préparer, faciliter. — Frotter contre, frôler.

Frayer (*v. n.*). — Avoir des relations, fréquenter.

Frayeur. — Saisissement, frissonnement, peur, effroi, terreur, épouvante.

Fredaine. — Escapade, écart, débordement, folie, incartade, frasque, bordée, équipée.

Frêle. — Peu résistant, peu solide, fluet, fragile, faible.

Frémir. — Murmurer, bruisser, vibrer. — Trembler, frissonner, palpiter, être ému, être soulevé.

Frémissement. — Bruissement, vibration, murmure. — Tremblement, frissonnement, émotion, soulèvement.

Frénésie. — Fureur, folie, emportement, aveuglement.

Fréquent. — Habituel, répété.

Fréquentation. — Commerce, liaison, intimité, amitié, relations, liens, rapports, accointance.

Fréquenter. — Hanter, se voir, visiter, frayer, être reçu, être lié, commercer, voisiner.

Fret. — Louage, nolis, affrètement. — Cargaison, charge.

Fréter.— Louer, noliser, affréter. — Charger, équiper.

Frétillant. — Remuant, trépignant, grouillant, sautillant.

Frétiller. — Remuer, s'agiter, se trémousser, piaffer, trépigner, sautiller, grouiller, gigoter.

Fretin.— Chose de peu de valeur, de rebut. — Menu poisson.

Friand. — Appétissant, délectable, délicat, délicieux, exquis. — Gourmand, sensuel, gourmet.

Friandise. — Gourmandise, sensualité, délicatesse.

Friandises. — Sucreries, pâtisseries, confiseries.

Fricassée. — Fricot, fricandeau. — Mélange, amalgame.

Fricasser. — Accommoder, préparer, faire frire.— Dissiper, faire périr, perdre (*jam.*).

Friches. — Terres non cultivées, champs abandonnés, incultes, sauvages, landes.

Frime. — Semblant, feinte, grimace.

Fringant. — Vif, alerte, sautillant. — Coquet, pimpant, élégant.

Fringale. — Appétit.

Fripon. — Voleur, escroc, filou. — Vaurien, garnement, pendard.— Espiègle, malin, éveillé. — Inconstant, volage.

Friponne. — Adroite, fine, coquette.

Frire.— Cuire, rôtir, faire sauter, fricasser.

Friser. — Crêper, anneler, boucler. — Effleurer, raser, toucher de près. — Approcher de, courir le risque de.

Frisson. — Tremblement, frémissement, saisissement, émotion, tressaillement.

Frissonner.—Trembler, frémir, tressaillir, remuer, grelotter.

Frivole. — Léger, peu sérieux, superficiel, futile, vain, puéril.

Froid. — Flegmatique, indifférent, insensible, réservé, sévère, glacial.

Froid. — Froidure, bise, frimas, glace, hiver. — Mécontentement, mésintelligence, froideur, antipathie.

Froisser. — Frotter, meurtrir, chiffonner.— Offenser, choquer, piquer.

Frontière. — Borne, limite.

Frou-frou. — Froissement, bruissement.

Fructifier. — (*V. Produire.*)

Fructueux. — Utile, salutaire, profitable. — Productif, fécond, lucratif, avantageux.

Frugalité. — Sobriété, tempérance. — Simplicité, pauvreté, économie.

Fugitif. — Fuyant, évadé, fuyard. — Banni, chassé, exilé. — Incertain, peu durable.

Fugue. — Fuite, échappée, escapade, fredaine.

Fuir.— S'éloigner, s'enfuir, déloger, décamper, s'esquiver, filer, déguerpir. — Eluder, éviter, différer. — Passer, s'écouler, s'évanouir. — Se soustraire à, se garantir contre, s'éloigner de.

Fulminer. — Éclater, détoner, faire explosion. — S'emporter, menacer, tonner.

Fumée. — Vapeur, exhalaison, nuage.

Funèbre. — Triste, sombre, lugubre, qui évoque la mort.

Funérailles. — Enterrement, convoi, obsèques.

Funeste. — Pernicieux, désastreux, mortel, néfaste, nuisible. — Triste, douloureux.

Fureter. — Fouiller, rechercher, scruter, explorer, perquisitionner. — Chercher à savoir, s'enquérir.

Fureur. — Agitation, violence, colère, frénésie, surexcitation, transport, rage. — Passion, manie, folie, emportement.

Furibond. — Emporté, agité, furieux, énergumène, forcené.

Furie. — Emportement, déchaînement, impétuosité.

Furieusement.— Extrêmement, excessivement.

Furieux.—Fou, possédé, violent, frénétique.—Excessif, extrême, prodigieux.

Fuser. — Couler, se répandre.

Fusil. — Arquebuse, mousquet, tromblon, espingole, escopette, carabine, mousqueton, canardière.

Fusion. — Fonte, liquéfaction.— Mélange, réunion, conciliation.

Fusionner. — (*V. Assembler.*)

Fustigation. — Châtiment, peine, pénitence.

Fustiger. — Donner la bastonnade,fouetter à coups redoublés, corriger.

Futaille. — Tonneau, barrique, fût, boucaut, pièce, baril, foudre.

Futé. — Rusé, malicieux, habile, adroit, madré, matois, finaud, roué, malin.

Futile. — Vide, vain, incapable, inepte, frivole, superficiel, puéril, creux, vide, insignifiant.

Futilité. — (*V. Bagatelle.*)

Futur. — Avenir, ce qui sera, lendemain, perspective, destin.

Fuyard. — Qui ne fait que fuir, qui a coutume de fuir, qui se dérobe, déserteur, échappé.

G

Gabarit. — Modèle, calibre, dimensions, formes, patron.

Gabelle.— Impôt (de consommation), contribution (indirecte), fisc, octroi, douane.

Gabelou. — Douanier, employé d'octroi, gabeleur.

Gaber. — Moquer, railler, plaisanter, ridiculiser.

Gabier. — Matelot, mathurin.

Gâcheux. — Détrempé, humide, bourbeux, boueux, vaseux, fangeux, limoneux, marécageux.

Gâchis. — Brouillamini, confusion, emmêlement, désordre, trouble, désarroi, chaos, anarchie.

Gadoue. — Boue, immondices, ordures, débris, engrais, fumier.

Gage. — Nantissement, garantie, caution, couverture, aval, arrhes, dépôt.

Gager. — Promettre, s'engager à. — Parier, convenir, affirmer, garantir. — Payer, salarier.

Gages. — Salaire, rétribution, paye, appointements, traitement, émoluments.

Gagne-pain. — Travail, métier, outil.

Gagner. — Obtenir, acquérir, remporter, mériter.— Se rendre favorable, conquérir, se rendre maître, s'emparer. — Se diriger vers, atteindre, rejoindre. — Dépasser, se propager, s'étendre, faire des progrès. — Devenir meilleur, tirer un profit.

Gai. — Enjoué, joyeux, réjouissant, content, animé, allègre, rieur, riant, réjoui.

Gaieté. — Joie, enjouement, animation, satisfaction, liesse, allégresse, hilarité, jovialité, rayonnement.

Gaillard. — Vaillant, hardi, décidé, vigoureux, luron, sain, dispos. — Jovial, guilleret, libre, licencieux, égrillard, grivois, folichon, facétieux.

Gain — Profit, bénéfice, avantage, succès, réussite.

Gala. — Fête, réjouissance. — Banquet, festin.

Galant. — Empressé, entreprenant, hardi, tendre, voluptueux, sensuel, libertin. — Gracieux, élégant, distingué, de bon goût. — Amoureux, amant.

Galanterie. — Agrément, politesse, empressement, amabilité. — Coquetterie, libertinage, débauche.

Galbe. — Contour, ligne, profil, forme, tournure.

Galerie. — Corridor, allée, colonnade. — Balcon, tribune. — Collection, musée, exposition. — Public, monde, assistants.

Galérien. — Forçat.

Galet. — Caillou, pierre, palet.

Galimatias. — Discours embrouillé, langage inintelligible, imbroglio, pathos, phébus, fouillis, fatras.

Gambade. — Saut, bond, danse, cabriole, voltige.

Gambader. — S'agiter, danser, bondir, sauter, cabrioler, voltiger.

Ganelon. — Traître, judas, félon, perfide.

Gangrener. — Corrompre, souiller, empoisonner.

Garant. — Caution, répondant, témoin, autorité, appui, gage.

Garantie. — Engagement, caution, assurance, responsabilité, sûreté, protection.

Garantir. — Affirmer, attester, certifier, assurer, répondre. — Abriter, protéger, préserver, sauver, mettre à l'abri, défendre.

Garde. — Gardien, surveillant, employé, agent, préposé, sentinelle, conservateur, dépositaire, veilleur, cerbère.

Garder. — Prendre garde, surveiller, prendre soin, conserver. — Préserver, garantir. — Observer, être fidèle à, accomplir. — Réserver, épargner, destiner.

Gardien. — Geôlier, guichetier, surveillant, sentinelle, veilleur, concierge, garde.

Gare. — Attention ! casse-cou ! place !

Gargote. — Cabaret, taverne, restaurant, auberge, bouchon, hôtellerie.

Garnir. — Pourvoir, munir, fournir. — Entourer, orner, tapisser, meubler, installer. — Remplir, occuper. — Renforcer, doubler, étoffer, capitonner, ouater.

Garniture. — Ornement, doublure, fourniture, accessoire. — Assortiment, installation, équipement, monture, agrès, armature, harnachement.

Gars. — Garçon, jeune homme. — Gaillard, vigoureux, fort.

Gascon (*fig.*). — Fanfaron, hâbleur, menteur, vantard, craqueur, méridional, matamore.

Gaspiller. — Mettre en désordre, mal administrer, mésuser, dissiper, dilapider, prodiguer.

Gastronome. — Amateur de bonne chère, fin, gourmand, Lucullus, sybarite.

Gâté. — Détérioré, perdu, altéré, pourri. — Blessé, meurtri.

Gâter. — Détériorer, endommager, putréfier, pourrir, altérer, vicier, dénaturer. — — Corrompre, dépraver.

Gauche. — Dévié, oblique, mal fait, mal tourné. — Maladroit, gêné, contraint, disgracieux, manchot, lourdaud, balourd, pataud.

Gaucherie. — Maladresse, impéritie, malhabileté, inhabileté, balourdise.

Gaule. — Perche, bâton, baguette, houssine, canne, ligne.

Gauler. — (*V. A battre.*)

Gaulois. — Franc, droit, probe. — Inculte, ignorant, grossier. — Licencieux, grivois.

Gaver. — Gorger, bourrer, empiffrer, saturer, remplir.

Gavotte. — Danse grave, contre-danse.

Gaze. — Tissu léger, étoffe transparente, mousseline. — Voile, adoucissement.

Gazer. — Voiler, adoucir, déguiser.

Gazetier. — Nouvelliste, journaliste, publiciste.

Gazouillement. — Murmure, chant, gazouillis.

Géant. — Colossal, gigantesque, énorme, très grand, immense, cyclopéen, monumental, démesuré.

Gelée. — Froid, glace.

Gêne. — Contrainte, douleur, malaise. — Incommodité, embarras, obstacle. — Pauvreté, misère, pénurie, détresse.

Généalogie. — Origine, filiation, dérivation, classification.

Gêner. — Torturer, tourmenter, faire souffrir. — Incommoder, paralyser, entraver, embarrasser, contrarier. — Mettre obstacle, empêcher, contraindre. — Restreindre, causer de la pénurie.

Général (*adj.*). — Commun, universel, collectif.

Général (*subst.*). — Chef, stratège, capitaine, commandant.

Génération. — Production, création, formation, conception.

— Filiation, descendance, postérité, progéniture, rejeton.

Généreux. — Noble, magnanime, courageux. — Large, libéral, donnant. — Plein de force, réconfortant, fertile, productif.

Générosité — Grandeur d'âme, magnanimité, noblesse, courage. — Libéralité, bonté, bienfaisance.

Génial. — Gai, animé, qui a un caractère de fête.— Générateur, fécond, abondant, bienfaisant. — Original, inspiré.

Génie. — Esprit, imagination créatrice, talent inné, intelligence puissante. — Création, invention, savoir, conception. — Caractère, propre, aptitude.

Genre. — Espèce, classe, ordre, famille. — Sorte, nature, manière, façon. — Style, composition, caractère, manière (*littér*.).

Gens. — Personnes, hommes. — Collectivité, catégorie, ensemble. — Domesticité, domestiques, serviteurs.

Gentil. — Joli, mignon, gracieux, agréable, plaisant.

Gentillesse. — Grâce, charme, agrément. — Légèreté, agilité, souplesse.

Gentils. — Infidèles, idolâtres, païens, polythéistes.

Geôle. — Cachot, prison.

Geôlier. — Gardien, garde-chiourme, porte-clefs.

Géométrique. — Exact, méthodique, rigoureux, précis, mathématique.

Gercé.—Crevassé, fendu, fendillé.

Gérer. — Administrer, régir, diriger, mener, gouverner.

Germain. — Voisin, analogue, semblable. — Frère, cousin. — Allemand, Teuton.

Germe. — Rudiment, élément, embryon, fœtus, graine. — Principe, origine, cause, motif, fondement, départ, commencement, source, racine.

Germer. — Se former, se développer, s'implanter.

Géronte. — Vieillard, esprit sénile, homme faible.

Geste.—Mouvement, action, contenance, attitude, posture, allure, tenue. — Démonstration.

Gestes. — Actions, conduite, exploits.

Gestion. — Administration, direction, conduite, régie, gérance, intendance.

Gibecière. — Sac, giberne, bourse, besace, bissac.

Gibet. — Potence, pilori, fourches patibulaires.

Gigantesque. — Colossal, géant, excessif, démesuré, énorme, formidable, monstrueux, fantastique.

Giguer. — Danser, sauter.

Ginguet. — Sans force, sans valeur, médiocre, mesquin.

Giron. — Sein, genoux.

Gîte. — Habitation, demeure, logis. — Étape, couchée.

Gîter. — Demeurer, coucher, loger, habiter.

Glace. — Froideur, insensibilité, indifférence. — Miroir, psyché, vitre, châssis vitré. — Gelée, gel, banquise.

Glacer. — Geler, congeler. — Refroidir, paralyser, pétrifier. —Diminuer les forces, faire perdre la chaleur, éteindre l'ardeur, insensibiliser. — Apprêter, lustrer, vernir, cirer.

Glacial. — Froid, glacé. — Hautain, mal accueillant, antipathique.

Glaive. — Épée, lance. — Guerre, combats. — Puissance, pouvoir, juridiction.

Glaner. — Recueillir, ramasser, récolter, grappiller.

Glapir. — Aboyer, crier.

Glèbe. — Terre, sol, champ.

Glissade. — Chute, faux pas, manquement, faiblesse.

Glisser. — Rouler, tomber, manquer le pied. — Passer, ne pas approfondir, ne pas insister. — Couler, insinuer, faire pénétrer adroitement.

Globe. — Sphère, boule, corps rond. — Astre, planète, terre, étoile.

Gloire. — Célébrité, illustration, renommée, renom, réputation, popularité, notoriété, immortalité. — Éclat, splendeur, beauté, grandeur. — Honneur, hommage, louange.

Glorieux. — Illustre, renommé, fameux, insigne, réputé, éminent. — Avantageux, orgueilleux, présomptueux, important, suffisant, vain.

Glorifier. — Louer, honorer, bénir, célébrer, prôner, exalter, vanter.

Glorifier (Se). — Se prévaloir, se targuer, se flatter, tirer avantage.

Glose. — Commentaire, interprétation, note. — Réflexion, critique, observation, remarque.

Glossaire. — Vocabulaire, dictionnaire, lexique.

Glouton. — Avide, insatiable, vorace, goulu, goinfre, mangeur, bâfreur.

Gluant. — Visqueux, collant. — Importun, encombrant.

Gluau. — Piège, attrape, pipeau.

Gnome. — Sylphe, ondin, salamandre, génie.

Go (Tout de). — Tout droit, d'un trait, librement, sans obstacle. — Sans façon, sans cérémonie.

Gobelet. — Verre, vase, récipient, timbale.

Gober. — Avaler d'un trait, croire à la légère, se laisser tromper.

Gogo (A) (*fam.*). — Abondamment, à l'aise, énormément, démesurément.

Goinfre. — (*V. Glouton.*)

Golfe. — Baie, havre, crique, anse, estuaire.

Gond. — Ferrure, charnière. — Fondement, base, pivot.

Gonfalon. — Écharpe, banderole, bannière.

Gonflé. — Enflé, bouffi, boursouflé, rempli de.

Gonfler. — Enfler, distendre, emplir, augmenter.

Gorge. — Détroit, défilé, col. — (*V. Gosier.*)

Gorger. — Emplir, gaver, bourrer, combler.

Gosier. — Pharynx, gorge. — Larynx, voix.

Gouailler. — Railler, plaisanter, se moquer, persifler, narguer, nasarder, ricaner, brocarder, dauber.

Gouffre. — Cavité, profondeur, trou, précipice, abîme, vide.

Gouge. — Fille, servante. — Ciseau.

Goulet. — Col, entrée, ouverture.

Goulu. — (V. Gourmand.)

Gourbi. — Cabane, hutte, abri, tente, cahute.

Gourd. — Perclus, engourdi, gonflé, mou, mastoc.

Gourde. — Bouteille, calebasse.

Gourdin. — Bâton, canne, matraque, trique.

Gourer. — Falsifier, frelater, maquiller. — Duper, tromper, attraper (fam.).

Gourmand. — Gros mangeur, intempérant, friand, gourmet, glouton, insatiable, goinfre, goulu.

Gourmander. — Réprimander, gronder, quereller, tarabuster, tancer, rudoyer, maltraiter, blâmer, admonester, sermonner.

Gourmé. — Raide, prétentieux, présomptueux. — Maltraité, battu.

Gourmer. — Maintenir, tenir roide. — Faire souffrir, maltraiter, battre.

Gourmet. — Gastronome, connaisseur, dégustateur, friand.

Goût. — Saveur, odeur, relent, bouquet, délicatesse, finesse. — Aptitude, talent, penchant, inclination, disposition. — Savoir, discernement, esprit critique. — Élégance, grâce, agrément.

Gouttière. — Canal, caniveau, sillon, rainure.

Gouvernail. — Timon, barre, roue. — Direction, tête, conduite.

Gouvernement. — Direction, conduite, maniement, administration, gestion. — État, pouvoir, autorité.

Gouverner. — Régir, administrer, gérer, conduire. — Éduquer, prendre soin, élever. — Avoir empire, avoir de l'influence.

Grâce. — Agrément, charme, attrait. — Pardon, abolition, rémission, remise. — Bienfait, service, bon office, faveur.

Gracieux. — Gentil, mignon, joli. — Riant, plaisant, attrayant, charmant. — Affable, avenant, agréable.

Gracile. — (V. Grêle.)

Gradation. — Progression, succession, majoration, accroissement, augmentation.

Grade. — Degré, rang, dignité.

Grain. — Graine, semence, fruit, pépin. — Brin, petite quantité.

Graisser. — Oindre, enduire. — Salir, souiller, tacher.

Grand. — Étendu, haut, élevé, long, spacieux, vaste, ample. — Considérable, important.

Grandement. — En grand, avec grandeur. — Généreusement, noblement. — Beaucoup, tout à fait. — Largement, abondamment, énormément, considérablement.

Grandeur. — Étendue, dimension, taille, stature, longueur. — Importance, intensité, amplitude, gravité. — Puissance, pouvoir, dignité, honneurs. — Élévation, générosité, noblesse, magnanimité.

Grandiose. — Imposant, monumental, noble, élevé.

Grandir. — Croître, pousser, s'accroître, se développer, s'élever, allonger, augmenter. — Hausser, exhausser, élever, grandir. — Exagérer, amplifier.

Grand'mère. — Aïeule, mère-grand.

Graphique. — Dessin, tracé, carte.

Grappiller. — Cueillir, ramasser, récolter, glaner.

Gras. — Plein, replet, potelé, rebondi, rondelet, dodu, pansu, ventru, charnu, adipeux. — Sali, graisseux, taché. — Épais, pâteux.

Gratification. — Don, présent, cadeau, prime, donation, libéralité, pourboire, étrennes, générosité, largesse.

Gratifier. — Donner, accorder, distribuer, allouer, attribuer.

Gratis. — Gratuitement, pour rien, de pure grâce.

Gratitude. — Reconnaissance, affection, bon souvenir.

Gratter. — Racler, entamer, frotter. — Remuer, fouiller. — Flatter, caresser, encenser (*fam.*).

Grave. — Sérieux, circonspect, réservé, imposant. — Important, conséquent, influent, considérable. — Fâcheux, dangereux, redoutable, grief. — Pesant.

Graveleux. — Libre, licencieux, leste, léger, grivois, gaulois, gaillard, risqué, égrillard, scabreux, cru, malséant, croustilleux, pimenté, salé.

Gravement. — Sérieusement, avec gravité. — Dangereusement, fâcheusement. — Posément, lentement.

Gravité. — Décence, dignité, réserve. — Importance, conséquence, caractère redoutable. — Pesanteur, force centripète.

Gravois. — Débris, plâtras, gravats, démolitions, décombres.

Gré (De bon). — Volontairement, volontiers, de bon cœur, de bonne volonté, de bonne grâce.

Grec (*fig.*). — Tricheur, filou.

Grêle. — Menu, mince, long, exigu, fin, gracile. — Fluet, chétif, faible, peu développé.

Grelotter. — Trembler, trembloter, frissonner.

Grésiller. — Plisser, racornir. — Grêler, bruiner.

Grève. — Sable, plage, rivage. — Coalition, cessation, interruption, arrêt de travail.

Grever. — Charger, imposer, faire peser. — Causer du dommage, faire tort.

Grief. — Dommage, atteinte, tort, injure, lésion. — Charge, plainte, accusation, imputation.

Griffe. — Ongle, ergot, éperon serre. — Signature, empreinte

Griffer. — Saisir, gripper, s'accrocher. — Égratigner, marquer.

Grigner. — Montrer les dents. — Goder, froncer, rider, gripper.

Grigou. — (V. *Avare*.)

Grillage. — Grille, treillis, barreaux, barrières, barres, clôture, entourage, treillage, palissade.

Griller. — Rôtir, brûler, chauffer, dessécher. — Etre impatient, ne plus tenir, désirer vivement, brûler.

Grimace. — Contorsion, simagrée, singerie, mimique. — Feinte, dissimulation, affectation, comédie.

Grimacier. — Affecté, recherché, dissimulé, hypocrite, maniéré. — Bouffon, singe.

Grimper. — Monter, escalader, gravir, s'élever, s'accrocher, enjamber, ascensionner.

Grincer. — Serrer les dents, émettre un bruit désagréable, crisser.

Gringotter. — Fredonner, chantonner, gazouiller.

Gripper. — Saisir, attraper, happer, arrêter, ramasser, capter, cueillir, agripper, rafler, confisquer, dérober, prendre, filouter, voler. — Froncer, rider, goder.

Griser. — Étourdir, saouler, enivrer. — Monter à la tête, exalter.

Grognement. — Murmure, grondement, reproche, gronderie.

Grogner. — Gronder, semoncer, admonester, ronchonner.

Grogneur. — Grognard, grognon, grondeur, mécontent, ronchonneur.

Gronder. — Murmurer, se plaindre sourdement, menacer. — Quereller, gourmander, réprimander, tancer.

Gros. — Grand, volumineux, spacieux, ample. — Épais, grossier, gras, adipeux. — Grave, considérable, important.

Grosse (*jurispr*.). — Expédition, copie.

Grosseur. — Circonférence, volume, dimension, épaisseur. — Tumeur, glande, enflure, ballonnement.

Grossier. — Imparfait, peu recherché, épais, gros, rustre, rude, inculte. — Ignorant, sot, maladroit, malappris, impertinent, impoli, incivil, malhonnête, insolent, incorrect. — Obscène, insultant, bas, ignoble, inconvenant, ordurier.

Grossir. — Augmenter, agrandir, accroître, étendre, enfler. — Exagérer. — Engraisser.

Grotesque. — Ridicule, bizarre, extravagant, outré, caricatural, burlesque, trivial.

Grotte. — Antre, caverne, tanière, refuge, repaire.

Grouiller. — Fourmiller. — Se remuer, agir (*fam*.).

Groupe. — Réunion, ensemble, assemblage, tas, sorte.

Grouper. — Réunir, assembler, disposer, classer, rapprocher, assortir.

Gruger. — Croquer, manger, dévorer. — Dépouiller, voler.

Guenille. — Loque, lambeau, chiffon, haillon, oripeau, défroque.

Guère. — Peu, pas beaucoup, presque pas, médiocrement.

Guérison. — Cure, rétablissement, soulagement, salut.

Guerre. — Conflit, lutte, combat, hostilité, démêlé. — Campagne, expédition, opérations.

Guerrier (*adj*.). — Militaire, belliqueux, martial.

Guet-apens. — Embûche, surprise, piège.

Guetter. — Observer, surprendre, épier, surveiller, attendre, espionner.

Gueux. — Pauvre, besogneux, indigent, nécessiteux.

Guider. — Conduire, mener, diriger, faire voir, piloter, promener.

Guidon. — Enseigne, bannière, étendard, drapeau, banderole.

Guilleret. — (*V. Gai.*)

Guindé. — Emphatique, ampoulé, boursouflé, contraint, affecté, torturé.

Guinguette. — Cabaret, taverne, gargote, bouchon, buvette.

Gymnase. — Académie, école, lycée, collège.

Gymnastique. — Exercice, manœuvre, mouvement, travail, sport.

H

Habile. — Dispos, agile, vif, leste, preste, expéditif. — Capable, adroit, exercé, industrieux, ingénieux, intelligent, entendu. — Inventif, rusé, madré, matois, roué, retors, finaud. — Savant, docte, érudit, compétent, expert, ferré.

Habilement. — Diligemment, promptement, lestement, vivement, prestement. — Adroitement, savamment, intelligemment, finement, subtilement.

Habileté. — Art, industrie, savoir-faire, adresse, dextérité, entregent, aptitude, expérience.

Habillement. — Vêtement, habit, accoutrement, tenue, mise, ajustement, costume, défroque.

Habiller. — Accoutrer, vêtir, affubler, costumer. — Couvrir, envelopper, draper.

Habitant. — Bourgeois, citadin, citoyen.

Habitation. — Maison, propriété, logis, demeure, domicile, résidence.

Habiter. — Résider, demeurer, séjourner, loger.

Habitude. — Manière d'être, attitude familière, tic, coutume, usage, routine, manie, marotte, us, mode, tradition.

Habituel. — Ordinaire, courant, usuel, familier, usité, coutumier, machinal, traditionnel.

Hâbler. — Exagérer, se vanter, faire des contes.

Hâbleur. — Menteur, craqueur, babillard, beau parleur, rodomont, gascon, vantard.

Hache. — Doloire, erminette, merlin, hachette, cognée.

Hacher. — Couper, découper, trancher. — Détruire, ravager.

Haie. — Clôture, entourage, obstacle, buisson.

Haillons. — Hardes, guenilles, loques.

Haine. — Antipathie, éloignement, aversion, exécration, animosité, rancune, ressentiment, hostilité.

Haïr. — Détester, abhorrer, exécrer, avoir en aversion, répugner à.

Haïssable. — Odieux, méprisable, exécrable, détestable, antipathique.

Haleine. — Souffle, respiration. — Force, capacité.

Haletant. — Essoufflé, hors d'haleine, époumonné. — Avide, cupide.

Haleter. — Etre essoufflé, être hors d'haleine. — Etre désireux de, aspirer à.

Halle. — Marché, foire.

Hallucination. — (V. Folie.)

Halte. — Arrêt, repos, station, escale, étape. — Pause, interruption, répit.

Hameau. — Village, bourg, bourgade.

Hanap. — Vase, coupe, cratère.

Hanche. — Flanc, reins.

Hangar. — Abri, appentis, remise, dépendance.

Hanter. — Fréquenter, visiter, voir fréquemment.

Happer. — Attraper, saisir, prendre avidement, gripper.

Harangue. — Discours, oraison, allocution.

Harassé. — Las, fatigué, épuisé, excédé, rendu.

Harceler. — Provoquer, exciter, agacer, inquiéter, tourmenter, poursuivre, talonner, aiguillonner.

Hardes. — Effets, vêtements, habits, nippes, oripeaux, haillons, défroque.

Hardi. — Déterminé, entreprenant, osé, résolu, intrépide, brave, audacieux, courageux. — Insolent, effronté.

Hardiesse. — Courage, bravoure, intrépidité, vaillance. — Audace, témérité. — Effronterie, insolence.

Hardiment. — Courageusement, bravement, audacieusement. — Énergiquement, avec assurance, vigoureusement. — Effrontément, avec impudence.

Harem. — Sérail, gynécée, appartement des femmes.

Hargneux. — Querelleur, acariâtre, grognon, chagrin, mécontent, contrariant, bourru, revêche.

Harmonie. — Accord, concorde, entente, union, sympathie, symétrie, concert, accord, rythme, ordre.

Harnachement. — Équipement, — Costume, accoutrement.

Harnais. — Vêtement, équipage, armure. — Engin, ustensile.

Harpagon. — Avare, rapace, avide, ladre.

Harpie (*fam.*). — Méchante, acariâtre, furie.

Harpon. — Dard, grappin, croc, crochet, crampon.

Harponner. — Darder, percer. — Accrocher, saisir, arrêter, cramponner.

Hart. — Lien, corde.

Hasard. — Fortune, sort, destin, chance, aventure, destinée. — Danger, péril, risque, fatalité, aléa.

Hasardé (*fig.*). — Impropre, risqué.

Hasarder. — Exposer, risquer, aventurer.

Hasardeux. — Risqué, aléatoire, fortuit, occasionnel, accidentel, dangereux.

Haste. — Lance, javelot.

Hâter. — Accélérer, presser, dépêcher, expédier, brusquer, activer, talonner, précipiter.

Hâtif. — Précoce, prématuré, rapide, immédiat.

Hausse. — Augmentation, accroissement, progression.

Hausser. — Élever, relever, rehausser, exhausser, augmenter, accroître, majorer, enchérir.

Haut. — Élevé, élancé, dominant, supérieur. — Grand, noble, puissant. — Retentissant, éclatant, excessif. — Dominateur, méprisant.

Hautain. — Dédaigneux, fier, altier, impérieux, arrogant, despotique.

Hauteur. — Grandeur, élévation, profondeur. — Colline, éminence, monticule. — Fierté,

magnanimité. — Arrogance, mépris, dédain.

Hâve. — Livide, blême, amaigri, décharné.

Havre. — Port, rade, bassin.

Héberger. — Loger, recevoir, donner abri, goberger, régaler, traiter.

Hébéter. — Abrutir, stupéfier, rendre obtus, abêtir.

Hécatombe. — Immolation, massacre, effusion de sang, tuerie, carnage.

Herbe. — Gazon, pelouse, prairie. — Simples.

Hercule. — Fort, robuste, vigoureux. — Lutteur.

Hérédité. — Succession, héritage. — Transmission.

Hérétique. — Schismatique, sectateur, révolté (contre le dogme).

Hérissé. — Raide, droit, dressé. — Rude, déplaisant, difficile, hargneux.

Hérisser. — Relever, dresser, couvrir, garnir, munir.

Héritage. — Succession, hérédité, patrimoine, hoirie. — Atavisme.

Hériter. — Recevoir, recueillir une succession.

Héritier. — Successeur, bénéficiaire. — Fils, enfant.

Hermétique. — Fermé, clos, scellé.

Héroïque. — Noble, élevé, épique. — Valeureux, courageux, crâne, intrépide.

Héros. — Guerrier, conquérant. — Homme célèbre, homme illustre.

Hésitation. — Indécision, incertitude, irrésolution, perplexité, doute, indétermination, tâtonnement, tergiversation, fluctuation, embarras, scrupule.

Hésiter. — Balancer, être irrésolu, être incertain, être retenu, s'arrêter, tâtonner, tergiverser, flotter, lanterner, barguigner, douter, louvoyer, être perplexe.

Hétéroclite. — Singulier, irrégulier, mélangé, divers, varié, complexe. — Bizarre, ridicule.

Hétérodoxe. — Faux, erroné (au point de vue du dogme).

Hétérogène. — Différent, dissemblable, varié.

Heure. — Moments, temps, époque.

Heureusement. — Avec bonheur, avec à propos, avec succès, avantageusement. — Habilement.

Heureux. — Favorisé, fortuné. — Favorable, approprié, plaisant. — Content, béat, satisfait, joyeux.

Heurt. — Coup, choc, rencontre, commotion, collision.

Heurter. — Donner contre, pousser, frapper, buter. — Blesser, offenser, choquer, contrarier, froisser.

Hiberner. — Rester engourdi pendant l'hiver, être en léthargie pendant la mauvaise saison. (*V. Hiverner.*)

Hic (*fam.*). — Difficulté, nœud, point sensible.

Hideux. — Laid, difforme, repoussant, affreux, horrible.

Hier. — Récemment, dernièrement, antérieurement, naguère.

Hiérarchie. — Ordre, degré, rang, subordination, grade, fonction.

Hiéroglyphes. — Caractères symboliques, signes emblématiques.

Hilare. — Gai, riant, joyeux.

Hippodrome. — Cirque, champ de courses.

Histoire. — Analyse, étude, description, narration, récit, anecdote.

Historien. — Historiographe, annaliste, chroniqueur.

Historique. — Vrai, véritable, certain, authentique. — Digne de mémoire, remarquable.

Histrion. — Bouffon, baladin, saltimbanque, turlupin, cabotin.

Hiver. — Froid, frimas. — Arrière-saison, vieillesse, déclin.

Hiverner. — Passer l'hiver, prendre ses quartiers d'hiver.

Hocher. — Secouer, ébranler, remuer, agiter.

Hochet. — Jouet, amusement, futilité.

Hoirie. — Héritage, succession.

Holà ! — C'est assez, arrêtez, il suffit. — Attention ! doucement !

Holocauste. — Sacrifice, renoncement.

Homérique. — Héroïque, épique.

Homérique. — Rire irrésistible, de bon cœur, bruyant.

Homicide. — Meurtre, assassinat.

Hommage. — Promesse de fidélité, soumission. — Vénération, respect. — Offrande, don.

Hommages. — Civilités, attentions. — Respects, devoirs, compliments.

Homme. — Individu, mortel.

Homogène. — Semblable, pareil, de même nature, de même genre.

Homologation. — Sanction, approbation, confirmation, entérinement.

Homologue. — Équivalent, analogue, comparable, concordant, conforme, similaire, semblable, pareil.

Homologuer. — Enregistrer, approuver, confirmer, entériner.

Honnête. — Bienséant, convenable, décent. — Correct, civil, poli. — Honorable, probe, intègre, vertueux. — Moyen, médiocre, suffisant.

Honnêteté. — Vertu, droiture, délicatesse, intégrité, moralité.

Honneur. — Estime, respect, considération, réputation. — Probité, générosité, grandeur d'âme. — Sagesse, vertu, chasteté, pureté.

Honnir. — Faire honte, réprouver, mépriser, flétrir, conspuer, discréditer, vilipender.

Honorable. — Estimable, méritant, respectable.

Honoraires. — Rétribution, rémunération, émoluments.

Honorer. — Avoir en estime, rendre respect, rendre hommage, révérer, vénérer, saluer, s'incliner.

Honte. — Déshonneur, opprobre, humiliation. — Confusion, repentir, humilité. — Crainte, réserve, timidité.

Honteux. — Ignominieux, déshonorant, immoral, méprisable. — Craintif, réservé, timide. — Confus, penaud, déconfit.

Hôpital. — Hospice, asile, infirmerie, ambulance, dispensaire, clinique.

Horion. — Coup, bourrade, tape, volée, raclée.

Horizon. — Perspective, ciel, étendue, espace.

Horloge. — Pendule, coucou, cartel.

Hormis. — A l'exception de, à la réserve de, à l'exclusion de, en dehors de, hors, excepté.

Horoscope. — Prédiction, divination, conjecture, pronostic, prévision, oracle, augure, prophétie, vaticination.

Horreur. — Effroi, répulsion, répugnance. — Haine, aversion, exécration. — Atrocité, cruauté, infamie.

Horrible. — Effroyable, révoltant, répugnant. — Très mauvais, exécrable. — Très laid, affreux, hideux, monstrueux.

Horripiler. — Impatienter, irriter, exciter.

Hospitalité. — Abri, refuge, asile, protection.

Hostilité. — Haine, inimitié, opposition.

Hôte. — Celui qu'on reçoit, celui qu'on traite, convive. — Logeur, hôtelier, tenancier, propriétaire. — Pensionnaire, locataire.

Hôtel. — Maison garnie, maison meublée, maison de famille.

— Grand édifice, demeure somptueuse.

Hôtellerie. — Auberge, pied-à-terre.

Houille. — Charbon.

Houle. — Onde, flot, vague, lame, ressac, embruns.

Houppelande. — Douillette, pelisse, manteau, caban, capote, capuchon, cape, pardessus.

Hourra. — Acclamation, cri d'enthousiasme.

Hourvari (*fam.*). — Bruit, tumulte, tapage.

Houspiller. — Empoigner, secouer, tirailler. — Malmener, tourmenter, maltraiter, siffler.

Houssine. — Baguette, badine, verge, cravache, stick.

Huche. — Armoire, coffre à pain, pétrin.

Huer. — Crier avec force. pousser de grands cris. — Tourner en dérision, berner, bafouer, siffler.

Huguenot. — Calviniste, protestant, réformé.

Huiler. — Oindre, frotter d'huile, imprégner, graisser.

Huis. — Porte, entrée, issue, sortie.

Hulotte. — Huette, chouette noire, corbeau de nuit.

Humain. — Doux, bon, bienveillant, accessible à la pitié, bienfaisant, charitable, pitoyable, philanthrope, humanitaire.

Humanité. — Bienveillance, sensibilité, philanthropie, charité, solidarité, générosité, bienfaisance.

Humble. — Sans éclat, de peu d'apparence, peu relevé. —

Réservé, timide, modeste. — Rampant, plat, obséquieux.

Humecter. — Mouiller, tremper, imbiber, arroser, rendre humide, imprégner.

Humer. — Absorber, avaler. — Aspirer, flairer, respirer.

Humeur. — Manière d'être, disposition d'esprit. — Impatience, aigreur, mécontentement, irritation, misanthropie. — Bizarrerie, fantaisie, caprice.

Humide. — Mouillé, trempé, aqueux, moite.

Humilier. — Mettre à terre, rabaisser, confondre, mortifier, abaisser, avilir, ravaler.

Humoriste. — Railleur, fantaisiste, comique, amusant.

Humour. — Gaieté, fantaisie, verve, esprit, ironie.

Hurluberlu. — Inconsidéré, brusque, étourdi, écervelé, brouillon, évaporé, irréfléchi.

Hutte. — Cabane, cahute.

Hydrophobe. — Qui a horreur de l'eau, enragé.

Hymen. — Mariage, union, hyménée.

Hymne (*masc.*). — Poème, chant, louange.

Hymne (*fém.*). — Cantique, psaume, prière.

Hyperbole. — Exagération, amplification, outrance.

Hypocondre. — Sombre, triste, mélancolique, morose, bizarre, neurasthénique.

Hypocrisie. — Fausseté, déloyauté, dissimulation, fourberie.

Hypocrite. — Imposteur, comédien, fourbe, cafard,

10

tartufe, faux, dissimulé, perfide, sournois.

Hypogée. — Excavation, souterrain, carrière. — Tombeau, caveau, sépulture.

Hypothéqué. — Grevé, endetté. — Délabré (*fam.*).

Hypothèse. — Supposition, probabilité, conjecture, conception, système.

Hypothétique. — Douteux, incertain.

I

Icelui. — Celui-ci, celui-là, celui-là même.

Ici. — En ce lieu, céans, en cet endroit, en ce temps-ci.

Iconoclaste. — Destructeur, vandale, barbare, sauvage.

Idéal (*adj.*). — Sublime, parfait, pur, élevé, absolu, souverain, suprême.

Idéal (*subst.*). — Modèle, type, perfection.

Idée. — Image, représentation, notion, connaissance. — Pensée, conception, opinion. — Vision, apparence, mirage, chimère. — Esquisse, ébauche.

Identique. — Même, semblable, pareil, analogue, similaire, ressemblant. — Textuel, littéral, conforme.

Idiome. — Langage, dialecte, patois, jargon.

Idiot. — Pauvre d'esprit, borné, stupide, hébété, imbécile, inepte. (*V. Folie.*)

Idolâtre. — Gentil, fétichiste, païen, iconolâtre, infidèle.

Idolâtrie. — Fétichisme, amour excessif, adulation, adoration.

Idole. — Image, figure, statue, fétiche, tabou.

Idylle. — Églogue, pastorale, bergerie.

Ignoble. — Bas, grossier, sans noblesse, sans distinction, sans grandeur.

Ignominie. — Abaissement, honte, déshonneur, opprobre.

Ignominieux. — Abject, odieux, vil, infâme, ignoble, indigne, méprisable.

Ignorance. — Ingénuité, candeur, naïveté. — Nullité, incapacité, inexpérience, impéritie, insuffisance.

Ignorant. — Ignare, qui ne sait pas, peu instruit.

Illégitime. — Injuste, déraisonnable, insoutenable, irrecevable, inadmissible.

Illettré. — Inculte, ignorant.

Illicite. — Défendu, interdit, illégal, immoral, déshonnête.

Illisible. — Inlisible, indéchiffrable, indistinct, mal formé. — Insupportable à la lecture, ennuyeux.

Illogique. — Absurde, déraisonnable.

Illumination (*fig.*). — Inspiration, vision, trait de génie, éclat, lumière, rayonnement.

Illuminer. — Éclairer, répandre de la lumière, irradier. — Briller, rayonner, resplendir.

Illusion. — Apparence, erreur, chimère. — Idée fausse, faux jugement, exagération.

Illustration. — Commentaire, éclaircissement, explication. — Gravure, figure, enluminure. — Célébrité, gloire, renom.

Illustre. — Éminent, éclatant, brillant, environné de gloire, glorieux, célèbre, renommé, fameux.

Ilote. — Esclave, paria.

Ilotisme. — Ilotie, esclavage, abjection.

Image. — Imitation, ressemblance, copie. — Représentation, figuration, reproduction, effigie. — Description, esquisse, métaphore, dessin.

Imaginaire. — Irréel, inexistant, faux, fictif, controuvé, chimérique, inventé.

Imagination. — Inspiration, conception, invention. — Erreur, fiction, fausse notion. — Fantaisie, rêverie, illusion, chimère, utopie.

Imbécile. — Faible d'esprit, incapable, impuissant, languissant, pusillanime, sot, bête.

Imbécillité. — Faiblesse d'esprit, sottise, bêtise, crétinisme, inintelligence, niaiserie, stupidité, abrutissement, idiotie.

Imbroglio. — Confusion, embrouillement, désordre, complication, chaos, fouillis, labyrinthe.

Imitation. — Reproduction, répétition, copie, plagiat, contrefaçon, pastiche.

Imiter. — Reproduire, répéter, copier. — Prendre pour modèle, s'inspirer de.

Immanquable. — Certain, qui se fera, inévitable, fatal, sûr, assuré.

Immatriculation. — Inscription, enregistrement, insertion.

Immatriculer. — Inscrire, enregistrer, insérer, marquer.

Immédiatement. — Brusquement, sans transition, aussitôt, sans intermédiaire, à l'instant, sur-le-champ, séance tenante, en hâte.

Immense. — Illimité, sans bornes, sans mesure. — Très étendu, considérable, énorme.

Imminent. — Menaçant, urgent, suspendu sur, prochain.

Immiscer (S'). — Se mêler, s'ingérer, s'entremettre, intervenir, s'interposer.

Immobile. — Fixe, stable, stationnaire. — Calme, ferme, inébranlable.

Immobiliser. — Fixer, assurer, affermir, river, ficher, planter, arrêter, solidifier.

Immobilité. — Stagnation, inertie. — (*V. Immobiliser.*)

Immodéré. — Excessif, intempérant, outré.

Immodeste. — Malséant, impudique, grossier, indécent. — (*V. Immoral.*)

Immolation. — Mise à mort, massacre, hécatombe.

Immoler. — Égorger, tuer, mettre à mort, massacrer. — Détruire, ruiner, perdre.

Immonde. — Impur, sale, malpropre, dégoûtant.

Immondice. — Boue, ordure, saleté, gadoue, fumier.

Immoral. — Impudique, grivois, inconvenant, licencieux, équivoque, indécent, graveleux, ordurier, cynique, obscène, pornographique.

Immortel. — Qui ne meurt pas, qui ne peut pas périr, éternel, impérissable, indéfini.

Immunité. — Privilège, prérogative, exemption, décharge, libération, dispense, exonération.

Impalpable. — Ténu, menu, infinitésimal, imperceptible, microscopique, minime, minuscule.

Imparfait. — Inachevé, incomplet. — Informe, restreint, grossier.

Impartial. — Équitable, juste, droit, égal.

Impassible. — Ferme, inébranlable, insensible, calme, froid, imperturbable.

Impatience. — Inquiétude, désir, dépit, révolte. — Irritation, vivacité, agacement, énervement.

Impatienter (S'). — Perdre patience, se fâcher, se formaliser, s'indigner, s'énerver.

Impayable. — Extraordinaire, rare, plaisant, bizarre.

Impénétrable. — Inexplicable, mystérieux, insondable, insensible. — Fermé, inaccessible, défiant.

Impératif. — Autoritaire, qui commande, qui ordonne, — Catégorique, absolu.

Imperceptible. — Tout petit, minuscule, invisible.

Imperfection. — Défaut, défectuosité.

Impérieux. — Dominateur, altier, hautain, orgueilleux, fier, autoritaire, absolu, tyrannique, formel.

Impéritie. — Inhabileté, malhabileté, insuffisance, maladresse, ignorance, incompétence, inaptitude, incapacité.

Impertinent. — Sot, présomptueux, ridicule, fat, incorrect, outrecuidant, irrévérencieux, insolent, impoli, goujat.

Impétrer. — Obtenir.

Impétueux. — Fougueux, brusque, prompt, rapide, pétulant, emporté. — Vertigineux.

Impétuosité. — Fougue, irruption, brusquerie, promptitude.

Impie. — Irréligieux, incrédule, esprit fort, sacrilège, mécréant, infidèle.

Impitoyable. — Sans pitié, sans entrailles, inhumain, barbare, implacable, inexorable, intraitable, inflexible.

Implacable. — Vindicatif, haineux, furieux, rigoureux, inclément.

Implanter. — Fixer, introduire, établir.

Impliquer. — Engager, envelopper, mêler dans, compromettre. — Faire supposer, contenir.

Implorer. — Pleurer vers, chercher à toucher, prier, supplier, adjurer.

Impoli. — Incivil, mal poli, incorrect, mal élevé, malappris, rustaud.

Importance. — Valeur, portée, conséquence. — Autorité, crédit, influence. — Vanité, présomption, fatuité, suffisance.

Important. — Considérable, sérieux, grave, marquant, capital, puissant. — Infatué, vain, suffisant.

Importun. — Fâcheux, fatigant, agaçant, déplaisant, obsédant, énervant.

Importuner. — Ennuyer, fatiguer, gêner, déplaire, obséder, agacer, énerver.

Imposant. — Considérable, respectable, grandiose, noble, majestueux, pompeux, solennel, magnifique, superbe.

Imposer. — Placer, donner, assigner, fixer, établir. — Prescrire, contraindre, obliger, inspirer, infliger.

Imposition. — Prescription, injonction, contrainte. — Tribut, impôt, contribution, taxe, charge, droits.

Impossibilité. — Impuissance.

Impossible. — Irréalisable, inexécutable, inapplicable, impraticable, improbable, infaisable.

Imposteur. — Menteur, trompeur, perfide, hypocrite, charlatan.

Imposture. — Hypocrisie, mensonge, tromperie. — Calomnie, fausseté. — Illusion, apparence, faux air, masque.

Impôt. — Charge, levée, droit, taxe, contribution, imposition.

Impotent. — Infirme, perclus, estropié.

Impraticable. — Inaccessible, inabordable, malaisé, difficile, infaisable, inapplicable, irréalisable, impossible.

Imprécation. — Anathème, flétrissure, exorcisme, apostrophe. — Blasphème, exécration, malédiction.

Imprégner. — Pénétrer, se répandre dans. — Féconder.

Impression. — Pression, marque, empreinte. — Action, effet, sensation, saisissement, émotion, émoi.

Impressionnable. — Sensible, délicat, sensitif, susceptible, émotif.

Imprévu. — Inattendu, déconcertant, subit.

Imprimer. — Laisser une marque, donner un caractère, faire impression, graver.

Improbable. — (*V. Incroyable.*)

Impropre. — Déplacé, incorrect, inexact. — Inapte, incapable.

Improuver. — Blâmer, être contre, trouver mauvais, désapprouver.

Improviste (A l'). — Au dépourvu, en improvisant, d'abondance. — Soudainement, inopinément.

Imprudence. — Témérité, étourderie, imprévoyance.

Imprudent. — Confiant, audacieux, téméraire, aventureux, hasardeux, irréfléchi. — Dangereux, insensé, inhabile.

Impudent. — Effronté, éhonté, outrecuidant. — Hardi, grossier, licencieux, cynique.

Impuissance. — Insuffisance, incapacité, impossibilité, stérilité, torpeur, engourdissement, affaissement, paralysie.

Impulsion. — Poussée, élan, excitation, direction. — Motif, mobile.

Impur. — Souillé, sale, immonde, repoussant, infect. — Immoral, infâme, honteux, déshonoré. — Impudique, licencieux, vicieux.

Imputable. — Prélevé, déduit, compensé.

Imputation. — Charge, inculpation, accusation, incrimination.

Imputer. — Porter en compte, déduire, rabattre. — Attribuer, mettre sur le compte, charger, accuser.

Inabordable. — Bourru, peu gracieux, rude, brutal, insociable, insupportable.

Inacceptable. — Inadmissible.

Inaccessible. — Renfermé, impénétrable, inabordable, inaccostable.

Inaction. — Immobilité, torpeur, désœuvrement, loisir,

Inactivité. — Indolence, mollesse, paresse, apathie, oisiveté.

Inadvertance. — Défectuosité, manquement, distraction, inapplication, légèreté, étourderie, irréflexion, oubli, omission, absence.

Inanimé. — Insensible, sans vie, mort.

Inanité. — Inutilité, vanité, vide, néant, puérilité, futilité.

Inaptitude. — Incompétence, inexpérience, infériorité, incapacité, impéritie, insuffisance.

Inattaquable. — Imprenable, irréprochable, impeccable.

Inattendu. — Imprévu, invraisemblable, improbable, inopiné, subit, brusque, à l'improviste.

Inattention. — Négligence, faute, étourderie.

Inauguration. — Consécration, commencement, premier usage, début, ouverture.

Incalculable. — Immense, incommensurable, innombrable, très nombreux. — Très grave, très considérable, inappréciable, illimité, infini, indéfini.

Incandescent. — Rouge, enflammé, lumineux. — Emporté, excitable, violent.

Incantation. — Charme, conjuration, évocation, parole magique.

Incapacité. — Ignorance, nullité, impuissance, inaptitude.

Incarcérer. — Enfermer, mettre en prison, écrouer.

Incartade. — Boutade, offense brusque, extravagance, frasque, fredaine, sottise, folie.

Incendie. — Feu, sinistre, embrasement.

Incertain. — Aléatoire, contestable, précaire. — Variable, peu sûr, branlant, fragile. — Indéterminé, ignoré, inconnu. — Confus, vague, nébuleux. — Chancelant, indécis, irrésolu.

Incertitude. — Variabilité, fragilité, insécurité. — Indétermination, doute, irrésolution, indécision.

Incessamment. — Sans cesse, sans relâche, sans répit. — Au plus tôt, sans retard.

Incidemment. — Éventuellement, accidentellement.

Incident. — Circonstance, occurrence, éventualité, cas, occasion, entrefaite.

Incinération. — Crémation, combustion.

Inciser. — Entailler, fendre, couper.

Incisif. — Tranchant, coupant, aigu. — Pénétrant, mordant, moqueur.

Inciter. — Pousser, incliner, conseiller, animer, exhorter, stimuler, déterminer, inspirer, influencer, persuader, entraîner.

Incivil. — Impolis, malappris, grossier, impertinent, incorrect, insolent, discourtois.

Inclémence. — Rigueur, cruauté.

Inclinaison. — Obliquité, angle.

Inclination. — Tendance, disposition. — Attachement, préférence, penchant, affection, amour.

Incliner. — Baisser, obliquer, courber. — Porter, disposer, rendre enclin, décider.

Inclure. — Renfermer, insérer, envelopper. — Impliquer, faire supposer.

Incohérent. — Désordonné, discontinu, discordant, incompréhensible, confus, mêlé, brouillé, embrouillé, enchevêtré.

Incolore. — Terne, sans éclat, effacé.

Incommensurable. — Immense, infini, démesuré, illimité, indéfini.

Incommode. — Gênant, peu maniable, embarrassant. — Désagréable, fatigant, à charge.

Incommodé. — Mal à l'aise fatigué, souffrant. — Gêné embarrassé.

Incommodité. — Gêne, malaise, déplaisir, inconvénient, ennui.

Incomparable. — (V. Beau.)

Incompétence. — (V. Inaptitude.)

Incompréhensible. — Mystérieux, inexplicable, embarrassant, énigmatique, obscur.

Inconcevable. — Incroyable, inadmissible, étrange. — Surprenant, extraordinaire, extravagant, phénoménal.

Inconnu. — Ignoré, inexploré, obscur, caché, voilé.

Inconséquent. — Illogique, sans suite, irréfléchi, léger, étourdi.

Inconsidéré. — Irréfléchi, inattentif, inappliqué, étourdi.

Inconsistant. — Mou, ondoyant, veule, passif, mobile, variable, changeant.

Inconstant. — Incertain, vacillant, changeant, instable, léger, infidèle, variable.

Incontestable. — Inattaquable, irrécusable, certain, démontré, reconnu, irréfutable, avéré, indubitable, indéniable.

Incontinent (adj.). — Qui ne se peut retenir (méd.). — Babillard, loquace. —Déréglé, jouisseur, concupiscent.

Incontinent (adv.). — Aussitôt, sur-le-champ, sans délai, sans tarder, au même instant, sur l'heure, tout de suite, immédiatement.

Inconvenable. — Impropre, inapplicable, discordant. — Messéant, abusif, déplacé.

Inconvenant. — Choquant, malséant, grossier, incongru. —Déshonnête, libre, licencieux, obscène, immodeste.

Inconvénient. — Désavantage, déplaisir, dérangement, incommodité.

Incorporer. — Réunir, mêler, confondre, joindre, enrôler, embrigader, enrégimenter, mobiliser, recruter.

Incorrect. — Mauvais, faux, irrégulier. — Inconvenant, indiscret, malséant, impoli.

Incorruptible. — Inaltérable, invariable. — Juste, solide, vertueux, intègre, austère, scrupuleux, impeccable.

Incrédule. — Défiant, soupçonneux. — Libertin, esprit fort, sceptique.

Incriminer. — (*V. Accuser.*)

Incroyable. — Insoutenable, étrange, bizarre. — Excessif, extraordinaire, insolite.

Inculper. — Charger, imputer, attribuer.

Inculquer. — (*V. Enseigner.*)

Inculte. — Sauvage, stérile, abandonné, — Négligé, désordonné. — Brut, grossier.

Incurable. — Inguérissable, grabataire, valétudinaire, perdu.

Incurie. — Insouciance, indifférence, non-préoccupation, légèreté, négligence, inapplication.

Incursion. — Course, coup de main. — Exploration, intrusion, ingérence, voyage, irruption, invasion, envahissement, pointe.

Indéchiffrable. — Obscur, embrouillé. — Inexplicable, inintelligible, impénétrable.

Indécis. — Changeant, hésitant, variable, versatile, mobile.

Indécision. — Doute, hésitation, changement, versatilité, fluctuation, incertitude.

Indéfini. — Indéterminé, illimité. — Vague, imprécis.

Indélébile. — Permanent, indestructible, inaltérable, ineffaçable, définitif, durable, éternel, indissoluble.

Indemnité. — Compensation, rémunération, rétribution, amende.

Indépendamment. — Sans dépendance, sans rapport, sans égard. — En outre, par surcroît.

Indépendance. — Autonomie, affranchissement, émancipation, liberté.

Indépendant. — Autonome, affranchi, émancipé, libéré, délivré, libre.

Indéterminé. — Imprécis, indistinct, mal défini.

Index. — Liste, catalogue, table des matières. — Interdiction, exclusion.

Indice. — Signe, marque, chiffre. — Indication, dénonciation.

Indicible. — Concentré, caché, renfermé, secret. — Inexprimable, inénarrable, grandiose, infini, sans bornes.

Indifférence. — Insouciance, indépendance, neutralité, froideur, impassibilité, flegme, sérénité, philosophie.

Indifférent. — Insensible, tranquille, calme, impassible, froid.

Indigence. — Manque, privation, misère, pauvreté, besoin, pénurie, dénument.

Indigène. — Originaire, natif, autochtone, naturel.

Indignation. — Soulèvement, mépris, colère.

Indigne. — Odieux, abominable, révoltant.

Indigné. — Affecté, soulevé, révolté.

Indiquer. — Montrer, guider, faire connaître. — Déterminer, assigner, fixer.

Indirect. — Dévié, coudé, sinueux, courbe, oblique, détourné, biais.

Indiscipline. — Désobéissance, résistance, indocilité, insubordination, insoumission, révolte, rébellion.

Indiscret. — Curieux, bavard, incontinent, sans façon, importun, obsédant, intrus, indélicat.

Indiscutable. — (V. Incontestable.)

Indispensable. — Essentiel, obligatoire.

Indisposé. — Défait, fatigué, souffrant. — Choqué, contrarié, mécontent.

Indocile. — Fermé, passif, inerte, désobéissant, insubordonné, rebelle, rétif, récalcitrant, révolté, insoumis.

Indolent. — Inactif, insensible, froid.

Indubitable. — Logique, constant, établi, manifeste, incontestable.

Induction. — Conjecture, hypothèse, indice.

Induire. — Mener, pousser, conduire, faire tomber. — Conjecturer, supposer, inférer, conclure, dégager.

Indulgent. — Accommodant, miséricordieux. — Doux, facile, complaisant, bon.

Indûment. — A tort, injustement, illégitimement.

Industrie. — Adresse, invention, savoir-faire, habileté, dextérité.

Industriel. — Manufacturier, usinier, fabricant.

Industrieux. — Adroit, habile, inventif, expert, ingénieux. — Fin, finaud, retors, délié.

Inébranlable. — Invariable, ferme, constant, solide, invincible, résolu, tenace.

Inédit. — Nouveau, non public, inconnu, inusité, neuf, vierge, frais, original.

Ineffable. — Céleste, divin, sacré, sublime.

Ineffaçable. — Empreint, marqué, fixe, indélébile.

Inefficace. — Inutile, nul, stérile, vain, improductif.

Inégal. — Différent, dissemblant, disproportionné, raboteux, irrégulier, changeant, variable, capricieux, mobile, disparate, discordant.

Inégalité. — Irrégularité, différence, dissemblance.

Inélégant. — Grossier, laid, lourd, lourdaud.

Inéluctable. — Insurmontable, invincible, nécessaire, inévitable, fatal.

Inénarrable. — Inexplicable, indescriptible, merveilleux, extraordinaire.

Inepte. — Bête, stupide, inhabile, incapable, impropre.

Ineptie. — Incapacité, sottise, bêtise, stupidité.

Inépuisable. — Intarissable, fécond, abondant, continu, durable, indéfini, éternel.

Inerte. — Inactif, immobile, insensible, lent, mou, apathique.

Inertie. — Inaction, inactivité, insensibilité, indifférence, passivité, apathie, immobilité.

Inespéré.—Heureux, inattendu, imprévu.

Inestimable. — Parfait.

Inévitable. — Inéluctable, immanquable, certain, nécessaire, fatal, infaillible.

Inexact. — Faux, imparfait, infidèle, erroné.

Inexactitude. — Faute, erreur, mensonge.

Inexercé. — Inhabile, maladroit, inexpérimenté.

Inexistant. — Nul.

Inexorable. — Cruel, dur, impitoyable, entêté, implacable, inflexible.

Inexpérience. — Inhabileté, ignorance, incompétence, inaptitude.

Inexpérimenté. — Inhabile, ignorant, jeune, novice, incompétent.

Inexplicable. — Obscur, bizarre, étrange, mystérieux, incompréhensible.

Inexploré. — Désert, inconnu, vierge.

Inexprimable. — Extraordinaire, merveilleux, sublime, parfait, indicible, ineffable.

Inexpugnable.—Invincible, fort, solide, imprenable, insurmontable.

Inextensible. — Limité, borné, barré, fermé, défini.

In extenso. — Intégralement, d'un bout à l'autre, complètement, en entier.

Inextinguible. — Ardent, continu, excessif, invincible.

Inextirpable. — Invincible, tenace, ancré.

Inextricable. — Mêlé, confus, obscur, embrouillé, emmêlé, entrecroisé, désordonné, enchevêtré, difficile.

Infaillible. — Certain, sûr, nécessaire, incontestable.

Infamant. — Honteux, avilissant, dégradant, déshonorant, flétrissant, inavouable.

Infamie. — Honte, turpitude, déshonneur, crime, scélératesse.

Infatigable. — Zélé, fort, solide, invincible, incessant, résistant, dur, indomptable.

Infatuation. — Prétention, engouement, suffisance, outrecuidance, fatuité, orgueil, vanité.

Infatué. — Épris, orgueilleux, vaniteux.

Infécond. — Stérile, vain, improductif, pauvre, ingrat.

Infect. — Fétide, pourri, sale, dégoûtant, répugnant, repoussant, nauséabond.

Infecté. — Fétide, malsain, corrompu.

Infection. — Puanteur, altération.

Inféodé. — Affilié, attaché, rattaché, ami, allié, associé, dévoué, fidèle, affidé, adepte.

Inférer. — Déduire, induire, conclure, dégager, tirer, raisonner.

Inférieur. — Accessoire, bas, dépendant, dernier, domestique, faible, imparfait, mauvais, petit, secondaire, subalterne, subordonné, vaincu. — Moindre.

Infernal. — Démoniaque, diabolique, endiablé, épouvantable, magique, méphistophélique, satané, satanique.

Infertile. — Stérile, improductif, infécond, ingrat, pauvre.

Infesté. — Ravagé, bouleversé, désolé, dévasté, pillé, saccagé.

Infidèle. — Faux, déloyal, parjure, perfide, trompeur, inexact, vicieux, adultère, impie.

Infidélité. — Déloyauté, manquement, trahison, inexactitude.

Infime. — Bas, minime, inférieur.

Infini. — Illimité, universel, parfait, continu, immense, énorme.

Infiniment. — Extrêmement, sans bornes, énormément.

Infinitésimal. — Minuscule, microscopique, imperceptible, atomique.

Infirme. — Blessé, estropié, faible, impotent, invalide, mutilé, débile, impuissant, languissant.

Infirmer. — Annuler, casser, défaire, briser.

Infirmité. — Faiblesse, débilité, atrophie, incapacité.

Infléchir. — Incliner, plier, pencher, obliquer.

Inflammation. — Embrasement.

Inflexible. — Ferme, intraitable, inébranlable, inexorable, dur.

Inflexion. — Fléchissement, déviation, inclinaison.

Infliger. — Imposer, appliquer. — (*V. Punir.*)

Influence. — Action, ascendant, autorité, crédit, empire, poids, puissance, importance, domination, prépondérance.

Influencer. — Changer, conduire, conseiller, pousser, convaincre, séduire, endoctriner, circonvenir, peser sur, fasciner.

Influent. — Important, puissant.

Influer. — (*V. Influencer.*)

Information. — Instruction, jurisprudence, enquête, perquisition, renseignement, nouvelle, révélation, annonce, communication, rapport, propos, racontars, confidence.

Informe. — Brut, difforme, grossier, imparfait, irrégulier, mal bâti.

Informer. — Renseigner, avertir, prévenir, rapporter, donner avis, rendre compte, instruire. — Faire part, raconter, notifier, publier, annoncer.

Infortune. — Malheur, calamité.

Infortuné. — Malheureux, pauvre, indigent, éprouvé, en détresse.

Infraction. — Transgression, violation.

Infranchissable. — Insurmontable, invincible.

Infrangible. — Solide, résistant.

Infréquenté. — Désert, inhabité, dépeuplé, solitaire.

Infructueux. — Inutile, stérile, vain, pauvre, infécond.

Infus. — Incorporé, inné, naturel.

Infuser. — Tremper, macérer.

Infusion. — Décoction, macération.

Ingambe. — Dispos, alerte, preste, vif, léger, sémillant, fringant.

Ingénier (s'). — S'appliquer, s'efforcer, s'empresser, se dépenser.

Ingénieux. — Habile, inventif, sagace, délié, subtil, malin, fin.

Ingénu. — Simple, innocent, naïf, candide, franc, sincère, naturel, novice, inexpérimenté.

Ingénuité. — Naïveté, simplicité, sincérité, franchise.

Ingérer. — Ingurgiter, introduire, absorber, avaler. — Intervenir, s'immiscer, s'interposer, s'entremettre, se mêler de.

Ingrat. — Oublieux. — Désagréable, disgracieux, stérile.

Ingrédient. — Drogue, médicament, remède, pharmacie.

Inhabile. — Gauche, maladroit, inexercé, inexpérimenté, neuf, novice.

Inhabité. — Désert, vide.

Inhaler. — Aspirer.

Inhérent. — Attaché, joint, inséparable, annexé, aggloméré, agrégé.

Inhiber. — Défendre, prohiber, interdire.

Inhospitalier. — Dur, rébarbatif, stérile, inhumain, désagréable, maussade, inabordable, acrimonieux.

Inhumain. — Cruel, dur, barbare.

Inhumer. — Enterrer, ensevelir, enfouir.

Inimaginable. — Bizarre, étonnant, extraordinaire, inconcevable.

Inimitié. — Aversion, hostilité, haine, antipathie.

Inintelligent. — Bête, sot, niais, inhabile.

Inintelligible. — Obscur, confus, difficile, ambigu, embrouillé, mystérieux, énigmatique.

Ininterrompu. — Continu, joint.

Inique. — Injuste.

Iniquité. — Injustice.

Initial. — Commençant, élémentaire, fondamental, originaire, primordial, rudimentaire, original.

Initiation. — Admission, préparation, apprentissage, communication, commencement, début.

Initiateur. — Créateur, innovateur.

Initier. — Affilier, instruire, former, enseigner.

Injecter. — Introduire.

Injonction. — Commandement, ordre, prescription.

Injure. — Injustice, préjudice. — Outrage, offense, affront, grossièreté, insulte.

Injurier. — Insulter, offenser, outrager, invectiver.

Injurieux. — Blessant, calomnieux, diffamant, insultant, outrageux, outrageant.

Injuste. — Abusif, arbitraire, défendu, déloyal, faux, inique, irrégulier, mal fondé, sans fondement, partial, immérité, usurpé, inacceptable.

Injustice. — Illégalité, iniquité, irrégularité, abus, partialité.

Injustifiable. — Coupable, honteux, injuste, indu, irrégulier, illicite, inacceptable.

Inné. — Naturel, personnel.

Innocemment. — Niaisement, bêtement, sottement, simplement.

Innocence. — Pureté, candeur, virginité. — Simplicité, niaiserie, bêtise, ingénuité.

Innocent. — Absous, acquitté, disculpé, excusé, indemne, innocenté, pardonné, purifié, sans souillure, sans tache, vierge, candide, pur. — Bête, sot, simple, naïf.

Innocenter. — Disculper, acquitter, absoudre, excuser, réhabiliter.

Innombrable. — Fréquent, nombreux, multiple, maint, copieux, incalculable.

Innovateur. — Créateur, improvisateur, initiateur, inventeur, novateur, père, lanceur.

Innovation. — Création, nouveauté, invention.

Inobservation. — Manque, inexécution, désobéissance.

Inoccupé. — Libre, oisif, vide.

Inoculation. — Introduction.

Inodore. — Inodorant, fade.

Inoffensif. — Bon, doux, innocent, calme, paisible.

Inondation. — Débordement.

Inonder. — Recouvrir, mouiller, déborder, se répandre, noyer, submerger.

Inopérant. — Nul, sans effet.

Inopiné. — Rapide, imprévu, inattendu, brusque, subit.

Inopinément. — À l'improviste, brusquement, subitement.

Inopportun. — Inconvenant, mal, mauvais, déplacé.

Inoubliable. — Glorieux, fameux, historique, illustre, ineffaçable, mémorable, retentissant, grandiose.

Inouï. — Bizarre, étonnant, extraordinaire, rare. — Nouveau, inconnu.

Inqualifiable. — Honteux, inconvenant, inavouable, ignoble, inconcevable, indigne.

Inquiet. — Embarrassé, ennuyé, tourmenté, troublé, peureux, scrupuleux, soucieux.

Inquiétant. — Alarmant, effarouchant, effrayant, intimidant, menaçant, troublant, grave.

Inquiéter. — Alarmer, troubler, tourmenter. — Attaquer, menacer.

Inquiétude. — Agitation, souci, tourment, trouble, alarme.

Inquisiteur. — Curieux, indiscret, soupçonneux, enquêteur.

Inquisition. — Recherche, enquête, perquisition. — Curiosité, indiscrétion.

Inquisitorial. — Soupçonneux, rigoureux, arbitraire. — Indiscret.

Insaisissable. — Mince, petit, minime, fuyant, indiscernable, minuscule, impalpable.

Insalubre. — Malsain, nuisible.

Insatiable. — Avide, affamé, inassouvi.

Insanité. — Absurdité.

Inscription. — Épitaphe, mention, déclaration, affiche.

Inscrire. — Consigner, enregistrer, noter, afficher.

Insensé. — Absurde, affolé, aliéné, aveugle, dément, déraisonnable, déséquilibré, détraqué, fêlé, fou, idiot, imbécile, inconscient, irréfléchi.

Insensibiliser. — Anesthésier, chloroformer, éthériser, calmer, endormir, engourdir, endurcir.

Insensible. — Apathique, calme, engourdi, endormi, immobile, impassible, froid, indifférent, inerte, endurci, dur.

Insensiblement. — Imperceptiblement, peu à peu, graduellement.

Inséparable. — Attaché, lié, fixé, joint, uni.

Insérer. — Introduire, inscrire, intercaler.

Insidieux. — Rusé, perfide. — (*V. Hypocrite.*)

Insigne. — Marque, dignité, distinction. — Supérieur, extraordinaire, glorieux, rare, important.

Insignifiant. — Banal, chétif, petit, exigu, menu, mesquin, mince, misérable, modique, ordinaire, sans conséquence, sans importance, sans intérêt, sans portée, sans valeur.

Insinuant. — Flatteur, habile. — (*V. Hypocrite.*)

Insinuation. — Persuasion. — Sous-entendu.

Insinuer. — Faire pénétrer, faire entendre, introduire, glisser.

Insipide. — Dégoûtant, ennuyeux, désagréable, assommant. — Fade, douceâtre.

Insister. — Persévérer, peser, appuyer.

Insociable. — Sauvage, farouche, incivilisé, misanthrope.

Insolent. — Grossier, blessant, discourtois, incivil, inconvenant, incorrect, injurieux, irrévérencieux. — Extraordinaire, inimaginable.

Insolite. — Bizarre, extraordinaire, nouveau, étonnant, inaccoutumé, étrange, rare. — Inconvenant.

Insolvable. — Pauvre, ruiné.

Insondable. — Profond, obscur, impénétrable.

Insouciant. — Calme, tranquille, étourdi, léger, indifférent.

Insoumis. — Désobéissant, entêté, séditieux, révolté, réfractaire, insubordonné, rebelle.

Insoutenable. — Ennuyeux, insupportable, fatigant, excédant. — Excessif, exagéré, faux, inadmissible, inimaginable, utopique, chimérique.

Inspecter. — Examiner, visiter, vérifier, contrôler, surveiller.

Inspecteur. — Vérificateur, contrôleur, surveillant.

Inspiration. — Aspiration, souffle. — Enthousiasme, veine. — Suggestion, conseil.

Inspirer. — Souffler. — Inculquer, suggérer, conseiller.

Instable. — Changeant, mobile, variable, fragile, faible.

Installation. — Établissement, disposition, logement, appartement. — Nomination, poste.

Installer. — Disposer, placer, établir, loger, poster. — Nommer.

Instance. — Sollicitude, sollicitation, objurgation. — Procès.

Instant. — Pressant, suppliant, rapide. — Moment, minute.

Instantané. — Bref, court, rapide, fugace, fugitif, précipité, subit, immédiat.

Instantanément. — Brusquement, rapidement, incontinent, tout à coup, soudainement, en hâte, immédiatement, d'emblée.

Instauration. — Établissement, fondation, rétablissement.

Instigateur. — Conseil, initiateur, inspirateur, conseilleur, mentor.

Instigation. — Conseil, impulsion, inspiration.

Instinct. — Impulsion, poussée, nature, penchant, inclination.

Instinctif. — Inné, naturel, réflexe.

Institut. — Ordre, société, académie.

Instituteur. — Maître, directeur, pédagogue, professeur.

Institution. — Fondation, établissement, école. — Éducation, instruction.

Instructeur. — Moniteur.

Instructif. — Éducatif, pédagogique, scientifique.

Instruction. — Enseignement, leçon, précepte, connaissance, savoir. — Avis, ordre, explication.

Instruire. — Enseigner, dresser, façonner, former, éclairer, révéler, initier, apprendre, cultiver. — Informer, avertir.

Instruit. — (*V. Instruire.*) — Savant, érudit, ferré, docte, cultivé, éclairé.

Instrument. — Outil, machine, appareil, moyen, ustensile.

Insu. — Ignorance.

Insubordonné. — Désobéissant, insoumis, séditieux, indocile, indiscipliné, entier, intraitable, indomptable, rebelle, récalcitrant, révolté.

Insuccès. — Échec, revers, avortement, non-réussite, défaite.

Insuffisance. — Incapacité, manque, inaptitude.

Insuffisant. — Défectueux, imparfait, incomplet, incapable, ignorant.

Insuffler. — Gonfler, introduire.

Insulte. — Attaque, offense, outrage, affront, injure, insolence, grossièreté.

Insulter. — Offenser, outrager, blesser, injurier.

Insupportable. — Ennuyeux, fatigant, irritant, assommant, désagréable.

Insurgé. — Séditieux, révolté, révolutionnaire, factieux.

Insurger. — Soulever. — (*V. Émeute.*)

Insurmontable. — Difficile, invincible, infranchissable, difficultueux, impraticable, impossible.

Insurrection. — Soulèvement, révolte, rébellion, émeute.

Insurrectionnel. — Séditieux, factieux, révolté, rebelle, révolutionnaire.

Intact. — Complet, entier, pur, intégral, plein, rempli.

Intangible. — Immatériel, respectable, sacré, inviolable.

Intarissable. — Abondant, continu, inépuisable fécond, sans fin, indéfini, continuel, ininterrompu.

Intégral. — Complet, total.

Intègre. — Pur, vertueux, irréprochable, austère, incorruptible, inattaquable, scrupuleux.

Intellect. — Esprit, intelligence.

Intelligence. — Intellect, esprit, pensée, entendement, raison, conception, sens, jugement, compréhension, pénétration, perspicacité, sagacité, finesse.

Intelligent. — Clairvoyant, débrouillard, éclairé, entendu, éveillé, ingénieux, inventif, judicieux, lucide, pénétrant, perspicace, profond, sagace, sensé, subtil.

Intelligible. — Clair, accessible, compréhensible, concevable, déchiffrable, distinct, limpide, lucide, pénétrable.

Intelligibilité. — Clarté, lucidité, limpidité.

Intempérance. — Excès, débauche, violence.

Intempérant. — Excessif, ivre, gourmand, immodéré, passionné, débauché.

Intempéré. — Excessif, immodéré, passionné.

Intempérie. — Mauvais temps, rigueur atmosphérique.

Intempestif. — Désagréable, inattendu, inconvenant, inopportun.

Intenable. — Insupportable, désagréable, impossible.

Intendance. — Direction, administration.

Intense. — Grand, fort, vif, excessif, extraordinaire, violent.

Intensif. — (V. *Intense.*)

Intensité. — Force, puissance, véhémence, virulence, violence.

Intenter. — Commencer, entreprendre.

Intention. — Volonté, résolution, dessein, projet.

Intentionnel. — Volontaire, arrêté, prémédité, fait exprès, voulu.

Intercalaire. — Ajouté, encart, inséré, intermédiaire.

Intercaler. — Joindre, ajouter, insérer, introduire, interpoler, encarter, interligner.

Intercéder. — Intervenir, prier, négocier, s'immiscer, s'ingérer, s'interposer, s'entremettre.

Intercepter. — Arrêter, couper, suspendre, obstruer, barrer, endiguer, entraver. — Saisir, prendre, voler.

Interdiction. — Prohibition, défense, suspension, retrait, embargo, veto, opposition.

Interdire. — Défendre, s'opposer, prohiber, proscrire, empêcher, inhiber.

Interdit. — Défendu, prohibé. — Confus, embarrassé, étonné, interloqué, troublé, décontenancé.

Intéressant. — Attachant, captivant, curieux, piquant, séduisant, remarquable, important.

Intéressé. — Captivé, séduit, attaché. — Avare. économe.

Intéresser. — Associer. — Frapper, saisir, toucher. — Concerner, être important pour.

Intérêt. — Attention, curiosité, attrait. — Rente, rapport, revenu, rendement, loyer, coupon, annuité.

Intérieur. — Central, interne, inclus, intime, profond, domestique, familial.—Foyer, dedans.

Intérim. — Remplacement, suppléance.

Intérimaire. — Court, provisoire, suppléant.

Interlope. — Louche, suspect, mêlé.

Interloquer. — Confondre, troubler, embarrasser, surprendre, étonner, étourdir, stupéfier.

Intermède. — Divertissement, intervalle, interruption, répit, trêve, entr'acte.

Intermédiaire. — Central, intérieur, intercalé, interposé, mitoyen, mixte, moyen. — Entremise, voie, moyen. — Médiateur, négociateur.

Interminable. — Lent, long, continu, indéfini.

Intermittent. — Irrégulier, discontinu, saccadé.

Internat. — Pension.

International. — Universel, mondial, cosmopolite.

Interner.—Introduire, enfermer, emprisonner, loger, consigner.

Interpeller. — Interroger, questionner, sommer, requérir, apostropher.

Interpoler. — Insérer, introduire, intercaler.

Interposer. — Placer entre, intervenir, entremettre.

Interposition. — Intervention, intercession.

Interprétation. — Traduction, explication.

Interprète. — Intermédiaire, traducteur, commentateur, truchement.

Interpréter. — Traduire, expliquer, comprendre, déchiffrer.

Interrogateur.—Examinateur, juge. — Curieux, scrutateur.

Interrogation. — Question, information, interview, examen.

Interroger. — Consulter, examiner, questionner, scruter, sonder, interviewer, demander, s'informer, s'enquérir.

Interrompre. — Rompre, couper, arrêter, suspendre.

Interrompu. — Inachevé, entrecoupé, discontinu.

Intersection. — (*V. Rencontre.*)

Interstice.—Intervalle, passage.

Intervalle. — Distance, différence.

Intervenir. — Prendre part, s'interposer, se mêler de, s'ingérer, s'immiscer.

Intervention. — Opération, médiation, arbitrage, immixtion.

Interversion. — Renversement.

Interviewer. — Interroger.

Intestin. — Familial, intérieur, personnel.

11

Intimation. — Déclaration, injonction, sommation, mise en demeure, ultimatum.

Intime. — Personnel, profond, intérieur, secret, essentiel. — Attaché, ami, familial.

Intimer. — Déclarer, enjoindre, ordonner.

Intimider. — Émouvoir, troubler, inquiéter.

Intimité. — Amitié, attachement, liaison. — Secret.

Intituler. — Nommer, appeler, désigner.

Intolérable. — Insupportable, fatigant, excédant, excessif, ennuyeux, douloureux.

Intolérable. — Fanatisme.

Intoxiquer. — Empoisonner.

Intraitable. — Difficile, dur, entêté, têtu, indomptable.

Intransigeant. — Ferme, entêté.

Intrépide. — Grave, audacieux, courageux, hardi, vaillant, valeureux.

Intrigant. — Habile, souple, diplomate.

Intrigue. — Embarras, complot, cabale, manigance, manœuvre.

Intriguer. — Briguer, ourdir, tramer, embarrasser, comploter, machiner.

Intrinsèque. — Intérieur, personnel, propre.

Introduction. — Admission, préliminaire, infiltration, entrée.

Introduire. — Enfoncer, engager, glisser, implanter, importer, incorporer, inculquer, infuser, insérer, insinuer, infiltrer, ingérer, faire adopter, faire admettre.

Introniser. — Installer.

Introuvable. — Caché, invisible, secret. — Rare, unique, sans pareil.

Intrus. — Étranger, indiscret.

Intuition. — Pressentiment, divination, intelligence.

Inusité. — Rare, insolite, inaccoutumé, bizarre.

Inutile. — Improductif, inefficace, infécond, infructueux, insignifiant, négligeable, stérile, superflu, vain, oiseux, sans objet, futile.

Invalide. — Faible, blessé, mutilé, infirme, vieux.

Invalider. — Casser, annuler. réformer.

Invariable. — Constant, continu, immuable, inaltérable, ferme, fixe, nécessaire, stable, fidèle.

Invasion. — Entrée, irruption, envahissement, intrusion.

Invective. — Violence, offense, injure, insulte.

Inventaire. — État, liste, nomenclature.

Inventer. — Imaginer, trouver, découvrir, créer, concevoir.

Invention. — Trouvaille, découverte, imagination, création, innovation, inspiration. — Mensonge, artifice, duperie.

Inverse. — Opposé, contraire.

Inverser. — Renverser, retourner.

Inversion. — Changement, renversement, retournement.

Investigateur. — Curieux, chercheur, scrutateur.

Investir. — Envelopper, assiéger, cerner.

Invétéré. — Accoutumé, habituel, ancré, enraciné, usité, machinal, rebattu.

Invincible. — Fort, immuable, impérissable, inaltérable, incurable, indomptable, inébranlable, insurmontable, irrésistible, nécessaire.

Inviolable. — Saint, sacré, sûr, protégé, respectable, vénérable.

Invisible. — Caché, couvert, déguisé, dérobé, dissimulé, mystérieux, secret, immatériel.

Invitation. — Appel, convocation.

Inviter. — Prier, convier, appeler, attirer.

Invocation. — Prière, supplication, appel.

Involontaire. — Naturel, spontané, réflexe, automatique, inconscient, irréfléchi.

Invoquer. — Appeler, implorer, citer, s'appuyer sur, prier, supplier.

Invraisemblable. — Bizarre, extraordinaire, fantastique, impossible, étonnant, renversant.

Invulnérable. — Fort, résistant, dur, invincible.

Irascible. — Agacé, atrabilaire, bilieux, brusque, coléreux, emporté, irritable, nerveux, vif, violent.

Irisé. — Coloré.

Ironie. — Raillerie, moquerie, pointe, sarcasme, persiflage.

Ironique. — Railleur, moqueur, caustique, gouailleur, goguenard.

Irradiation. — Diffusion, divergence. — Rayonnement.

Irrassasiable. — Inassouvi, affamé.

Irrationnel. — Faux, bête, insensé.

Irréalisable. — Impossible, inexécutable, impraticable, inapplicable, utopique.

Irrecevable. — Faux, injuste.

Irréconciliable. — Brouillé, opposé, divisé, ennemi.

Irrécusable. — (*V. Certain.*)

Irréductible. — Simple.

Irréfléchi. — Étourdi, léger, emballé, emporté, insensé.

Irréfragable. — Certain, fixe, prouvé, démontré, expliqué, corroboré, établi.

Irréfutable. — Certain, sûr, logique, probant, péremptoire, catégorique.

Irrégularité. — Faute, erreur, exception, anomalie, bizarrerie.

Irrégulier. — Bizarre, capricieux, variable, inégal, discontinu, décousu, dévié. — Débauché, désordonné. — Injuste, illicite, illégal, anormal.

Irréligieux. — Impie, mécréant, incrédule, incroyant, infidèle.

Irrémédiable. — Irréparable, nécessaire, perdu.

Irrémissible. — Coupable, perdu.

Irréparable. — Perdu, irrémédiable.

Irrépréhensible. — Innocent, juste, vertueux, parfait.

Irrésistible. — Fort, puissant, excessif, violent, invincible, indomptable.

Irrésolu. — Incertain, indécis, flottant, vague, mobile, hésitant, perplexe.

Irrésolution. — Indécision, hésitation, incertitude, tergiversation, fluctuation, indétermination.

Irrespectueux. — Inconvenant, grossier, injurieux.

Irresponsable. — Enfantin, insensé.

Irrévérence. — Impolitesse, inconvenance.

Irrévocable. — Fixe, décidé, arrêté, invincible, nécessaire, sans appel, invariable.

Irriguer. — Arroser, canaliser.

Irritable. — (*V. Irascible.*)

Irritant. — Agaçant, crispant, énervant, exaspérant, horripilant, impatientant, insupportable, révoltant, vexant, vexatoire.

Irritation. — Démangeaisons, surexcitation, colère.

Irrité. — (*V. Irriter.*) — Nerveux, tempêtueux, furieux, furibond.

Irriter. — Agacer, aigrir, crisper, exaspérer, énerver, exciter, surexciter, impatienter, révolter, courroucer, s'emporter, éclater, pester, écumer.

Irruption. — Entrée, invasion, incursion, débordement, envahissement, intrusion.

Isabelle. — Jaune, jaunâtre.

Islamique. — Musulman, mahométan.

Isolé. — Désert, seul, séparé, retiré, solitaire, à l'écart.

Isolement. — Séparation, solitude, délaissement.

Isoler. — Séparer, dégager.

Israélite. — Juif, Hébreu.

Issu. — Né, descendant.

Issue. — Sortie, ouverture, porte, résultat, fin, terme.

Itératif. — Répété, recommencé, renouvelé.

Itinéraire. — Chemin, route, passage, direction, guide.

Ivoirin. — Blanc.

Ivre. — Alcoolique, aviné, débauché, ému, enivré, excité, grisé, intempérant, ivrogne, pochard, saoul.

Ivresse. — Ébriété, débauche, griserie, intempérance, ivrognerie, enivrement.

Ivrogne. — (*V. Ivre.*)

J

Jaboter. — Babiller, bavarder, jaser.

Jacasser. — Crier, criailler, jaboter, bavarder, jaspiner.

Jacent. — Vacant.

Jacobin. — Démocrate avancé, sectaire, autoritaire.

Jactance. — Emphase, outrecuidance, suffisance, vantardise.

Jadis. — Autrefois, dans le temps, il y a longtemps, anciennement.

Jaillir. — Rejaillir, se dégager, s'élancer, bondir, sortir.

Jaillissement. — Jet, éjaculation, crachement, vomissement.

Jalousie. — Attachement, envie. — Émulation, rivalité. —

Défiance, soupçon, ombrage, inquiétude.

Jamais. — Un jour, à jamais, pour jamais. — En aucun temps.

Janot. — Niais.

Janséniste. — Moraliste, austère, puritain.

Japper. — Criailler, aboyer, piailler.

Jargon. — Patois, baragouin, argot, charabia.

Jaser. — Bavarder, babiller, jaspiner, jacasser. — Divulguer, critiquer.

Jaspé. — Mélé, taché, bigarré, marbré.

Jaspiner. — Jaser, bavarder, babiller, caqueter.

Jauger. — Mesurer, apprécier, estimer, peser.

Jaune. — Jaunet, jaunâtre. — Ambré, blond, citron, cuivré, doré, fauve, isabelle, ocreux, orangé, safrané. — Pâle, pâlot, bilieux. — Syndiqué timide.

Javeler. — Lier, attacher.

Jérémiade. — Gémissement, plainte, doléance, complainte, lamentation, litanie.

Jésuite (*fig.*). — Faux, hypocrite, affecté.

Jet. — Lancement, parcours, jaillissement, coulée, faisceau, pousse, élan.

Jeter. — Lancer, pousser, émettre. — Produire, prodiguer, proférer, verser. — Mettre, établir, construire. — Quitter, abandonner.

Jeu. — Plaisir, amusement, distraction, divertissement, récréation, réjouissance, fête,

sport. — Plaisanterie, tromperie. — Action, fonctionnement, mobilité, aisance, facilité, souplesse. — Combinaison, plan, série, collection, assortiment.

Jeune. — Neuf, nouveau, récent, adolescent, adulte, infant, impubère, jeunet, jouvenceau, éphèbe, mineur, nubile, printanier, virginal, vierge, frais, vif, inexpérimenté, irréfléchi, juvénile, naïf, novice.

Jeûne. — Abstinence, privation, diète.

Joaillerie. — Bijouterie, joyaux, pierrerie.

Jobard. — Sot, bête, niais, crédule, dupe, gobeur, jocrisse.

Jocrisse. — Niais, benêt, sot.

Joie. — Contentement, satisfaction, gaîté, plaisir, agrément, délice, volupté, sensualité, charme, épanouissement.

Joignant. — Attenant, contigu, proche.

Joindre. — Appliquer, unir, réunir, lier, relier, associer, allier, rallier, unifier, additionner, ajouter, accoupler, annexer, assembler, combiner, composer, coordonner, fusionner, grouper, juxtaposer, liguer, marier, mêler, nouer, raccorder, ramasser, rapporter, rapprocher, rassembler, renouer, sceller, serrer, solidariser, souder.

Joli. — Beau, agréable, aimable, charmant, coquet, délicat, délicieux, élégant, enjolivé, exquis, fin, frais, gent, gentil, gentillet, gracieux, joliet, mignon, plaisant, ravissant, riant.

Jonc. — Canne.

Joncher. — Parsemer, répandre, couvrir.

Jonglerie. — Adresse, tour, passe-passe, farce, prestidigitation. — Charlatanisme, tromperie, hypocrisie, imposture.

Jouer. — (*V. Jeu.*)

Joufflu. — Bouffi, boursouflé, mafflu.

Jouet. — Hochet, joujou. — Victime.

Joug. — Asservissement, servitude, sujétion, contrainte, attaches, lien.

Jouir. — Posséder. — Profiter, se réjouir de.

Jouissance. — Possession, usufruit, usage. — Plaisir, délice, volupté, sensualité.

Jouisseur. — Bambocheur, corrompu, dissipateur, épicurien, fêtard, libertin, luxurieux, paillard, sensuel, sybarite, voluptueux.

Jour. — Vie, époque, date.

Jours. — Clarté, lumière. — Éclaircissement. — Ouverture, fente.

Journal. — Récit, registre. — Publication, gazette, quotidien, organe, feuille, presse.

Journalier. — Quotidien, fréquent, habituel.

Journalisme. — Presse, publicité, courrier.

Jouter. — Combattre, lutter, discuter, rivaliser.

Jouteur. — Adversaire, rival, combattant, champion, lutteur, partenaire.

Jouvence. — Jeunesse.

Jouvenceau. — Jeune, adolescent, muguet.

Jovial. — Amusant, badin, bruyant, enjoué, communicatif, facétieux, folâtre, gai, guilleret, hilare, joyeux, plaisant, radieux, rayonnant, réjoui, riant, rieur.

Joyau. — Ornement, bijou, parure, garniture.

Joyeux. — Agaillardi, allègre, amusé, charmé, content, délecté, déridé, égayé, émoustillé, enchanté, enjoué, épanoui, folâtre, gai, guilleret, heureux, hilare, jovial, jubilant, plaisant, radieux, ravi, rayonnant, réjoui, riant, rieur, souriant, transporté, triomphant.

Jubilant. — (*V. Joyeux.*)

Jubilation. — Allégresse, réjouissance, hilarité, joie, transports.

Juché. — Haut assis, perché, monté, planté.

Jucher. — Percher, poser, loger, planter.

Judaïque. — Servile, littéral, minutieux.

Judas. — Délateur, déloyal, faux, hypocrite, traître, perfide. — Ouverture, fente, fissure, lucarne.

Judicieux. — Conséquent, droit, juste, logique, raisonnable, sage, sensé.

Juge. — Magistrat, arbitre.

Jugement. — Décision, arrêt, sentence, verdict, décret. — Opinion, avis, sentiment, conjecture, appréciation, thèse. — Bon sens, raison, entendement, intelligence, conception.

Jugeotte. — Bon sens, sens commun.

Juger. — Décider, conclure, statuer, prononcer, régler, fixer, décréter, arrêter, arbitrer. — Apprécier, estimer, conjecturer, se figurer, s'imaginer, être d'avis.

Juguler. — Égorger, étrangler, étouffer, ruiner, tourmenter, importuner, entraver.

Juif. — Israélite, hébreu. — Usurier, exploiteur.

Jumeler. — Accoupler, renforcer, attacher, adjoindre, conjuguer.

Jument. — Cavale.

Junior. — Cadet, dernier-né.

Jurer. — Affirmer, assurer, certifier, engager, promettre. — Blasphémer, pester, sacrer, maugréer.

Jurisconsulte. — Juriste, légiste.

Jurisprudence. — Droit, législation.

Juron. — Blasphème, imprécation.

Juste. — Droit, équitable, impartial, intègre, austère, consciencieux, scrupuleux, fondé, légitime, légal, justifié, raisonnable, exact, précis.

Justesse. — Précision, exactitude, véracité.

Justice. — Équité, impartialité, droiture, droit, bon droit, raison, convenance, légalité.

Justification. — Apologie, défense.

Justifier. — Excuser, disculper, prouver, défendre.

Juvénile. — Jeune, gai, pimpant.

K

Kabyle. — Berbère.

Kermesse. — Fête, foire, réjouissance, jeux, divertissement.

Khédive. — Vice-roi.

Kiosque. — Pavillon, belvédère, gloriette, tonnelle.

Knout. — Fouet, lanières.

Kyrielle. — Série, suite, théorie, litanie, chapelet, quantité, multitude, infinité, ribambelle.

Kyste. — Tumeur.

L

Labarum. — Étendard, bannière, enseigne, drapeau, guidon.

Labeur. — Travail, peine, ouvrage, besogne, occupation, corvée.

Labile. — Faible, fragile, caduc, piètre, précaire.

Laborieux. — Actif, assidu, diligent, occupé, studieux, zélé, travailleur. — Difficile, ardu, pénible, difficultueux, malaisé, occupant, absorbant, rude.

Labour. — Labourage.

Labourer. — Cultiver, déchirer, remuer, sillonner. — Peiner.

Labyrinthe. — Dédale, méandre, complication, détour.

Lacer. — Fixer, serrer, attacher, ficeler, nouer.

Lacérer. — Déchirer, diviser, morceler, mettre en pièces, mettre en lambeaux.

Lacet. — Cordon, lien, piège.

Lâchage. — Abandon, fuite.

Lâche. — Affaissé, débandé, déraidi, desserré, détendu. — Libre, lâché, large, mou, lent, inactif. — Capon, couard, craintif, froussard, fuyard, inquiet, poltron, pusillanime, timide, timoré, tremblant, trembleur.

Lâcher. — Abandonner, délaisser, déserter, évacuer, laisser, livrer, renier, sacrifier, trahir. — Dire, articuler, déclarer, émettre, énoncer, exprimer, formuler, proférer, prononcer. — Donner, accorder, adjuger, concéder, octroyer, vendre.

Lâcheté. — Poltronnerie, crainte, pusillanimité, couardise, peur. — Indignité, bassesse.

Lacis. — Entrelacement réseau.

Laconique. — Bref, court, concis, résumé, succinct, sommaire, abrégé, serré.

Lacs. — Lacets. — Rets, filets, piège, embûche.

Lacté. — Blanchâtre, blanc.

Lacune. — Solution, trou, vide, manque, oubli, omission, suppression.

Ladre. — Lépreux. — Avare, âpre, avaricieux, égoïste, intéressé, économe, lésineur, parcimonieux, pingre, rapace, serré, sordide, chiche.

Ladrerie. — Avarice, égoïsme, intérêt, parcimonie, rapacité.

Laid. — Défiguré, déformé, défraîchi, déplaisant, difforme, enlaidi, vilain, dégoûtant, honteux, ignoble, inélégant, messéant, répugnant, répulsif, laideron, repoussoir.

Laineux. — Duveteux, épais.

Laïque. — Profane, séculier, neutre, civil.

Laisse. — Attache, chaîne.

Laisser. — Abandonner, abdiquer, camper là, céder, confier, délaisser, déserter, évacuer, jeter, lâcher, livrer, planter là, quitter, renier, répudier, sacrifier, trahir, oublier. — Transmettre, léguer, donner. — Permettre, souffrir, tolérer.

Laisser de côté. — Mépriser, oublier, écarter.

Laisser derrière. — Dépasser, devancer, distancer.

Laisser aller. — Abandon, négligence, nonchalance, mollesse, indolence. — Naturel.

Laissez-passer. — Permis, sauf-conduit.

Laiteux. — Blanc, blanchâtre.

Lambeau. — Parcelle, fragment, morceau, débris, bribe, brin. — Loque, chiffon, haillon.

Lambin. — Apathique, empoté, engourdi, flâneur, flegmatique, inactif, indolent, lent, long, mollasse, mou, musard, nonchalant, traînard.

Lambiner. — Flâner, traîner, musarder, lanterner, fainéanter, baguenauder, paresser.

Lame. — Plaque. — Fil, tranchant. — Vague, flot.

Lamentable. — Accablant, affligeant, affreux, atterré, attristant, attristé, bouleversé, chagrin, consternant, consterné, contristé, cuisant, déchirant, déplorable, désagréable, désespérant, désolant, douloureux, éploré, geignant, gémissant, inconsolable, languissant, larmoyant, lugubre, misérable, navrant, navré, peiné, pénible, piteux, pitoyable, plaintif, pleurant, pleurard, pleureur, poignant.

Lamentation. — Gémissement, plainte, complainte, jérémiade,

doléance, affliction, désolation, chagrin.

Lampée. — Gorgée.

Lamper. — Boire, avaler, déguster, ingurgiter, vider.

Lançage. — Lancement.

Lance. — Pique, hallebarde, pertuisane, sagaie.

Lancé (*V. Lancer.*). — Florissant, arrivé, couronné, parvenu, prospère, célèbre, connu, manifeste, notoire.

Lancer. — Jeter, darder, décocher, émettre, envoyer, exhalter, injecter, précipiter, projeter. — Publier, annoncer, colporter, répandre, déclarer, dévoiler, divulguer, ébruiter, éditer, révéler, vulgariser, proclamer. — Aider, soutenir, patroner, patroniser.

Landes. — Friches, jachères.

Langage. — Langue, dialecte, idiome, parler, patois, argot, jargon, charabia, expression, élocution, style.

Langoureux. — Alangui, languissant, efféminé, douceureux.

Langueur. — Abattement, affaiblissement, accablement, découragement, apathie, indolence, inactivité, faiblesse, alanguissement, prostration, dépérissement.

Languir. — Être malade, être abattu, dépérir, être souffrant, souffrir, traîner, se consumer, s'en aller. — Être triste, dolent, mélancolique, tourmenté, peiné, miné. — Être lent, alangui, alourdi, endormi, somnolent, stagnant, traînant, traînard, végétant. — Être ennuyeux, long, monotone, pénible, uniforme. — Attendre, désirer.

Languissant. — (*V. Languir.*)

Lanière. — Courroie, lien.

Lanterner. — Allonger, atermoyer, attarder, différer, éterniser, prolonger, reculer, proroger, renvoyer, retarder, traîner, flâner, muser.

Laper. — Boire, lamper, sucer (*fam.*).

Lapidaire. — Concis. — Joailler, bijoutier.

Lapider. — Accabler, maltraiter, supplicier.

Lapilleux. — Dur, pierreux, granuleux.

Lapsus. — Faute, erreur, étourderie.

Laquais. — Valet, larbin, domestique, serviteur.

Laqué. — Poli, vernis, brillant.

Larbin. — Valet, laquais, domestique, serviteur, gens de maison.

Larcin. — Vol, soustraction, rapine, malversation, concussion, exaction.

Larder. — Engraisser, entrelarder.—Critiquer, frapper, cribler, percer, ridiculiser, dauber.

Lardé. — Gras. — Critiqué, percé, ridiculisé.

Lardon. — Pointe, flèche, trait, raillerie, sarcasme.

Large. — Abondant, ample, riche. — Étendu, déployé, écarté, épandu, épanoui, étalé, étiré, dilaté, élargi, évasé. — Libéral, bienfaisant, bon, charitable, désintéressé, donnant, donneur, humanitaire, magnifique, obligeant, philanthrope, prodigue. — Libre, carré, ouvert, intelligent.

Largesse. — Libéralité, générosité. — Don, présent, distribution, cadeau, pourboire.

Larmes. — Pleurs, sanglots.

Larmoyant. — Triste, pleurard, geignant, chagrin, pleurnicheur.

Larmoyer. — Pleurnicher.

Larron. — Voleur, déprédateur, escroc, filou, fripon.

Larronner. — Voler, dérober.

Larvé. — Masqué, déguisé.

Las. — Abattu, accablé, démoralisé, déprimé, écœuré, écrasé, lassé, usé, dégoûté, aigri, blasé, ennuyé, fatigué, rebuté.

Lascif. — Débauché, charnel, dépravé, léger, libertin, libidineux, licencieux, luxurieux, lubrique, paillard, polisson, relâché, scandaleux, sensuel, vicieux, voluptueux.

Lassant. — Affaiblissant, amollissant, débilitant, déprimant, efféminant, énervant, épuisant, exténuant, fatigant. — Ennuyeux, accablant, assommant, embêtant, endormant, ennuyant, fastidieux, insipide, languissant, pénible.

Lasser. — (*V. Lassant.*)

Lassitude. — épuisement, fatigue, harassement, prostration, dégoût, découragement, ennui, surmenage, abattement, accablement.

Latent. — Caché, obscur, secret.

Latéral. — Adjacent, attenant, avoisinant, limitrophe, tangent, voisin.

Latitude. — Étendue, extension, largeur. — Climat. — Liberté, faculté, possibilité, permission, facilité.

Laudatif. — Louangeur, adulateur, apologétique, approbateur, dithyrambique, flatteur, élogieux.

Lauréat. — Vainqueur, triomphateur, couronné.

Laurier. — Victoire, gloire, succès, triomphe, couronne.

Lavage. — Nettoyage, ablution, bain, blanchiment, lessivage. — Purification.

Lavement. — Clystère, injection.

Lavé. — Blanc, blanchi, débarbouillé, décapé, décrassé, détaché, écuré, lessivé, nettoyé, récuré, propre. — Incolore, décoloré, délavé, déteint, effacé. — Vengé, purifié, expié.

Laxatif. — Dépuratif, purgatif, rafraîchissant, relâchant.

Lazzi. — Plaisanterie, bouffonnerie, moquerie, nasarde.

Leader. — Chef, porte-parole.

Lécher. — Châtier, ciseler, étudier, finir, fouiller, limer, polir, pousser, raffiner, travailler.

Leçon. — Instruction, enseignement. — Recommandation, conseil, avis. — Variante.

Légal. — Juste, constitutionnel, décidé, décrété, édicté, juridique, légalisé, légitime, licite, permis, promulgué, publié, réglementaire, régulier, voté.

Légaliser. — Signer, vérifier, attester, certifier.

Légat. — Nonce, ambassadeur.

Légendaire. — Proverbial, traditionnel.

Légende. — Récit, tradition, fable, mythe.

Léger. — Aérien, allégé, déchargé, portatif, délesté, éthéré, gracile, grêle, impalpable, impondérable, menu, subtil, vaporeux, volatil, digestif. — Dispos, agile, rapide, gracieux. — Superficiel, changeant, oublieux, vague, versatile, étourdi, inconstant, inconsidéré. — Véniel, modéré. — Libre, grivois.

Légiste. — Juriste, jurisconsulte, législateur.

Légitime. — (V. Légal.)

Légitimer. — Reconnaître, excuser, justifier.

Legs. — Libéralité, donation testamentaire, héritage.

Léguer. — Donner, transmettre.

Lénitif. — Adoucissant, calmant, émollient, consolant.

Lent. — Ajourné, difficile, long, mesuré, méthodique, ralenti, retardé, tardif. — Apathique, engourdi, flâneur, flegmatique, inactif, indolent, irrésolu, inerte, lambin, lourd, mollasse, mou, musard, paresseux, retardataire, stagnant, temporisateur, traînard.

Lenticulaire. — Rond, bombé, convexe.

Léonin. — Injuste, abusif, arbitraire, opprimant, exorbitant, exagéré, outré, immodéré.

Lèpre. — Tare, tache.

Lépreux. — Contaminé, ignoble, immonde, répugnant, sordide.

Léser. — Blesser, atteindre, faire tort, nuire, desservir, déprécier, préjudicier.

Lésiner. — Desservir, déprécier, discréditer, messervir. — Épargner, liarder, marchander, compter, économiser, chipoter.

Lésineur. — Avare, sordide, ladre, mesquin, liardeur.

Lésion. — Blessure, fissure. — Dommage, préjudice.

Lessiver. — Blanchir, nettoyer, laver, savonner.

Leste. — Habile, léger, rapide, vif, alerte, agile, prompt. — Licencieux, croustilleux, décolleté, égrillard, épicé, gaillard, gaulois, grivois, lascif, libre, polisson, scabreux, vert (*fam.*).

Lester. — Garnir, charger, nourrir.

Léthargie. — Assoupissement, torpeur, apathie, coma, paralysie, somnambulisme.

Léthargique. — Endormant, ennuyeux, lent.

Lettre. — Épître, missive, dépêche, courrier, correspondance, billet, pli, mot, message. — Caractère.

Lettré. — Cultivé, docte, éclairé, meublé, humaniste.

Leurre. — Amorce, appât, embûche, piège, piperie, duperie.

Leurrer. — Abuser, attraper, décevoir, duper, enjôler, exploiter, frustrer, mystifier, tromper, piper, embobeliner.

Levain. — Ferment, germe.

Levant. — Est, Orient.

Lever. — Hausser, dresser, élever, soulever. — Oter, écarter, arracher, retirer, enlever, finir. — Prendre, percevoir, enrôler, ramasser, recruter.

Levrauder. — Poursuivre, harceler, assiéger, ennuyer.

Levure. — Levain, ferment, germe.

Lexique. — Dictionnaire.

Lézardé. — Craquelé, crevassé, fendillé, fissuré, fêlé.

Liaison. — Trait, jointure, adhérence, communication, union, attache, lien, accord, fréquentation, accointance, affinité.

Liant. — Souple, élastique, malléable. — Sympathique, aimable, affable, complaisant, abordable, accort, accueillant, agréable, doux, poli, sociable.

Liarder. — Lésiner, épargner, marchander, compter, économiser, chipoter.

Libelle. — Satire, pamphlet, factum, invective.

Libeller. — Écrire, exprimer, rédiger, tourner, composer, narrer.

Libéral. — Libre, affranchi, émancipé, indépendant. — Généreux, désintéressé, humain, humanitaire, large, noble.

Libéralité — Générosité, largesse, cadeau.

Libérateur. — Sauveur.

Libérer. — Affranchir, congédier, débarrasser, débrider, déchaîner, dégager, dégrever, délier, délivrer, dépêtrer, désenchaîner, détacher, dételer, élargir, émanciper, exempter, relâcher, relaxer, démuseler, découpler, débloquer.

Liberté. — Affranchissement

(*V. Libérer.*), indépendance, autonomie. — Permission, pouvoir, droit, faculté, licence, facilité. — Élargissement, relaxation.

Libertin. — Débauché, bambocheur, corrompu, cynique, démoralisé, dépravé, dévergondé, lascif, libidineux, lubrique, luxurieux, paillard, perverti, relâché, vicieux, immoral, déréglé, désobéissant, insoumis, irréligieux.

Libidineux. — (*V. Libertin*).

Libre. — Indépendant, autonome, affranchi. —(*V. Libérer.*) — Aisé, facile, ouvert, franc. — Grossier, hardi, familier, licencieux, indiscret, inconvenant, déboutonné, émancipé.

Libre penseur. — Esprit fort, irréligieux, incrédule, impie.

Licence. — Permission, concession, droit. — Dérèglement, excès, désordre.

Licencier. — Congédier, renvoyer.

Licencieux. — Déréglé, incorrect. — Impudique, indécent, grossier.

Licher. — Boire, pinter, lamper, siroter.

Licite. — Permis, loisible, juste, légal, fondé, légitime.

Licou. — Licol, lien.

Lie. — Sédiment, dépôt, boue, rebut.

Lied. — Chant, chanson, ballade, romance.

Lien. — Liaison, alliance, union, affinité, connexion, connexité, parenté. — Nœud, ligature, ligament, chaînes, fers, laisse.

Lier. — Attacher, fixer. — Joindre, unir, enchaîner, ficeler, ligoter, ligaturer.

Lieu. — Endroit, place, passage, emplacement, position, situation. — Occasion, sujet.

Ligature. — Ligament.

Ligne. — Trait, raie, barre. — Linéament, rayure, strie. — Rang, rangée, direction. — Voie de chemin de fer.

Lignée. — Lignage. — Race, sang. — Famille, maison, dynastie.

Ligoter. — Attacher, lier.

Ligue. — Coalition, confédération, alliance. — Parti, faction, cabale, brigue, intrigue, complot, conspiration, conjuration.

Limer. — Polir, raboter. — Châtier, corriger. — Retoucher, revoir.

Limier. — Espion, policier.

Limites. — Bornes, terme.

Limon. — Bourbe. — Boue, fange, crotte.

Limpide. — Transparent, clair, cristallin, net, pur.

Linceul. — Drap, enveloppe.

Lippée. — Bouchée. — Repas, bombance, ripaille, régal.

Liquéfier. — Dissoudre, fondre, délayer.

Liquide. — Fluide, limpide, clair, net.

Liquider. — Régler, payer. — Vendre.

Lire. — Déchiffrer, épeler, débiter, déclamer, articuler, dévorer, parcourir, feuilleter.

Liseur. — Lecteur.

Lisière. — Bande, barre. — Bord, extrémité, frontière.

Lisser. — Lustrer, polir, vernir.

Liste. — Catalogue, rôle, nomenclature, dénombrement, état, mémoire, inventaire, répertoire, énumération, relevé. — Tableau.

Lit. — Couche, couchette, litière, grabat.

Litanie. — Énumération, kyrielle, série, procession, succession, enchaînement.

Litigieux. — Contentieux, épineux.

Littéralement. — A la lettre, exactement, mot à mot.

Littérateur. — Homme de lettres, écrivain, auteur, publiciste.

Littérature. — Érudition, doctrine, science, savoir, lettres.

Littoral. — Rivage, bord, rive, côte, plage.

Livide. — Hâve, blême. — Blafard, pâle.

Livre. — Ouvrage, écrit. — Volume, brochure, plaquette, factum, libelle, bouquin (*fam.*). — Registre, livret.

Livrer. — Abandonner, céder, lâcher, délivrer, remettre, donner, trahir

Livret. — Catalogue, registre, répertoire. — Carnet, calepin.

Localité. — Espace, territoire, endroit, ville, bourg, village, cité, bourgade, paroisse, trou.

Locataire. — Fermier, preneur, amodiataire, loueur, métayer.

Locomoteur. — Locomotif.

Locomotive. — Machine.

Locuste. — Empoisonneuse.

Locution. — Expression, terme.

Loge. — Galerie, cabinet, cellule, cabine.

Logement. — Habitation, logis, maison. — Demeure, domicile, résidence, séjour, appartement, pied-à-terre.

Loger. — Habiter, demeurer, résider, gîter. — Héberger, abriter. — Caser, placer, introduire, mettre.

Logeur. — Hôte, hôtelier, aubergiste.

Logique. — Dialectique, raison, raisonnement. — Juste, naturel, rationnel.

Logis. — Logement, habitation, maison, appartement. — Demeure, domicile, résidence, séjour. — Auberge, hôtellerie. — Cabaret, taverne, gargote, guinguette.

Logographe. — Prosateur, écrivain.

Loi. — Décret, arrêt. — Droit, législation, code. — Légalité. — Obligation, prescription, règle, principe, nécessité. — Domination, conquête.

Lointain. — Éloignement, écartement. — Éloigné, reculé, distant.

Loisible. — Licite, permis. — Légitime, légal.

Loisir. — Oisiveté, désœuvrement. — Repos, répit, trève, congé, vacances. — Calme. — Permission. — Temps.

Long. — Lent, tardif, fastidieux, diffus. — Étendu, allongé, interminable.

Longer. — Marcher le long,

suivre. — Côtoyer, border.

Longuement. — Longtemps, au long. — Lentement.

Longueur. — Étendue, durée, lenteur.

Lopin. — Morceau, fragment, parcelle, division.

Loquacité. — Bavardage, babillage.

Loque. — Lambeau, morceau, fragment, chiffon, guenille, oripeau, haillon.

Lorgner. — Guigner, mirer, reluquer, dévisager, toiser. — Regarder, voir, examiner.

Lorgnette. — Jumelles. — Lunette, télescope, longue-vue.

Lorsque. — Quand, comme, au moment où, dans le cas où.

Lot. — Partage. — Portion. — Destinée, sort.

Loterie. — Tombola, hasard.

Lotir. — (V. *Partager*.)

Louange. — Éloge, applaudissement. — Félicitation, compliment, flatterie, adulation, panégyrique, apologie, encensement, apothéose.

Louangeur. — Laudatif. — Loueur, complimenteur, flatteur, adulateur, courtisan, élogieux, mielleux.

Louche. — Équivoque, ambigu, amphibologique. — Trouble, obscur, suspect.

Louer. — Affermer. — Donner des louanges, vanter. — Célébrer, préconiser, prôner, prêcher. — Exalter, relever, rehausser. — Bénir, glorifier.

Lourd. — Pesant, massif. — Balourd, butor. — Ganache, cruche, buse, âne, bête. —

Stupide, hébété, imbécile, idiot, inepte.

Lourdement. — Gauchement, grossièrement. — Pesamment, péniblement.

Lourderie. — Lourdise, balourdise.

Louvoyer. — Zigzaguer, tituber. — Retarder. — Tâtonner, hésiter.

Loyal. — Droit, vrai. — Franc, sincère, cordial, ouvert, rond.

Lubricité. — Lascivité, impudicité, luxure, paillardise, impureté.

Lucarne. — Fenêtre, ouverture, baie.

Lucide. — Lumineux, pénétrant. — Clair, net. — Clairvoyant, perspicace, sagace.

Lucidité. — Intelligence. — Clarté, netteté. — Clairvoyance, perspicacité.

Lucifer. — Satan, démon, diable.

Lucratif. — Profitable, fructueux, avantageux.

Lucre. — Gain, profit, bénéfice, émolument.

Lueur. — Lumière. — Clarté, éclat, splendeur. — Rayon, fulguration.

Lugubre. — Triste, chagrin, sombre, morose, morne, taciturne, ténébreux.

Luire. — Reluire, briller, éclater, resplendir.

Lumière. — Lueur, clarté, éclat, splendeur. — Flambeau, lampe, bougie, chandelle. — Jour. — Vie. — Eclaircissement, explication, renseignement, science, connaissances, savoir.

Lunatique. — Maniaque, fantasque, bizarre, fou, capricieux, quinteux.

Lunette. — Lorgnette, jumelles. — Télescope, longue-vue. — Bésicle, lorgnon, binocle, pince-nez, monocle.

Lustre. — Brillant, poli, éclat. — Suspension.

Lustrer. — Polir, vernir

Lutiner. — Taquiner, tourmenter, agacer.

Lutte. — Conflit, combat, guerre. — Contestation, différend, démêlé. — Dispute, discussion, controverse. — Contention, débat, altercation, querelle. — Crise, bisbille, noise, rixe.

Luxe. — Faste. — Magnificence, somptuosité, splendeur, pompe.

Luxure. — Lascivité, lubricité, impudicité, paillardise, débauche.

Luxuriance. — Abondance, richesse.

Lycée. — Gymnase, collège, pensionnat, école.

Lypémanie. — Mélancolie, tristesse.

M

Macabre. — Funèbre, lugubre, sépulcral.

Macadamisage. — Empierrement, pavage, dallage.

Macédoine. — Mélange, salmigondis, salade, mixture, ragoût.

Macérer. — Dissoudre. — Mortifier, mater.

Mâcher. — Broyer, mastiquer, couper, mordre. — Préparer, faciliter.

Machiavélique. — Perfide, astucieux, trompeur, traître, hypocrite, faux.

Machinations. — Menées, pratiques. — Manœuvres, manèges. — Intrigues, brigues. — Manigance, micmac (*fam.*).

Machinal. — Habituel, instinctif, automatique.

Machine. — Appareil, engin, mécanique, moteur, truc. — Locomotive.

Machiner. — Ourdir, tramer, manigancer (*fam.*), manœuvrer.

Machiniste. — Mécanicien.

Mâchoire. — Mandibule, dentition, dents. — Ganache, cruche, lourdaud.

Mâchurer. — Barbouiller, tacher, maculer, noircir, encrer.

Maçonner. — Édifier, bâtir, construire.

Maculé. — Taché, barbouillé, mâchuré, souillé, sali, moucheté, éclaboussé, crotté.

Madré. — Rusé, matois, finaud, adroit, habile, futé, dégourdi.

Madrier. — Planche, chevron, poutre.

Mafflu. — Mafflé, joufflu, mouflard, boursouflé, gonflé, bouffi, enflé (*fam.*).

Magasin. — Boutique, entrepôt, chantier, dépôt.

Magicien. — Sorcier, nécromancien, devin, alchimiste, charmeur, enchanteur, thaumaturge.

Magie. — Charme, enchantement, envoûtement, conjuration. — Sort, sorcellerie, sortilège, maléfice, ensorcellement, fascination. — Séduction.

Magique. — Féerique, merveilleux, extraordinaire, surprenant, étonnant, cabalistique, mystérieux, prestigieux, surnaturel, sibyllin.

Magister. — Maître, maître d'école, instituteur, pédagogue, précepteur, professeur. — Pédant, cuistre.

Magistral. — Beau, grand, important, noble, supérieur, parfait, puissant, solennel, superbe, magnifique.

Magistrat. — Juge, arbitre.

Magnanimité. — Grandeur d'âme, générosité, noblesse.

Magnétiser. — Électriser, enthousiasmer, fasciner, hypnotiser, séduire.

Magnificence. — Somptuosité, splendeur, pompe. — Luxe, faste, apparat, opulence.

Magnifique. — Riche, généreux, large. — Fier. — Superbe, somptueux, éclatant. — Brillant, pompeux, luxueux, fastueux, opulent.

Magot. — Épargne, réserve.

Mahométan. — Musulman, islamite.

Maigre. — Fluet, frêle, mince, chétif, étriqué, maigrelet, grêle, amaigri, émacié, maigret, étique. — Aride. — Futile.

Maigrement. — Petitement, chichement, mesquinement, pauvrement.

Maigrir. — Amaigrir, émacier, étriquer, atrophier.

Mail. — Maillet, marteau. — Promenade publique, boulevard.

Maillet. — Marteau, masse.

Main (Sous). — Sourdement. — Furtivement, à la dérobée. — En cachette, secrètement. — A la sourdine.

Mainmise. — Saisie.

Main-forte. — Assistance, aide, secours.

Maint. — Plusieurs, un grand nombre.

Maintenant. — Actuellement, présentement, à présent, aujourd'hui.

Maintenir. — Soutenir. — Tenir ferme, tenir bon. — Conserver, entretenir, défendre. — Affirmer, prétendre, assurer, certifier.

Maintien. — Contenance, port, prestance, représentation. — Air, mine.

Maison. — Logis, habitation, demeure, domicile, asile, résidence, séjour. — Château, hôtel, palais. — Maisonnette, chaumière, cabane, hutte. — Famille, lignée, sang, race. — Firme.

Maître. — Chef, commandant, souverain. — Propriétaire. — Maître d'école. — Expert.

Maîtresse. — Amante, concubine, amie, belle.

Maîtrise. — Domination, autorité. — Supériorité, habileté.

Maîtriser. — Se rendre maître, dompter, discipliner, assujettir, soumettre, vaincre, maintenir. — Gouverner, dominer.

Majesté. — Dignité, grandeur, pompe, prestige, éclat. — Souveraineté.

Majestueux. — Imposant, auguste, pompeux. — Solennel.

Majeur. — Grand, important, considérable.

Majuscules. — Capitales.

Mal. — Peine, douleur, souffrance, amertume, tourment, affliction, désolation. — Maladie. — Imperfection, tare, vice, insuffisance.

Malade. — Maladif, abattu, alité, indisposé, incommodé, égrotant, atteint, patraque (*fam.*). — Infirme, malingre. — Détraqué (*fam.*). — Altéré, vicié, gâté.

Maladie. — Mal. — Malaise, indisposition, affection, trouble, souffrance.

Maladif. — Malade. — Infirme, valétudinaire, cacochyme.

Maladresse. — Gaucherie, impéritie. — Inhabileté, impair, bourde, boulette, pas de clerc.

Maladroit. — Inhabile, gauche, malhabile, empoté, malavisé, gaffeur.

Malaise. — Ennui, inquiétude. — Déplaisir, mécontentement. — Tourment, douleur, souffrance. — Mal, maladie, indisposition.

Malaisé. — Difficile, difficultueux, ardu. — Incommode, pénible, gênant.

Malavisé. — Borné, peu subtil, bête. — Inconsidéré, imprudent.

Malaxer. — Pétrir, amollir, mollifier, assouplir.

Mal bâti. — Difforme, contrefait, mal fait.

Mâle. — Masculin. — Viril, énergique.

Malédiction. — Réprobation, condamnation. — Malheur, douleur, peine. — Anathème, imprécation.

Maléfice. — Sortilège, sort. — Charme, magie, envoûtement.

Malencontre. — Mésaventure. — Déconvenue.

Malentendu. — Méprise, mécompte, bévue. — Quiproquo, équivoque.

Malfaisant. — Mauvais, méchant, dangereux, funeste. — Nuisible, pernicieux, préjudiciable. — Calamité, catastrophe, désastre. — Guignon (*fam.*).

Malfait. — Contrefait, difforme, mal bâti.

Malfamé. — Diffamé, discrédité, déconsidéré.

Malgré. — Nonobstant, contre. — En dépit de.

Malhabileté . — Inhabileté. — Insuffisance, imperfection, gaucherie, maladresse.

Malheur. — Infortune, adversité, disgrâce, misère, détresse. — Accident, revers. — Échec, traverse.

Malheureux. — Misérable, infortuné, éprouvé, accablé,

frappé. — Funeste, fâcheux, désastreux, préjudiciable.

Malhonnête. — Déshonnête, indélicat, indigne. — Incivil, grossier.

Malice. — Méchanceté, malignité. — Espièglerie, taquinerie, farce, tour, finesse, ruse.

Malicieux. — Malin, espiègle, rusé, finaud, taquin, farceur. — Mauvais, méchant.

Malin. — Mauvais, méchant. — Malicieux. — Fin, rusé, finaud, futé. — Espiègle, taquin.

Malingre. — Chétif, délicat, souffreteux.

Malléable. — Souple, docile, plastique, élastique, flexible.

Malpropre. — Impropre. — Sale. — Indécent. — Immoral.

Malsain. — Nuisible à la santé. — Insalubre, pestilentiel. — Déraisonnable, dangereux.

Malséant. — Messéant, déplacé, inconvenant, grossier.

Maltôtier. — Traitant, partisan, financier. — Publicain.

Maltraiter. — Traiter mal. — Malmener.—Battre, brutaliser.

Malveillance. — Inimitié, animosité, ressentiment, rancune.

Malversation. — Concussion, exaction. — Vol.

Mamelon. — Éminence. — Colline.

Manchot. — Estropié. — Maladroit.

Mandat. — Procuration, commission, charge, délégation.

Mandement. — Injonction. — Instruction.

Mander. — Faire savoir. — Notifier, publier, communiquer. — Appeler, convoquer.

Mandibule. — Mâchoire.

Manèges. — Manœuvres. — Menées, pratiques. — Intrigues, brigues. — Manigances, micmacs.

Manger. — Prendre ses repas, déjeuner, goûter, dîner, souper. — Se restaurer, s'empiffrer, dévorer, absorber, avaler, ingurgiter, ingérer, consommer, se sustenter, croquer. — Entamer, ronger. — Dépenser, dissiper, prodiguer. — Exploiter, ruiner, gruger.

Maniaque. — Lunatique, original.

Manie. — Démence, folie, égarement, délire. — Tic, marotte, habitude.

Maniement. — Gestion, direction, administration.

Manier. — Toucher, tâter, palper. — Manœuvrer, doigté. — Façonner. — Diriger, gouverner. — Administrer, gérer.

Manière. — Façon, air, système, procédé, recette. —Affectation, exagération.

Maniéré. — Affecté. — Apprêté. — Recherché. — Prétentieux.

Manifeste. — Notoire, public, évident, clair, certain. — Déclaration. — Adresse. — Proclamation. — Profession de foi.

Manifester. — Révéler, dévoiler, découvrir, montrer, déclarer, annoncer, divulguer, publier.

Manigances. — Intrigues, brigues. — Manœuvres, manèges.

— Menées pratiques, machinations.

Manigancer. — Machiner, ourdir, tramer. — Intriguer, briguer. — Manœuvrer.

Manœuvre. — Manouvrier. — Ouvrier, travailleur.

Manœuvres. — Manèges, exercices. — Menées, pratiques, machinations. — Intrigues, brigues. — Manigances.

Manoir. — Résidence seigneuriale, château. — Logis, habitation, maison.—Demeure, domicile, résidence, séjour.

Manque. — Manquement, oubli, omission. — Défaut, absence, faute, privation, déficit, insuffisance, lacune, pauvreté, indigence.

Manquer. — Omettre, oublier, risquer. — Faire défaut. — Laisser échapper. — Rater.

Mansarde. — Comble, grenier.

Mansuétude. — Douceur. — Bonté, bénignité, bienveillance, bienfaisance.

Mante. — Manteau, chape, capuchon. — Voile. — Couverture.

Manteau. — Voile, masque.

Mantille. — Fichu, écharpe.

Manuel. — Abrégé, sommaire, précis, résumé, extrait, analyse. — Bréviaire, livre.

Manufacture. — Fabrique, usine, atelier.

Manutention. — Administration, gestion. — Boulangerie.

Maquette. — Ébauche, esquisse, projet, modèle, étude.

Maquiller. — Farder, truquer, sophistiquer.

Marais. — Marécage, mare.

Maraud. — Coquin, maroufle, bélître.

Marbrer. — Jasper, veiner, zébrer.

Marchand. — Négociant, commerçant, trafiquant, débitant.

Marchander. — Discuter, débattre le prix. — Hésiter.

Marchandises. — Denrées, pacotille, articles.

Marche. — Mouvement, fonctionnement. — Allure, démarche. — Conduite, manière d'agir, procédé. — Degré.

Marché. — Halle, foire. — Convention, accord, contrat, pacte.

Marcher. — Avancer, aller, venir, circuler, se promener, évoluer, arpenter.

Marécage. — (V. Marais.)

Marge. — Bord, bordure, pourtour. — Latitude, facilité.

Mari. — Époux, conjoint.

Mariage. — Union, alliance. — Hymen, hyménée. — Épousailles, noces.

Marier (Se). — S'allier, s'unir, se joindre, s'entrelacer.

Marin.— Maritime.— Nautique. — Naval. — Matelot.

Marmot. — Moutard. — Poupon, bambin. — Gamin, galopin, polisson.

Marotte. — Manie, tic, habitude. — Folie, égarement, démence.

Maroufle. — Coquin, maraud, bélître.

Marque. — Signe, indice, étiquette. — Trace.

Marquer. — Indiquer, désigner.

— Assigner, fixer. — Mander, écrire. — Témoigner.

Marri. — Fâché, repentant, ennuyé, peiné, contrit.

Marteau. — Mail, maillet, masse.

Marteler. — Frapper, battre, forger.

Martial. — Belliqueux, guerrier, militaire, crâne.

Martyre. — Maux, tourments, torture, souffrance, persécution.

Masque. — Voile, manteau, travesti, déguisement.

Masquer. — Déguiser, travestir. — Cacher, couvrir, dissimuler, voiler. — Farder.

Massacre. — Boucherie, carnage. — Tuerie.

Massacrer. — Tuer, assassiner, poignarder, égorger, occire.

Massif. — Lourd, pesant. — Plein. — Grossier, matériel.

Mat. — Terne. — Compact, lourd. — Sourd.

Matassin. — Paillasse, danseur, bouffon, comédien, pitre.

Mater. — Macérer, mortifier. — Humilier, dompter, abattre, calmer.

Matériaux. — Matières, documents, éléments.

Matériel. — Grossier, massif. — Lourd, pesant, sensuel.

Mathématique. — Calcul. — Précis, exact, rigoureux, ponctuel.

Matière. — Cause, sujet, occasion. — Substance, principe, élément. — Matériaux, documents.

Matin. — Matinée, de bonne heure.

Mâtin. — Dogue, molosse. — Luron, gaillard.

Matinal. — Matineux, matinier.

Matoiserie. — Tromperie, fourberie. — Ruse, artifice, astuce, perfidie.

Matricule. — Registre, rôle, liste.

Matrimonial. — Nuptial, conjugal.

Maturité. — Aoûtement, âge mûr, maturation, virilité.

Maudire. — Réprouver, condamner. — Détester, exécrer. — Anathématiser. — Vouer aux gémonies.

Maudit. — Anathématisé, damné, réprouvé, exécrable, haïssable.

Maugréer. — Maudire, jurer, pester, grogner.

Maure. — Arabe, Kabyle, musulman.

Mausolée. — Monument, catafalque, tombeau, caveau, chapelle, cénotaphe.

Maussade. — Chagrin, grognon, hargneux, désagréable, acariâtre, aigri, hypocondre, mélancolique.

Mauvais. — Malicieux, méchant, dangereux, désagréable, détestable, exécrable, néfaste, pernicieux, funeste, nuisible, vicieux. — Chétif, médiocre, manqué, insuffisant.

Maxime. — Pensée, précepte, règle, aphorisme, proverbe, adage.

Maximum. — Total, limite, sommité, éminence. — Suprême, supérieur.

Méandre. — Sinuosité, détour, caprice.

Mécanique. — Machine, arrangement, organisation. — Automatique, raide.

Mécaniser. — Tourmenter, ennuyer, agacer.

Mécène. — Protecteur, bienfaiteur, tuteur.

Méchanceté. — Malice, malveillance, médisance, perfidie, malignité.

Méchant. — Agressif, désobligeant, ennemi, haineux, malfaisant, malin. — Méconnaissant, malveillant, mauvais, perfide. — Ingrat.

Mécompte. — Erreur, déficit, insuccès, revers.

Mécontent. — Malcontent, choqué, déçu, ennuyé, triste, vexé, dépité.

Mécontentement. — Déplaisir, dépit, déception.

Mécréant. — Impie, incrédule, infidèle, irréligieux.

Médecin. — Docteur, praticien.

Médecine. — Remède, potion, purgation, cure, régime, traitement.

Médiat. — Intermédiaire.

Médiateur. — Conciliateur, négociateur, intermédiaire, arbitre.

Médiation. — Intervention. — Accord, arrangement, arbitrage.

Médicament. — Remède, drogue, médecine.

Médication. — Traitement.

Médiocre. — Commun, faible, grossier, imparfait, insignifiant, mal, mauvais, modéré, insuffisant, mesquin, petit.

Médiocrité. — Insuffisance, mesquinerie, petitesse, pauvreté.

Médisance. — Propos, cancans, bavardage, racontars, méchancetés.

Méditatif. — Penseur, pensif, rêveur, absorbé.

Méditation. — Réflexion, attention, application, songerie, rêverie.

Méditer. — Penser, réfléchir, imaginer, combiner, rêver, projeter, préméditer, songer à, se proposer.

Médium. — Intermédiaire.

Meeting. — Réunion, assemblée.

Méfiance. — Défiance, crainte, soupçon, suspicion, appréhension.

Méfiant. — Soupçonneux, ombrageux, défiant, craintif, timoré.

Mégarde. — Inadvertance.

Mégère. — Acariâtre, furie. — Maritorne.

Meilleur. — Supérieur, préférable, amélioré, perfectionné, bonifié.

Mélancolie. — Tristesse, chagrin, ennui, langueur, rêverie.

Mélange. — Combinaison, mixture, ragoût, salade, union, alliage, amalgame, association, confusion, fusion, incorporation.

Mélangé. — Mêlé, complexe, désordonné, varié, panaché.

Mêlé. — Allié, amalgamé, bigarré, confondu, désordonné, embrouillé, entrelacé, fondu, incorporé, varié, emmêlé, enchevêtré, entortillé.

Melliflu. — Mielleux, doucereux.

Mélodieux. — Agréable, harmonieux, musical.

Mélodrame. — Drame, tragédie.

Mélopée. — Mélodie.

Mélusine. — Lugubre, déchirant. — Fée.

Membrane. — Tissu.

Membre. — Organe, partie, corps.

Membrure. — Carcasse, ossature.

Memento. — Livret, carnet, agenda, mémorandum.

Mémoire. — Souvenir, souvenance, réminiscence, rappel. — Compte, dissertation, écrit, annales.

Mémorable. — Important, marquant, glorieux.

Menaçant. — Dangereux, inquiétant, futur, comminatoire.

Menace. — Intimidation, mise en demeure, provocation.

Ménage. — Économie, gestion.

Ménagement. — Mesure, prudence, attentions, égards, considération.

Ménager. — Arranger, conserver, réserver, économiser, préparer, soigner, épargner. — Économe, soigneux.

Mendiant. — Pauvre, misérable, gueux, indigent, nécessiteux.

Mendier. — Demander, quêter, solliciter.

Menée. — Intrigue, pratiques, cabale.

Mener. — Conduire, guider, diriger, amener, transporter, piloter.

Ménestrel. — Ménétrier, chanteur, trouvère, troubadour.

Meneur. — Chef, instigateur, entraîneur.

Menotte. — Main. — Lien, attache, chaîne, cabriolet, poucettes.

Menotter. — Lier, attacher, enchaîner, ligoter, garotter.

Mensonge. — Menterie, fausseté, tromperie, hâblerie, — Conte, fiction, fable, artifice, mystification.

Menteur. — Trompeur, hâbleur, imposteur.

Mention. — Rappel, signalement, citation.

Mentir. — Tromper, mystifier.

Menu. — Petit, mince, léger, fin, faible, chétif.

Menuiserie. — Boiserie.

Méphistophélique. — Infernal, diabolique.

Méphitique. — Infect, empoisonné, fétide, malsain, puant.

Mépris. — Dédain, raillerie, mésestime.

Méprisable. — Honteux, abject, avili, bas, déconsidéré, dégradé, ignoble, inavouable, infâme, vilain, odieux, ignominieux, taré, disqualifié.

Méprise. — Erreur, inadvertance, quiproquo.

Mépriser. — Avilir, déprécier, négliger, dédaigner, ravaler.

Mercantilisme. — Trafic, commerce, gain, exploitation.

Mercenaire. — Salarié, vénal, stipendié, tributaire.

Merci. — Pitié, grâce, miséricorde, indulgence.

Mercuriale. — Réprimande, reproche.

Méritant. — Estimé, honorable, digne.

Mérite. — Valeur, talent, capacité.

Mériter. — Encourir, valoir.

Méritoire. — Bien, bon, estimé.

Merveille. — Prodige, miracle, phénomène.

Merveilleux. — Étonnant, excessif, extraordinaire, imaginaire, magique, miraculeux, prodigieux, rarissime, fantastique, surnaturel.

Mésaise. — Malaise.

Mésallier. — Abaisser.

Mesquin. — Pauvre, chétif, maigre, chiche, parcimonieux, économe, avare, avaricieux, regardant.

Message. — Commission, dépêche, exprès.

Messager. — Commissionnaire, porteur, délégué, ambassadeur.

Messéant. — Inconvenant, malséant, indécent.

Messie. — Envoyé, libérateur, Christ.

Mesure. — Modération, retenue, raison, sagesse, harmonie, cadence. — Évaluation, dimension, comparaison, limites, bornes, arpentage.

Mesuré. — (*V. Mesurer.*) — Lent, régulier, réglé, circonspect, prudent.

Mesurer. — Évaluer, estimer, calculer, apprécier, juger, toiser, métrer, arpenter, tarer, cuber, doser, jauger.

Mésuser. — Abuser.

Métairie. — Ferme.

Métamorphose. — Changement, transformation, mutation, modification, métempsycose.

Métaphore. — Figure, image.

Métaphysique. — Abstrait.

Métayer. — Cultivateur, fermier.

Métempsycose. — Transmigration, passage, métamorphose.

Métèque. — Étranger.

Méthode. — Manière, marche, procédé, système, usage, coutume, ordre, ordonnance.

Méthodique. — Exact, lent, réglementaire, systématique, réglé, régulier, soigneux, ordonné.

Méticuleux. — Scrupuleux, minutieux, méthodique.

Métier. — Pratique, occupation, profession, état, gagne-pain, industrie, fonction, partie, branche.

Métrer. — Mesurer.

Métropole. — Capitale.

Mets. — Aliments, nourriture.

Mettable. — Suffisant.

Mettre. — Placer, poser, disposer, ranger, arranger, combiner. — Conduire, introduire. — Revêtir, appliquer, étendre. — Employer, manifester.

Meuble. — Léger, mobile, ameubli (*agr.*). — Ameublement, mobilier.

Meubler. — Garnir, orner, embellir, parer, enrichir.

Meule. — Tas.

Meurtre. — Assassinat, homicide, crime.

Meurtrier. — Assassin, homicide.

Meurtrir. — Blesser, endommager, froisser, peiner.

Meurtrissure. — Blessure, tache, atteinte.

Meute. — Troupe, bande, chiens.

Miasme. — Émanation, décomposition, putréfaction.

Microbe. — Bactérie, bacille.

Microscopique. — Minuscule.

Midi. — Sud.

Mielleux. — Doucereux, douceâtre, affecté, flatteur, hypocrite, cauteleux, insinuant.

Miette. — Parcelle, morceau, débris.

Mieux. — Meilleur, préférable.

Mièvre. — Affecté, amolli, maigre, chétif.

Mièvrerie. — Affectation, recherche, puérilité.

Mignard. — Affecté, délicat, gentil, gracieux, maniéré.

Mignardise. — Gentillesse affectation, afféterie.

Mignon. — Délicat, gentil, aimable, doux, chéri, favori.

Mignoter. — Dorloter, caresser, cajoler.

Migration. — Changement, déplacement, départ.

Mijoter. — Cuire, préparer, mitonner. — Soigner, caresser, flatter.

Milice. — Troupe, armée, garde nationale.

Milieu. — Centre, cœur, noyau, intérieur, entourage, endroit, espace, ambiance, foyer.

Militaire. — Soldat, guerrier, troupier.

Militer. — Combattre.

Milliardaire. — Richissime.

Mime. — Comique, imitateur.

Minable. — Pauvre, lamentable, misérable, pitoyable.

Minauderie. — Mines, manières, affectation, agaceries, chatteries.

Mince. — Atténué, délicat, délié, effilé, étroit, fin, grêle, léger, menu, subtil, ténu.

Mine. — Expression, figure, air, masque, traits, visage, face. — Galerie, carrière, souterrain.

Miner. — Entamer, creuser, fouiller, abattre, consumer, ronger, détruire, ruiner, attrister.

Mineur. — Moindre, inférieur.

Miniature. — Réduction.

Minime. — Infime, minuscule, menu, ténu, imperceptible.

Ministère. — Coopération, entremise, fonction, charge. — Département.

Ministre. — Prêtre, ambassadeur.

Minorité. — Tutelle.

Minuscule. — Minime, infime, lilliputien.

Minute. — Brouillon, original, modèle, manuscrit.

Minutie. — Vétille, bagatelle, babiole, frivolité.

Minutieux. — Difficile, exact, formaliste, mesquin, méticuleux, pointilleux, scrupuleux, soigneux, tatillon, vétilleux.

Miracle. — Merveille, prodige, phénomène.

Miraculeux. — Surprenant, étonnant, merveilleux, prodigieux, phénoménal, extraordinaire, fantastique, mirifique, fabuleux, surnaturel.

Mirage. — Illusion, trompe-l'œil, vision, rêveries, chimères, utopie.

Mirer. — Regarder, viser, admirer, contempler.

Mirifique. — Beau, étonnant, extraordinaire.

Mirliflore. — Dandy, fashionable, gandin, godelureau, freluquet, muscadin, gommeux, élégant.

Mirobolant. — Merveilleux, surprenant, extraordinaire.

Miroir. — Glace, psyché.

Miroitant. — Brillant, éclatant.

Miroiter. — Réfléchir, scintiller, séduire.

Misanthrope. — Bourru, sauvage, chagrin, insociable, triste, sombre, atrabilaire, ours, loup, pessimiste.

Mise. — Enchère, enjeu. — Tenue, habillement, costume, accoutrement.

Misérable. — Pauvre, malheureux, lamentable, minable, honteux, indigent. — Mauvais, méchant, criminel, malhonnête, méprisable.

Misère. — Pauvreté, indigence, dénuement, pénurie, mendicité.

Miséricorde. — Compassion, pitié, grâce, pardon.

Miséricordieux. — Charitable, clément, compatissant, débonnaire, généreux, pitoyable, sensible.

Missel. — Paroissien, livre, bréviaire.

Mission. — Pouvoir, délégation, fonction, ambassade.

Missionnaire. — Prédicateur, propagateur, prêcheur.

Missive. — (*V. Lettre.*)

Mitaine. — Gant.

Mitiger. — Adoucir, tempérer, diminuer, atténuer, pallier.

Mitonner. — Cuire, cuisiner, préparer, soigner.—Préméditer.

Mitoyen. — Commun, voisin, intermédiaire.

Mixte. — Complexe, combiné, composé, mélangé.

Mixtion. — Mélange, mixture, composition, combinaison, amalgame, salade.

Mobile. — Agile, capricieux, changeant, flottant, inégal, mouvant, remuant, variable.

Mobilier. — Meuble, ameublement.

Mobiliser. — Lever, recruter, enrôler, appeler, réunir, enrégimenter, embrigader.

Mobilité. — Promptitude, facilité, activité.

Modalité. — Manière.

Mode. — Forme, méthode. — Manière, fantaisie, vogue, usage, pratique, élégance, coutume, habitude, engouement.

Modèle. — Type, règle, exemple.

Modelé. — Forme, relief.

Modeler. — Régler, conformer, ébaucher.

Modération.— Retenue, mesure, sagesse, réserve, pondération, discrétion, raison.

Modérer. — Adoucir, mesurer, pondérer, retenir, raisonner, calmer.

Moderne. — Actuel, dernier, nouveau.

Moderniser. — Rajeunir, rénover, renouveler.

Modeste. — Bas, chaste, confus, pudibond, décent, honteux, humble, insignifiant, pauvre, petit, réservé, retenu, timide.

Modestie. — Pudeur, réserve, décence, retenue.

Modifier. — Changer, corriger, amender, varier, dénaturer.

Modique. — Insignifiant, mince.

Moduler. — Chanter, varier.

Moelleux. — Agréable, doux, souple, mou, velouté.

Mœurs. — Habitudes, coutumes, usages, conduite.

Moindre. — Inférieur, réduit, raccourci, abrégé.

Moine. — Religieux, solitaire, ermite.

Moiré. — Rayé, varié, chatoyant.

Moisi. — Pourri, putréfié, décomposé, ranci.

Moisson. — Récolte, coupe, cueillette, fenaison, résultat, gain.

Moissonner. — Récolter, cueillir, recueillir, gagner. — Dépouiller, faire périr, faucher.

Moite. — Humide, humecté, mouillé

Moiteur. — Transpiration, humidité, sueur.

Moitié. — Demi, semi, mi.

Môle. — Jetée, digue, brise-lames.

Molécule. — Élément, atome, particule.

Molester. — Tourmenter, vexer, ennuyer, persécuter, secouer, importuner.

Mollasse. — Lent, mou, flasque, inconsistant, apathique, indolent, endormi, engourdi.

Mollement. — Paresseusement, faiblement, lentement, flegmatiquement, gracieusement, doucement.

Mollesse. — Indolence, paresse, lenteur, flegme, abandon, souplesse.

Mollet. — Mou, tendre.

Molletonneux. — Doux, moelleux.

Mollir. — Faiblir, céder, plier.

Molosse. — Mâtin, dogue.

Moment. — Temps, instant, circonstance, occasion.

Momentané. — Passager, temporaire, provisoire, précaire, rapide, éphémère, fragile, bref.

Mômerie. — Singerie, mascarade.

Momifier. — Dessécher, amaigrir, atrophier, tarir. — Embaumer.

Monacal. — Claustral, monastique, solitaire.

Monarchie. — Royauté, souveraineté, gouvernement, autorité.

Monarque. — Roi, empereur, souverain, prince, potentat.

Monastère. — Cloître, couvent, abbaye, prieuré, ermitage.

Monceau. — Tas, amas, amoncellement.

Mondain. — Civilisé, élégant, profane, futile, frivole.

Mondanisé. — Civilisé.

Mondanité. — Vanité, frivolité, futilité.

Monde. — Terre, univers, astre, planète, globe, lieu. — Société, gens, population, peuple, ensemble.

Monder. — Nettoyer, débarrasser, purifier.

Mondial. — Universel, énorme, considérable.

Monnaie. — Numéraire, espèces.

Monographie. — Description.

Monologue. — Soliloque.

Monomanie. — Passion, idée fixe, folie.

Monopole. — Privilège, possession, centralisation, trust, accaparement.

Monotone. — Uniforme, continu, régulier, ennuyeux.

Monstre. — Prodige, épouvantail, phénomène.

Monstrueux. — Énorme, colossal, extraordinaire, excessif, phénoménal, bizarre, épouvantable, affreux, effrayant, difforme.

Monstruosité. — Énormité, bizarrerie, anomalie, difformité.

Montagne. — Mont, colline, élévation, chaîne, amas.

Montagneux. — Montueux, inégal, escarpé, rocheux, abrupt, à pic.

Montant. — Pièce, poutre. — Total. — Qualité, goût.

Montée. — Escalier, marche, degré, côte.

Monter. — Gravir, franchir, grimper, escalader, atteindre, s'élever. — Hausser, élever. — Assembler, ajuster, disposer, dresser, combiner.

Monticule. — Éminence, colline.

Montre. — Parade, étalage, apparat, ostentation, exposition, vitrine.

Montrer. — Afficher, arborer, exhiber, découvrir, démasquer, dévoiler, manifester, faire voir, mettre à nu, mettre en évidence, professer, publier, trahir, témoigner, présenter. — Enseigner, exposer, apprendre.

Montueux. — Accidenté, montagneux.

Monture. — Cheval. — Support.

Monument. — Édifice, ouvrage, tombeau, mausolée.

Monumental. — Étonnant, extraordinaire, grandiose, majestueux, prodigieux.

Moquer (Se). — Railler, ridiculiser, bafouer, jouer, leurrer, narguer, persifler.

Moquerie. — Dérision, ironie, raillerie, persiflage, plaisanterie.

Moqueur. — Acéré, caustique, chineur, daubeur, facétieux, impertinent, ironique, mordant, persifleur, railleur, satirique.

Moral. — Sérieux, sage, strict, sévère. — Immatériel, spirituel, intellectuel.

Morale. — Règle, doctrine, conduite, précepte, réprimande.

Moraliser. — Prêcher, réprimander, sermonner, catéchiser.

Moralité. — Conclusion. — Conduite, conscience, délicatesse.

Morbide. — Corrompu, gâté, malade, maladif, mou.

Morceau. — Partie, fragment, branche, lambeau, parcelle, fraction, division.

Morceler. — Diviser, partager, séparer, sectionner, fractionner, scinder, émietter, démembrer.

Mordant. — Acide, caustique, moqueur, satirique, incisif, humoriste.

Mordicus. — Obstinément, avec ténacité, avec acharnement, avec entêtement.

Mordre. — Broyer, écraser, déchirer, lacérer, ronger, mâcher, accrocher.

Morfondre (Se). — Attendre, s'ennuyer, languir.

Morfondu. — Transi, saisi.

Morgue. — Fierté, orgueil, suffisance, amour-propre, hauteur, arrogance.

Morguer. — Braver, toiser.

Moribond. — Mourant, agonisant, in extremis.

Morigéner. — Tancer, réprimander, gronder, gourmander, sermonner, chapitrer, admonester, secouer.

Morne. — Silencieux, triste, accablé, abattu, taciturne.

Mornifle. — Gifle, claque, soufflet, calotte.

Morose. — Sombre, bourru, chagrin, hargneux, grognon, morne.

Mort. — Fin, décès, trépas. — Décédé, défunt, trépassé, cadavre, dépouille mortelle.

Mortalité. — Destruction.

Mortel. — Humain, périssable. — Destructeur, dangereux, douloureux, cruel, pénible.

Mortellement.— Extrêmement, excessivement, irréparablement.

Mortifiant. — Honteux, injurieux, humiliant.

Mortifié. — Confus, ennuyé, repentant, peiné, chagriné, humilié, blessé, froissé.

Mortifier. — Affliger, humilier, chagriner, peiner, attrister, faire affront.

Mot.— Parole, terme, expression. — Lettre, billet. — Trait, sentence, diction, saillie.

Moteur. — Machine.

Motif. — Mobile, cause, raison, principe, origine, fin, mot, pourquoi.

Motion. — Proposition.

Motivé. — Expliqué, appuyé, raisonné, justifié.

Motiver. — Causer, nécessiter, expliquer, justifier.

Motte. — Masse.

Motus. — Silence. — Chut !

Mou. — Amolli, avachi, doux, élastique, énervé, féminin, flasque, flexible, inconsistant, inerte, lâche, langoureux, lent, plastique, souple, tendre, traînant, veule, maniable, mollasse.

Mouchard. — Espion, délateur, cafard, rapporteur, mouche.

Mouche. — Insecte, moucheron.

Moucheté — Tacheté, veiné, marbré, bigarré.

Moudre. — Écraser, broyer, pulvériser. — Accabler, réduire.

Moue. — Grimace, lippe, bouderie.

Mouiller. — Arroser, baigner, humecter, imbiber, inonder, tremper, suer. — Jeter l'ancre, s'arrêter.

Moule. — Type, forme, modèle, matrice.

Moulé. — Beau, réussi, adhérent, parfait.

Moulinet. — Tourniquet.

Moulu. — Écrasé, broyé, pulvérisé. — Endolori, rompu, las, brisé, fatigué, fourbu, surmené, esquinté.

Mourant. — Agonisant, languissant, moribond. — Faible, affaibli, lent, éteint.

Mourir. — Finir, s'éteindre, s'affaiblir, s'en aller.

Mousse. — Écume, bave.

Mousseux. — Écumeux, crémeux, baveux.

Moutonner. — Onduler, friser, écumer, s'agiter, déferler.

Moutonnier. — Imitateur.

Mouvant. — Mobile, agité, instable, changeant.

Mouvement. — Changement, déplacement, activité, marche, vitesse, manœuvre, évolution, variation, impulsion, agitation, circulation, remuement. — Vivacité, turbulence, pétulance.

Mouvementé. — Agité, mobile, variable, varié, inégal, houleux.

Mouvoir. — Agiter, exciter, remuer, déplacer, changer, entraîner, déterminer, secouer, actionner, pousser, stimuler.

Moyen. — Entremise, pouvoir, faculté, procédé, méthode, voie. — Commun, intermédiaire. — Modéré, simple, ordinaire, médiocre.

Moyens. — Richesses, fortune.

Muable. — Variable, mobile, inconstant.

Muer. — Changer, varier, se transformer.

Muet. — Silencieux, aphone, taciturne.

Mufle. — Museau.

Mugir. — Rugir, retentir, faire rage.

Mugissant. — Rugissant, bruyant, tempêtueux, violent, déchaîné.

Muguet. — Élégant, affecté, coquet.

Mule. — Pantoufle, sandale, babouche, chausson, savate.

Mulet. — Métis. — Entêté, têtu.

Multicolore. — Coloré, varié.

Multiforme. — Varié, polymorphe.

Multiple. — Nombreux, complexe, fréquent, divers.

Multiplication. — Augmentation, accroissement.

Multiplier. — Augmenter, croître, accroître, décupler.

Multitude. — Foule, affluence, peuple, cohue, rassemblement, masse, nuée, abondance.

Municipal.—Communal, urbain.

Municipalité. — Commune, mairie, édilité, conseil municipal.

Munificence. — Largesse, libéralité, donation.

Munir. — Pourvoir, approvisionner, assurer, entourer, couvrir, équiper, meubler, nantir, orner, outiller, garnir.

Munitions. — Approvisionnements, armements, provisions, victuailles.

Mur. — Muraille, enceinte, rempart, cloison, clôture, paroi, barrière.

Mûr. — Avancé, formé, développé, préparé, posé, réfléchi.

Muraille. — Mur, clôture.

Muré.—Caché, fermé, barricadé, enclos.

Mûri. — Étudié, mûr, préparé, projeté, sensé, approfondi.

Mûrir. — Approfondir, se développer, croître, se former, vieillir.

Murmure.—Bruit, grondement, plainte, protestation.

Musard. — Lent, oisif, traînard, paresseux, flâneur, fainéant.

Muscadin. — Petit-maître, élégant, gommeux, muguet.

Musclé. — Vigoureux, nerveux, musculeux, solide.

Musculeux. — (*V. Musclé.*)

Musée. — Collection, galerie.

Museler. — Attacher, dompter, enchaîner.

Muser. — Flâner, traîner, baguenauder.

Musical. — Chantant, harmonieux, mélodieux, rythmé.

Musqué. — Élégant, affecté, recherché, parfumé.

Mutation. — Changement, succession, remplacement.

Mutilation. — Coupure, blessure, ablation.

Mutiler. — Couper, retrancher, blesser, détériorer, briser.

Mutin. — Vif, éveillé, piquant. — Obstiné, insoumis, rebelle, révolté, désobéissant.

Mutinerie. — Révolte, insubordination, sédition.

Mutisme. — (*V. Silence.*)

Mutuel.—Alternatif, réciproque, solidaire.

Mystérieux. — Secret, inconnu, invisible, magique, obscur, impénétrable, caché.

Mystifier. — Abuser, tromper, ridiculiser, leurrer, duper.

Mystique. — Obscur, pieux, religieux.

Mythe. — Fiction, légende, fable.

N

Nabot. — Petit, trapu, nain, gnome, pygmée, avorton.

Nacré. — Brillant.

Nager. — Flotter.

Naïf. — Simple, candide, franc, ingénu, innocent, naturel, pur, sincère. — Crédule, niais, nigaud, puéril.

Nain. — (*V. Nabot.*)

Naissance. — Race, famille, origine, extraction, lignée, descendance. — Éclosion, nativité.

Naissant. — Initial, jeune, né, nouveau, petit, commençant.

Naître. — Commencer, provenir. — Éclore, s'ouvrir.

Nantir. — Garnir, pourvoir, donner.

Nappe. — Étendue, surface.

Narcotique. — Assoupissant, endormant, ennuyeux, assommant, soporifique.

Narguer. — Braver, bafouer, se moquer, railler.

Narquois. — Moqueur, persifleur, ironique, gouailleur, goguenard.

Narration. — Récit, nouvelle, histoire, description.

Natal. — National, originel.

Natif. — Naturel, né, insulaire, originaire, indigène.

Nation. — Pays, peuple, nationalité, population, race.

Nationalisme. — Patriotisme, chauvinisme.

Nationalité. — (*V. Nation.*)

Natter. — Tresser, tordre, entrelacer, croiser.

Naturaliser. — Incorporer, introduire, acclimater, habituer.

Naturalisme. — Réalisme.

Nature. — Constitution, tempérament, complexion, humeur, tendance, disposition. — Sorte, espèce, qualité. — Universalité, création.

Naturel. — Pur, aisé, facile, franc, inné, instinctif, intime, involontaire, irréfléchi, logique, naïf, simple, spontané, vrai.

Naufrage. — Rupture, échec, désastre, ruine, sinistre, échouage, submersion.

Nauséabond. — Dégoûtant, répugnant, rebutant.

Nautique. — Maritime.

Naval. — Maritime.

Navigateur. —Voyageur, marin, matelot.

Navire. — Bateau, bâtiment, vaisseau, embarcation, nef.

Navrant. — Triste, affligeant, désolant, accablant, atterrant, consternant, déchirant, désespérant, douloureux, lamentable, malheureux, pitoyable, poignant.

Nébuleux. — Nuageux, obscur, trouble, terne, triste, vague, incertain, problématique.

Nécessaire. — Absolu, certain, commandé, écrit, fatal, forcé, immanquable, indispensable, inévitable, obligatoire, ordonné, requis, rigoureux, urgent.

Nécessité. — (*V. Nécessaire.*) — Besoin, indigence, détresse, dénuement, pauvreté.

Nécessiteux. — Pauvre, besogneux, miséreux, indigent.

Nef. — Navire, embarcation, vaisseau, bateau, bâtiment. — Galerie.

Néfaste. — Malheureux, mauvais, nuisible, fatal, funeste, pernicieux.

Négatif. — Nul, négligeable.

Négligeable. — Nul, petit, vain, inutile, insignifiant, dérisoire, minime, minuscule, infime.

Négligence. — Insouciance, incurie, laisser aller.

Négliger. — Omettre, laisser, abandonner.

Négoce. — Industrie, commerce, affaires.

Négociant.—Commerçant, marchand, trafiquant, boutiquier.

Négocier. — Trafiquer, escompter, traiter, marchander, brocanter, débiter. — Traiter, s'arranger.

Néophyte. — Nouveau, novice, converti.

Nerf. — Force, énergie.

Nerveux. — Énervé, excité, initié, vif, énergique, vigoureux. — Névrosé, hystérique.

Nervure. — Arête, saillie.

Net. — Absolu, clair, distinct, franc, intelligible, propre, pur, vide, immaculé.

Nettoyer. — Débarrasser, rapproprier, purifier, purger, vider, essuyer, brosser, balayer.

Neuf.— Inconnu, inexpérimenté, inhabile, nouveau, récent, réparé.

Neurasthénique. — Faible, nerveux, sombre.

Neutraliser.—Arrêter, annuler, supprimer, détruire, amoindrir, affaiblir.

Neutre. — Impartial, indécis, nul, stérile, vague.

Névrosé. — Nerveux, neurasthénique, hystérique.

Niais. — Bête, naïf, badaud, simple, nigaud.

Niaiserie. — Bagatelle, babiole, frivolité, sottise, futilité.

Niche. — Farce, malice, espièglerie, plaisanterie. — Réduit.

Nicher. — Placer, blottir, loger, mettre. — Séjourner, s'établir, résider, percher.

Nid. — Aire, nichée, couvée.

Nier. — Contester, contredire, démentir, désavouer, refuser, réfuter, rétracter, rejeter, contester.

Nigaud. — Niais, benêt, bêta, godiche, dadais, jean-jean, jeannot.

Nippe. — Linge, habillement, haillon, hardes, oripeau, défroque.

Nipper. — Vêtir, habiller, costumer, revêtir, accoutrer, affubler.

Nique. — Malice, moquerie, niche, farce, nargue, nasarde.

Nitescent. — Brillant, éblouissant.

Niveau. — Plan, surface, égalité. — Hauteur, élévation. — Horizon.

Niveler. — Aplanir, égaliser.

Noble. — Aristocratique, auguste, distingué, élevé, éminent, relevé, sublime, supérieur, titré.

Noblesse. — (*V. Noble.*)

Noce. — Mariage, réjouissance. — Débauche.

Nocturne. — Tardif, ténébreux.

Noeud. — Attache, lien, complication, difficulté, centre. — Nodosité. — Épissure.

Noircir. — Assombrir, attrister. —Accuser, diffamer, calomnier.

Noise. — Querelle, taquinerie, discussion.

Nom.—Désignation, appellation, dénomination. — Réputation, renom, renommée, titre, race, famille, noblesse.

Nomade. — Ambulant, aventurier, bohémien, rôdeur, vagabond, errant, instable. — Forain, maraudeur.

Nombre. — Quantité, multiplicité, pluralité.

Nombrer.—Compter, énumérer, déterminer.

Nombreux. — Abondant, fréquent, multiple, plusieurs, répétés. — Harmonieux.

Nomenclature. — Liste, catalogue.

Nominal. — Irréel, fictif.

Nomination. — Désignation, appellation, énumération, mention.

Nommer. — Appeler, qualifier, baptiser, dénommer, mander, révéler, communiquer, surnommer, mentionner. — Choisir, désigner, élire, installer, instituer, investir, proclamer.

Non. — Pas, point. — Aucunement, nullement.

Non avenu. — Annihilé, supprimé, infirmé, récusé, repoussé, écarté.

Nonchalant. — Mou, paresseux, lent, inactif, oisif, apathique, indolent, fainéant.

Non-lieu. — Renvoi.

Nonne. — Religieuse, sœur.

Nonobstant. — Malgré.

Nord. — Septentrion, boréal.

Normal. — Réglementaire, régulier, naturel, commun, fréquent, ordinaire.

Normand (*fig.*). — Matois, rusé.

Nostalgie. — Ennui, regret, spleen, tristesse.

Nota. — Note, remarque, observation.

Notable. — Important, considérable, remarquable. — Personnalité.

Notaire. — Tabellion.

Notamment. — Spécialement.

Note. — Marque. — Commentaire, éclaircissement, observation, remarque, annotation, mention.

Noter. — Marquer, inscrire, remarquer, consigner, annoter, commenter, gloser.

Notice. — Compte rendu, abrégé, analyse, brochure.

Notifier. — Apprendre, informer, annoncer, rapporter, mander, révéler, communiquer.

Notion. — Connaissance.

Notoire. — Certain, public, avéré.

Notoriété. — Réputation, célébrité.

Nouer. — Lier, contracter, attacher, unir, lacer.

Noueux. — Dur, inégal.

Nourrir. — Alimenter, assouvir, élever, entretenir, rassasier, ravitailler, sustenter, développer, fortifier, allaiter, gaver, restaurer.

Nourrissant. — Nutritif, fortifiant.

Nouveau. — Commençant, frais, inaccoutumé, inédit, initial, inouï, insolite, jeune, naissant, neuf, original, récent, vert. — Inexpérimenté, inhabile.

Nouveauté. — Primeur, fraîcheur, innovation, changement, originalité.

Novateur. — Innovateur, inventeur, réformateur, initiateur, rénovateur.

Novice. — Jeune, ingénu, naïf, nouveau, apprenti, inexercé, inexpérimenté, inhabile, incapable, neuf, candide.

Noviciat. — Apprentissage, préparation, éducation, formation.

Noyer. — Immerger, inonder, engloutir, plonger. — Perdre, ruiner.

Nu. — Brut, démuni, dépouillé, dévêtu, dévoilé, déshabillé, pauvre. — Franc, simple.

Nuage. — Nue, brouillard, grain, nuée, buée, bruine.

Nuageux. — Obscur, vague, vaporeux, couvert, nébuleux. — Sombre, triste.

Nuancer. — Varier, mêler, colorer.

Nue. — Nuage, vapeur.

Nuée. — Multitude, quantité, abondance.

Nuire. — Incommoder, gêner, léser, endommager, abîmer, vicier, porter atteinte.

Nuisible. — Dangereux, défavorable, ennemi, hostile, funeste, gênant, incommodant, malfaisant, néfaste, pernicieux, préjudiciable.

Nuit. — Ténèbres, obscurité, ombre. — Incertitude, ignorance.

Nul. — Aboli, annulé, inexistant, négatif. — Bête, ignorant, incapable.

Numéroter. — Marquer.

Nutritif. — Nourrissant, fortifiant, alimentaire, assimilable.

O

Obédience. — Obéissance, soumission, subordination. — Ordre, permission.

Obéir. — Écouter, observer, respecter, suivre, obtempérer, plier, céder, se conformer, se soumettre, s'incliner.

Obéissance. — Soumission, observance, docilité, sujétion, subordination, discipline, joug, servitude, esclavage.

Obéissant. — Discipliné, docile, doux, gouvernable, malléable, maniable, sage, soumis, souple, traitable, passif.

Obéré. — Endetté.

Obérer. — Charger, accabler.

Obèse. — Gros, gras, corpulent, bedonnant (*jam.*).

Obésité. — Embonpoint, graisse, corpulence, ventre.

Objecter. — Répondre, opposer, réfuter, alléguer, contredire.

Objectif. — Extérieur. — But.

Objection. — Réponse, protestation, contradiction, résistance, entrave, difficulté, opposition.

Objet. — Matière, cause, but, sujet, substance.

Objurgation. — Reproche, réprimande.

Obligation. — Devoir, nécessité, contrainte, exigence. — Assujettissement, dépendance, sujétion, engagement. — Reconnaissance. — Titre.

Obligatoire. — Nécessaire, absolu, inévitable, ordonné, requis, forcé, imposé, fatal, impérieux, coercitif.

Obligeance. — (*V. Obligeant.*)

Obligeant. — Serviable, complaisant, aimable, prévenant, officieux.

Obliger. — Forcer, contraindre, violenter, imposer, exiger. — Secourir, aider.

Oblique. — Biais, indirect, infléchi. — Louche, tortueux.

Obliquer. — Se détourner, biaiser.

Oblitérer. — Effacer, user, détruire, anéantir, supprimer, annihiler.

Oblong. — Allongé, ovale, ovoïde, elliptique.

Obscène. — Débauché, inconvenant, licencieux.

Obscur. — Assombri, confus, embrumé, épais, ombreux, foncé, fumeux, nébuleux, obscurci, sombre, ténébreux, voilé, indistinct. — Abstrait, absent, caché, complexe, compliqué, difficile, embrouillé, énigmatique, incompréhensible, inexplicable, mystérieux, secret, équivoque.

Obscurcir. — (*V. Obscur.*)

Obscurité. — (*V. Obscur.*)

Obsécrer. — Supplier.

Obséder. — Importuner, tourmenter, ennuyer, poursuivre, agacer, énerver, tracasser, préoccuper, hanter.

Obsèques. — Funérailles, enterrement, convoi.

Obséquieux. — Flatteur, adulateur, courtisan, insinuant, plat, rampant.

Observance. — Règle, discipline.

Observateur. — Curieux, contemplatif.

Observation. — Exécution, pratique. — Réflexion, remarque, attention, constatation.

Observer. — Exécuter, suivre, accomplir. — Épier, surveiller, guetter, regarder, remarquer, examiner, constater, dévisager, toiser.

Obstacle. — Empêchement, opposition, entrave, barrière.

Obstination. — Entêtement, opiniâtreté, ténacité, acharnement, persistance, insistance, persévérance.

Obstruction. — Obstacle, entrave, opposition. — Engorgement.

Obstruer. — Boucher, engorger.

Obtempérer. — Obéir, acquiescer, accepter.

Obtenir. — Parvenir à, gagner, remporter, conquérir, acquérir.

Obtus. — Émoussé, arrondi. — Bête, bouché, fermé, lourd.

Obvier. — Prévenir, empêcher, remédier, arrêter, réprimer, paralyser.

Occasion. — Motif, sujet. — Événement, circonstance, cas, occurrence, conjoncture, hasard, rencontre, chance,

Occasionnellement. — Fortuitement, accidentellement, par hasard.

Occire. — (*V. Tuer.*)

Occlusion. — Fermeture, obstruction, obturation, bouchage.

Occulte. — Secret, caché, mystérieux, obscur, magique.

Occupation. — Possession, prise. — Emploi, exercice, travail, besogne, ouvrage, tâche, fonction, métier, profession, affaire.

Occuper. — Prendre, s'emparer de. — Absorber, asservir, employer, assujettir, attacher, captiver. — Habiter, posséder.

Occurrence. — Cas, circonstance, conjoncture.

Occurrent. — Inopiné, fortuit, accidentel.

Octroi. — Concession. — Douane.

Octroyer. — Concéder, accorder, donner.

Odeur. — Parfum, émanation, exhalaison, senteur, arome, bouquet, fumet.

Odieux. — Cruel, haï, injuste, dur, détesté, méchant, honni, dégoûtant, épouvantable, inconvenant, détestable.

Odorant. — Aromatique, embaumé, fleurant, parfumé, suave.

Œuf. — Rudiment, embryon, germe, fœtus, ovule.

Œuvre. — Travail, ouvrage, livre, tableau, produit, résultat.

Offense. — Insulte, injure, blessure, attaque, diffamation, outrage, affront.

Offenser. — Insulter, injurier, blesser, choquer, outrager, offusquer.

Offensif. — Agressif.

Offensive. — Attaque, agression.
Office. — Devoir, fonction. — Assistance, service. — Bureau. — Messe.
Officiel. — Public, légal, solennel, certain, fixé, réglé, honorifique.
Officieux. — Complaisant, serviable, empressé. — Secret, innocent.
Offrande. — (*V. Don et Donner.*)
Offre. — Propositions, avances, ouvertures, présentation.
Offrir. — Proposer, présenter, donner, montrer, dédier, consacrer, vouer, faire hommage.
Offusquer. — Éblouir, troubler, obscurcir. — Choquer, ennuyer, déplaire, irriter, contrarier.
Ogre. — Glouton, mangeur, goulu.
Oindre. — Frotter, consacrer, frictionner.
Oiseau. — Volatile, passereau.
Oiseux. — Inutile, vain, superflu, vide.
Oisif. — Désœuvré, fainéant, flâneur, inactif, indolent, inoccupé, paresseux.
Oléagineux. — Huileux, gras.
Olivâtre. — Verdâtre.
Olympe. — Ciel, paradis, Éden, Champs-Élyséens.
Olympien. — Majestueux, imposant, grandiose, solennel, divin, céleste.
Ombrage. — Feuillage. — Défiance, soupçon, jalousie, susceptibilité.
Ombrageux. — Jaloux, soupçonneux, défiant, méfiant, susceptible.
Ombre. — Obscurité, nuit, ténèbres, opacité.

Ombreux. — Obscur, ténébreux, sombre, nocturne, noir, opaque.
Ombré. — Estompé, voilé, couvert.
Omettre. — Oublier, négliger, laisser, taire.
Omission. — Oubli, négligence.
Omnibus. — Coche, diligence.
Omnipotence. — Toute-puissance, absolutisme, suprématie, souveraineté.
Onction. — Douceur, dévotion, componction, ferveur.
Onctueux. — Gras, huileux, gluant. — Doux, dévot, mielleux, velouté.
Onde. — Eau, flots, vague, lame. — Océan, mer, fleuve.
Ondée. — Pluie, averse, giboulée.
Ondoyant. — Capricieux, indécis, mobile, variable, changeant, mouvant, sinueux.
Ondulation. — Contours, plis, replis.
Onduleux. — Sinueux.
Onéreux. — Coûteux, cher, dispendieux, lourd, pesant, écrasant.
Opacité. — Ombre.
Opaque. — Obscur, voilé.
Opérateur. — Chirurgien, manipulateur.
Opération. — Action, entreprise, travail, accomplissement, exécution, chirurgie.
Opérer. — Produire, exécuter, accomplir, réaliser, élaborer, perpétrer, faire.
Opiniâtre. — Tenace, entêté, persistant, volontaire, obstiné, acharné, têtu, arrêté, résolu, déterminé.
Opinion. — Avis, sentiment,

doctrine, parti, croyance, idée, manière de voir.

Opportun. — A propos, convenable, satisfaisant, seyant, bienséant.

Opposé. — Adverse, antagoniste, contraire, défavorable, dissident, divisé, divergent, extrême, inverse.

Opposer. — Objecter, comparer, contrarier, contrecarrer, regimber, résister, contredire, obstruer, barrer, arrêter, entraver, endiguer, paralyser.

Opposition. — Contraste, empêchement, obstacle, embarras, difficulté, antagonisme, résistance, obstruction, achoppement, encombrement, interception, barrière, frein, entrave, digue, contrepied, contradiction, chicane, objection, contestation, conflit.

Oppresser. — Accabler, opprimer, gêner, tourmenter, écraser, tyranniser, asservir, pressurer.

Oppressif. — Autocrate, cruel, despote, despotique, dictatorial, tyrannique, vexatoire.

Opprimer. — Accabler, violenter, tyranniser, écraser, asservir, fouler, pressurer.

Opprobre. — Déshonneur, honte, infamie, ignominie, tare, souillure, flétrissure.

Opter. — Choisir, souhaiter, préférer, élire.

Option. — Choix, adoption, préférence, prédilection.

Opulence. — Abondance, richesse, fortune, moyens, grand train.

Oracle. — Décision, prédiction, inspiration, augure, auspice, prophétie, vaticination.

Orage. — Ouragan, tempête, cyclone, rafale, trombe, tourmente.

Orageux. — Menaçant, troublant, violent, tempétueux.

Oraison. — Prière, invocation, orémus, dévotion.

Orange. — Jaune.

Orateur. — Parleur, prêcheur, tribun, avocat, rhéteur.

Oratoire. — Éloquent, sonore, grandiloquent.

Orbiculaire. — Rond, circulaire, sphérique.

Orbite. — Creux, cavité, roue, cercle, couronne.

Ordinaire. — Commun, facile, fréquent, habituel, journalier, insignifiant, modéré, médiocre, simple, usuel, courant, coutumier, accoutumé, familier.

Ordonnance. — Arrangement, disposition, agencement, organisation, groupement, symétrie, harmonie. — Injonction, décision, règlement, décret, ordre, mandement.

Ordonner. — Arranger, organiser, grouper, harmoniser, disposer, ranger, soigner, combiner. — Commander, décider, décréter, enjoindre, prescrire.

Ordre. — (V. *Ordonner* et *Commandement.*)

Ordure. — Excrément, impureté, saleté, immondices. — Grossièreté, corruption, tache.

Ordurier. — Débauché, grossier, honteux, licencieux, vil, bas, ignoble. — Scatologique,

Orfèvre. — Bijoutier, joaillier.

Organe. — Moyen.

Organisation. — Structure, disposition, ensemble, constitution, fonctionnement, ordonnance.

Organiser. — Disposer, arranger, combiner, ordonner.

Organisme. — Agencement, ensemble.

Orgie. — (*V. Débauche.*)

Orgueil. — Vanité, fierté, morgue, ostentation, infatuation, hauteur, fatuité, suffisance, prétention, gloriole, forfanterie, rodomontade, vantardise.

Orgueilleux. — Altier, fat, vaniteux, arrogant, hautain, rodomont, prétentieux, suffisant, présomptueux, infatué, parvenu, méprisant.

Orienter. — Diriger, conduire, tourner, établir, disposer.

Oriflamme. — Bannière, drapeau.

Originaire. — Initial, naturel.

Original. — Personnel, particulier, singulier, rare, initial, nouveau, spécial. — Intéressant, bizarre, curieux, étonnant.

Originalité. — (*V. Original.*)

Origine. — Commencement, extraction, principe, source, racine, germe, provenance.

Ornement. — Parure, embellissement, agrément, décoration, atour, enjolivement, attrait.

Orner. — Embellir, enjoliver, ornementer, parer, agrémenter, décorer, ouvrager, garnir, illustrer.

Ornière. — Fondrière, trou, rigole.

Orphelin. — Seul, délaissé, abandonné.

Orthodoxe. — Pur, religieux, fidèle, conforme.

Os. — Ossements, ossature, squelette, carcasse.

Oscillant. — Mobile, changeant, vague, mouvant, tremblant, flottant.

Oscillation. — Variation, fluctuation, mobilité, balancement.

Osciller. — Se balancer, onduler, varier.

Osé. — Risqué, audacieux, hardi, intrépide, imprudent, téméraire.

Oser. — Entreprendre, tenter, risquer, affronter.

Ossature. — Carcasse, os, ossements.

Ossements. — Os, restes, débris, squelette.

Ostensible. — Apparent, certain, public, patent, visible.

Ostentation. — Affectation, étalage.

Ostracisme. — Proscription, bannissement.

Ostrogot. — Grossier, inconvenant.

Otage. — Garantie, gage, sûreté, caution. — Répondant, garant.

Oter. — Prendre, enlever, retirer, priver, couper, retrancher, supprimer, soustraire, défalquer, retenir, prélever, dépouiller, découvrir, rayer, extirper, extraire, rogner, diminuer, décompter, éliminer.

Ouaille. — Brebis, troupeau, fidèle, sectateur, adepte, séide, prosélyte.

Oubli. — Égarement, négligence, omission, prétérition, amnésie, étourderie, distraction.

Oublier. — Laisser, omettre, négliger, passer, sauter, laisser échapper.

Oublieux. — Distrait, étourdi, léger, négligent.

Oui. — Amen, d'accord, parfait, entendu, convenu.

Ouïr. — Entendre, exaucer, écouter.

Ouragan. — Vent, tempête, bourrasque, rafale, cyclone, tornade, tourmente.

Ourdir. — Comploter, tramer, préparer, machiner, tresser.

Outil. — Instrument, ustensile, appareil, machine, matériel.

Outrage. — Injure, offense, affront, insulte, insolence.

Outrageant. — Injurieux, insultant, offensant, blessant, insolent.

Outrance. — Excès, exagération.

Outré. — Exagéré, démesuré. — Accablé, transporté, irrité.

Outrecuidance. — Fatuité, présomption, arrogance, suffisance, rodomontade, infatuation, insolence, orgueil.

Outrepasser. — Abuser, exagérer, outrer, dépasser, franchir.

Ouvert. — Béant, fendu, large, troué, percé. — Commencé, entamé. — Franc, sincère.

Ouverture. — Fente, trou, écartement, porte, fenêtre, entrée. — Commencement. — Aveu, confidence, proposition, offres, avances.

Ouvrage. — Œuvre, travail, production, labeur, occupation, besogne, tâche, corvée, peine.

Ouvragé. — Orné, travaillé, façonné.

Ouvrier. — Artisan, travailleur, journalier, manouvrier, manœuvre, salarié, prolétaire.

Ouvrir. — Défaire, enfoncer, écarter, déplier, déclore, dégrafer, déboucler, démasquer, déboucher, élargir.

Ouvroir. — Atelier, usine, chantier.

Ovation. — Applaudissements.

P

Pacage. — Pâturage, pâture, prairie.

Pacifier. — Apaiser, calmer, tranquilliser, arranger.

Pacifique. — Paisible, doux, calme, tranquille, placide, posé, philosophe.

Pacotille. — Marchandise, camelote, rebut, bricole.

Pacte. — Traité, convention, engagement, accord, entente.

Pactiser. — Concéder, convenir, transiger, traiter, négocier, s'entendre.

Paginer. — Marquer, numéroter.

Paie. — Solde, salaire, payement, appointements.

Païen. — Impie, irréligieux, athée, hérétique, incrédule, incroyant, mécréant, infidèle.

Paillard. — Débauché, bambocheur, dépravé, dévergondé, dissolu, épicurien, fêtard, libertin, libidineux, passionné, perverti, polisson, sensuel, sybarite, voluptueux.

Paillasse. — Natte, matelas. — Bateleur, bouffon, pitre, histrion.

Paille. — Chaume, litière.

Paillette. — Parcelle, lamelle, écaille.

Pair. — Égal, pareil, équivalent. — Lord.

Paire. — Couple, pendant.

Paisible. — Pacifique, calme, tranquille. — Neutre.

Paître. — Manger, brouter, paturer, pacager.

Paix. — Calme, tranquillité, repos, union, concorde, harmonie, entente.

Paladin. — Intrépide, chevaleresque, preux, héros.

Pâle. — Blanc, blême, incolore, terne, malade.

Palefrenier. — Valet, cocher.

Palefroi. — Cheval, monture, destrier, coursier.

Paletot. — Vêtement, habit, veston, veste.

Palier. — Étage, carré.

Palingénésie. — Régénération, renaissance.

Palinodie. — Rétractation, changement.

Pâlir. — Blanchir, blêmir, ternir se décolorer.

Palissade. — Barrière, clôture.

Palissader. — Entourer, barricader, clore, clôturer, murer.

Palliatif. — Adoucissant, atténuant, calmant.

Pallier. — Adoucir, atténuer, excuser, voiler, amoindrir, affaiblir, gazer, mitiger.

Palme. — Branche, récompense, laurier, apothéose, couronne.

Palpable. — Apparent, visible, certain, réel, matériel, tangible.

Palper. — Toucher, tâter, manier, manipuler. — Gagner, recevoir.

Palpitant. — Intéressant, émouvant, passionnant, pathétique, émotionnant, bouleversant, poignant.

Palpiter. — Battre. — Éprouver, ressentir.

Paludéen. — Marécageux, fiévreux.

Pâmer (Se). — Défaillir, s'évanouir, s'extasier, s'émerveiller, s'enthousiasmer.

Pâmoison. — Défaillance, évanouissement, syncope, faiblesse.

Pamphlet. — Satire.

Pan — Mur, cloison.

Panacée. — Remède, drogue.

Panaché. — Mêlé, varié, mélangé.

Pancarte. — (V. Affiche.)

Pandore. — Gendarme, maréchaussée.

Panégyrique. — Éloge, louange, apologie, glorification.

Panique. — Terreur, épouvante.

Panne. — Arrêt, accroc, interruption.

Panoplie. — Armure.

Panorama. — Spectacle, paysage, vue.

Panse. — Ventre, bedon, abdomen.

Panser. — Soigner, guérir.

Pansu. — Gros, replet, bedonnant, dodu, ventru, obèse, adipeux.

Pantagruélique. — Abondant, débordant, démesuré, excessif, exubérant, plantureux, goinfre.

Pantalon. — Culotte, chausses.

Pantalonnade. — Bouffonnerie, comédie, farce, pasquinade.

Pantelant. — Haletant, palpitant. — Sanglant, saignant, sanguinolent.

Pantin. — Polichinelle, guignol, marionnette, fantoche, mannequin, jouet, joujou, poupée.

Pantomime. — Imitation.

Paonner.— Parader, se pavaner, faire la roue.

Papelard. — Hypocrite, affecté, patelin, flatteur.

Papillonner. — Voltiger. — Se démener.

Papillotant. — Flottant, clignotant, mobile, agité.

Papotage. — Bavardage, commérage, cancan, ragot.

Paquebot. — Vapeur.

Paquet. — Assemblage, ballot, colis.

Paqueter. — Assembler, empaqueter, envelopper.

Parabole. — Allégorie, fable.

Parachever. — Parfaire, finir, compléter, terminer, clore.

Parade. — Montre, étalage, orgueil.

Paradis. — Ciel, Olympe.

Paradisiaque. — Heureux, parfait, céleste.

Paradoxal. — Extraordinaire, excessif, bizarre, exagéré.

Parafer. — Signer, viser.

Parage. — Étendue, environs, lieu, espace, territoire, endroit. — Noblesse, extraction.

Paragraphe. — Subdivision, passage, alinéa, chapitre, division.

Paraître. — Apparaître, sembler, se montrer, être publié, édité.

Parallèle. — Semblable, comparable, correspondant.

Parallélisme. — Correspondance, comparaison.

Paralogisme. — Sophisme.

Paralyser. — Arrêter, engourdir, immobiliser, insensibiliser, ralentir, stériliser.

Paraphrase. — Commentaire.

Paraphraser. — Commenter, expliquer, développer, amplifier.

Parasite. — Étranger, vain, inutile, pique-assiette, écornifleur.

Parc. — Clôture, jardin, square.

Parcelle. — Miette, fraction, morceau, division.

Parcimonie. — Économie, épargne, minutie, avarice, mesure.

Parcours. — Trajet, passage, promenade. pérégrination, exportation.

Pardessus. — Manteau, capote, pelisse, caban, plaid.

Pardon. — Remise, indulgence, absolution, grâce.

Pardonner.—Gracier, amnistier, remettre, absoudre, excuser, passer l'éponge.

Pareil. — Semblable, ressemblant, analogue, adéquat, assimilable, comparable, égal, identique.

Parement. — Ornement, broderie.

Parent. — Famille, consanguin, allié.

Parenthèse. — Digression, épisode.

Parer.— Enjoliver, garnir, orner, embellir, décorer, agrémenter. — Détourner, éviter, éluder.

Paresse. — Fainéantise, lenteur, oisiveté, mollesse, inertie.

Parfaire. — Achever, compléter, finir, parachever, couronner, consommer, terminer.

Parfait. — Absolu, accompli, achevé, complet, excellent, hors ligne, idéal, incomparable, infini, modèle, supérieur, fini, irréprochable, magistral.

Parfois.— Quelquefois, de temps en temps à l'occasion.

Parfum. — Arome, aromate, baume, essence, odeur.

Parier.— Jouer, gagner, risquer.

Pariétal. — Mural.

Parité. — Égalité, comparaison, équivalence.

Parjure. — Faux serment, infidélité.

Parlant. — Éloquent, expressif, vivant.

Parlement. — Assemblée, Chambre, représentation nationale.

Parlementaire. — Législatif.

Parlementer. — Discuter.

Parler. — Dire, exprimer, prononcer, discourir, haranguer, pérorer, débiter.

Parleur. — Causeur, phraseur, bavard.

Parmi.— Au milieu de, à travers.

Parodie. — Imitation, travestissement, contrefaçon, charge, caricature.

Paroi. — Mur, cloison.

Paroisse. — Église.

Paroissien. — Fidèle.

Parole. — Sentence, mot, discours, éloquence. — Assurance, promesse.

Parpaillot. — Impie.

Parquer. — Enfermer, entourer, enclore, enceindre.

Parquet. — Plancher.

Parsemer. — Répandre, jeter, semer, éparpiller, orner, joncher.

Part. — Partie, portion, morceau, division. — Coopération, concours.

Partage.— Division, répartition.

Partager. — Diviser, séparer, répartir, subdiviser, fractionner, fragmenter, sectionner, scinder, morceler, lotir.

Partance. — Départ, embarquement.

Parti. — Condition, traitement. — Troupe, corps, coterie chapelle, secte, clan, groupe. — Détermination, résolution, décision, opinion. — Avantage, utilité, profit, intérêt. — Profession, emploi.

Partial. — Injuste, passionné, prévenu.

Participer. — Partager, collaborer, coopérer, contribuer.

Particulariser. — Distinguer, spécialiser, déterminer, définir.

Particularité. — Originalité, spécialité, propriété, trait.

Particulier. — Bizarre, distinct, personnel, séparé, original, spécial, extraordinaire, privé, domestique, individuel, propre, respectif, singulier.

Partie. — Part, portion, division. — Projet, divertissement.

Partiel. — Divisé, imparfait, incomplet, petit, particulier.

Partir. — Quitter, s'éloigner, sortir, s'absenter, mourir. — Débuter, commencer, émaner, découler.

Partisan. — Attaché, dévoué. (*V. Opinion.*)

Partition. — Division. — Livret, opéra, musique.

Parturition. — Accouchement.

Parure. — Garniture, ornement, ajustement.

Parvenir. — Arriver, aborder, atteindre, réussir.

Parvenu. — Florissant, riche, orgueilleux.

Pas. — Marche, allure. — Longueur, passage, difficulté, détroit, seuil.

Pasquinade. — Satire, raillerie, niaiserie, sottise, bêtise, balourdise, pantalonnade.

Passable. — Médiocre, moyen, supportable, suffisant, admissible, commun.

Passage.—Traversée, transition, durée. — Endroit, fragment.

Passager. — Temporaire, momentané, actuel, court, discontinu, éphémère.

Passant. — Fréquenté. — Promeneur.

Passavant. — Permis.

Passe-droit. — Injustice.

Passe-partout. — Clef.

Passe-passe. — Tour, escamotage, ficelle, illusion, attrape.

Passer. — Aller, traverser, franchir, sauter, dépasser. — S'écouler, finir, cesser, expirer, disparaître, mourir, vivre, durer. — Transporter, faire parvenir, conduire. — Filtrer, tamiser. — Omettre, négliger, taire, cacher. — Tolérer, accepter, pardonner.

Passerelle. — Passage, pont.

Passe-temps. — Occupation, distraction, récréation, amusement.

Passible. — Puni.

Passif. — Inerte, immobile, neutre, indifférent, résigné.

Passion. — Affection, amour, goût, enthousiasme, fièvre, fureur, délire, ardeur, élan, trouble, emportement, fanatisme, frénésie.

Passionnant. — Affolant, brûlant, délirant, émouvant, enivrant, empoignant, excitant, palpitant, pathétique, troublant, violent.

Passionné. — Amateur, amoureux, ardent, aveuglé, brûlant, chaleureux, débauché, délirant, effréné, embrasé, emporté, enflammé, enivré, enthousiaste, exalté, fanatique, fiévreux, frénétique, furieux, sectaire, transporté, véhément, violent, virulent.

Pasteur. — Berger, pâtre, pastoureau, bouvier, vacher, chevrier, gardeur.

Pastiche. — Imitation, contre-façon.

Pastoral. — Champêtre, idyllique, agreste, rustique.

Pataud. — Gros, lent, lourdaud.

Patauger. — S'embarrasser, s'empêtrer, s'embourber, barboter.

Patelin. — Rusé, insinuant, flatteur.

Patenôtre. — Oraison, prière, oremus.

Patent. — Apparent, manifeste, clair, certain, ouvert, notoire.

Patenter. — Imposer, taxer.

Paternel. — Bon, familial, indulgent.

Pâteux. — Boueux, épais, gluant, gras, mou, lourd.

Pathétique. — Émouvant, passionnant, troublant, touchant, empoignant.

Pathos. — Emphase, boursouflure, affectation.

Patience. — Calme, résignation, persévérance, endurance, longanimité.

Patiné. — Poli, usé.

Pâtir. — Souffrir, supporter, subir, peiner, endurer, éprouver, ressentir.

Patois. — Dialecte, jargon, langage, idiome.

Patouiller. — Patauger, barboter.

Patraque. — Faible, malade, délabré, chancelant, croulant, branlant, maladif.

Pâtre. — Berger, pasteur, vacher, chevrier.

Patriarcal. — Familial, simple, vertueux, ancien, suranné.

Patriarche. — Vieillard.

Patricien. — Noble, aristocrate.

Patrimoine. — Bien, succession, héritage.

Patrimonial. — Héréditaire.

Patron. — Maître, entrepreneur, directeur. — Modèle, exemple, type, original.

Patronage. — Protection, secours, appui, recommandation.

Patronner. — Protéger, garantir, sauvegarder, appuyer, soutenir, chaperonner, recommander.

Pâture. — Nourriture.

Pâturer. — Paître, manger.

Paupérisme. — Misère, appauvrissement, dénûment.

Pause. — Interruption, arrêt, intervalle, repos, inaction.

Pauvre. — Besogneux, calamiteux, gêné, indigent, mendiant, minable, miséreux, pouilleux, besogneux.

Pauvreté. — Indigence, pénurie, gêne, besoin, misère, mendicité.

Pavaner (Se). — S'enorgueillir, faire la roue.

Paver. — Carreler, daller, parqueter. — Couvrir, remplir.

Pavillon. — Drapeau. — Cottage, chalet, habitation.

Pavois. — Bouclier.

Paye. — (*V. Paie.*)

Payer. — S'acquitter, récompenser, reconnaître. — Expier, acquitter, amortir, liquider, rembourser, solder, régler, se libérer, indemniser.

Pays. — Contrée, région, territoire, endroit, lieu, parage. — Patrie.

Paysan. — Campagnard, rural, champêtre. — Grossier.

Péché. — Faute, excès.

Pécheur. — Coupable, délinquant, fautif.

Pécore. — Animal, bête.

Pécule. — Économie, magot, épargne.

Pécunieux. — Riche, cossu.

Pédagogie. — Instruction, enseignement.

Pédagogue. — Maître, professeur, instituteur, répétiteur.

Pédant. — Affecté, emphatique, savant, bête, poseur, cuistre.

Peigner. — Démêler, arranger, travailler. — Coiffer.

Peindre. — Badigeonner, brosser, colorier, peinturer. — Représenter, orner, décrire, exprimer, reproduire.

Peine. — Châtiment, punition. — Souffrance, inquiétude, affliction, travail, fatigue, difficulté, obstacle.

Peiner. — Fatiguer, chagriner, inquiéter, lasser.

Pelé. — Chauve, épilé, usé, épluché.

Pêle-mêle. — Confusément, désordre, confusion, trouble, cohue, chaos.

Pèlerin. — Voyageur, visiteur.

Pelisse. — Veste, manteau, fourrure, cape.

Pellicule. — Lamelle.

Pellucide. — Transparent.

Pelote. — Boule, balle.

Peloter. — Caresser.

Peloteur. — Enjôleur, flatteur.

Pelotonner (Se). — Se serrer, se rouler, se ramasser.

Pelouse. — Gazon, tapis vert.

Pelucheux. — Poilu, velu, duveteux, laineux.

Pelure. — Enveloppe.

Pénalité. — Peine, châtiment.

Pénates. — Lares, maison, foyer.

Penaud. — Embarrassé, confus, interdit, honteux, piteux.

Penchant. — Déclin, fin, inclinaison, versant, côte. — Impulsion, entraînement, aptitude.

Pencher. — Incliner, obliquer, coucher, infléchir.

Pendable. — Coupable, méchant, damnable, abominable, condamnable, détestable, inqualifiable.

Pendant. — Durant, tandis que. — Reproduction, deuxième, pair.

Pendard. — Coquin, scélérat, sacripant, gredin, vaurien.

Pendre. — Attacher, suspendre, accrocher. — Étrangler.

Pendule. — Horloge, cartel, régulateur.

Pénétrable. — Facile, intelligible, clair, compréhensible.

Pénétrant. — Habile, intelligent, spirituel, vif, aigu, fin.

Pénétré. — Imprégné, rempli. — Compris, découvert, deviné.

Pénétrer. — Entrer, passer, envahir, s'insinuer, se couler, se faufiler, s'introduire. — Comprendre, saisir, découvrir, deviner.

Pénible. — Difficile, douloureux, dur, fatigant, ennuyeux, attristant, affligeant.

Péninsule. — Presqu'île.

Pénitence. — Repentir, peine, châtiment, punition, jeûne,

austérité, mortification, macération, discipline, contrition.
Pénitencier. — Prison, dépôt,
maison centrale.
Pénitent. — Modeste, repentant.
Pénombre. — Demi-jour.
Pensée. — Idée, opinion,
imagination, avis, projet,
esquisse, plan, réflexion,
conception, jugement.
Penser. — Croire, juger,
réfléchir, raisonner, méditer,
peser, imaginer, projeter,
considérer, concevoir, songer,
rêver.
Pensif. — Absorbé, abstrait,
attentif, contemplatif, méditatif, préoccupé, rêveur,
sérieux, songeur, soucieux.
Pensionner. — Retraiter, renter,
subventionner, entretenir.
Pensum. — Punition.
Pente. — Inclinaison, descente,
déclivité. — Inclination,
tendance.
Pénurie. — Disette, manque,
pauvreté, détresse.
Pépier. — Piauler.
Perçant. — Aigu, pointu,
pénétrant, piquant. —
Bruyant, vif, éclatant,
déchirant.
Percée. — Trouée, passage,
éclaircie, clairière.
Perceptible. — Sensible,
apparent, intelligible.
Perception. — Recouvrement.
— Sensation, impression,
conception, discernement,
intelligence.
Percer. — Trouer, ouvrir,
creuser, perforer. — Affliger,
désoler.

Percevoir. — Recueillir,
ramasser, encaisser. — Con-
cevoir, apercevoir, découvrir,
deviner, entendre, sentir.
Perche. — Gaule, bâton.
Percher (Se). — Se poser, se
placer, s'asseoir.
Perclus. — Engourdi, infirme,
paralysé ankylosé, impotent.
Percolateur. — Filtre, cafetière.
Percussion. — Coup, choc,
heurt.
Percuter. — Heurter, frapper.
Perdition. — Ruine, destruc-
tion.
Perdre. — Égarer, être privé de.
— Fausser, corrompre,
détériorer, détruire, débaucher,
détourner, égarer, fourvoyer.
— Etre vaincu, échouer.
Perdu. (*V. Perdre.*). — Écarté,
désert, lointain, errant.
— Malheureux, désespéré,
mourant, condamné.
Pérégrin. — Voyageur, pèlerin.
Pérégrination. — Voyage,
circulation, allée et venue.
Péremptoire. — Absolu, cer-
tain, convaincant, irréfutable,
décisif, tranchant, probant.
Perfection. — Achèvement,
progrès, amélioration.
Perfectionner. — Améliorer,
réparer, arranger, achever.
Perfide. — Captieux, déloyal,
fallacieux, faux, fourbe,
hypocrite, sournois, traître.
Perforer. — Percer, trouer.
Péricliter. — Être en danger,
décroître, dépérir, décliner,
dégénérer, déchoir, démériter.
Péril. — Danger, hasard, risque,
menace.

Périlleux. — Dangereux, risqué, alarmant, menaçant, critique.

Périmé. — Annulé, tardif, nul.

Période. — Durée, phase. — Phrase.

Périodique. — Régulier, fixe, habituel, répété.

Péripétie. — Incident.

Périphérie. — Contour, surface.

Périr. — Mourir, finir, décéder, succomber, trépasser, expirer.

Périssable. — Fragile, court, incertain, éphémère.

Péristyle. — Galerie, colonnade.

Permanent. — Continu, constant, durable, incessant.

Perméable. — Pénétrable, transparent, humide.

Permettre. — Autoriser, laisser, tolérer, souffrir, concéder.

Permis. — Accordé, admis, concédé, consenti, admissible, légal, licite, loisible, possible, toléré, autorisé, légitime.

Permission. — Autorisation, consentement, tolérance, licence, concession.

Permuter. — Changer, échanger, alterner.

Pernicieux. — Dangereux, nuisible, funeste, malsain, préjudiciable, dommageable.

Péroraison. — Conclusion, fin.

Pérorer. — Déclamer.

Perpétrer. — Commettre, exécuter, accomplir.

Perpétuel. — Durable, éternel, continu, fréquent.

Perpétuellement. — Sans cesse, habituellement, toujours.

Perplexe. — Embarrassé, ennuyé, indécis, irrésolu, soucieux, hésitant, incertain.

Perquisition. — Fouille, recherche, investigation, enquête.

Perron. — Escalier, marche.

Perruquier. — Coiffeur, barbier.

Pers. — Verdâtre.

Persécuter. — Opprimer, tourmenter, supplicier, martyriser, importuner, agacer.

Persévérance. — Attachement, opiniatreté, obstination, ténacité, entêtement, acharnement, insistance.

Persévérant. — (V. Persistant.)

Persévérer. — Continuer, persister, s'obstiner, s'acharner, s'entêter, insister, poursuivre.

Persiflage. — Dérision, ironie, raillerie, moquerie.

Persistant. — Constant, continu, endurant, ferme, tenace, opiniâtre, patient.

Persister. — Demeurer, continuer, durer, tenir, persévérer.

Personnalité. — Personne, particularité.

Personne. — Individu.

Personnel. — Individuel, propre, spécial, subjectif, privé, original, intime, égoïste. — Employés, ouvriers.

Perspective. — Aspect, probabilité. — Éloignement.

Perspicace. — Intelligent, fin, pénétrant, clairvoyant.

Perspicacité. — Pénétration, sagacité, flair, clairvoyance, discernement.

Perspicuité. — Clarté, netteté.

Persuader. — Convaincre, séduire, décider, entraîner.

Persuasif. — Convaincant, entraînant.

Persuasion. — Conviction, suggestion.

Perte. — Privation, diminution, ruine, mort.

Pertinacité. — Opiniâtreté, entêtement, volonté, ténacité.

Pertinent. — Convenable, convaincant, probant, persuasif.

Perturbation. — Dérangement, trouble, désordre, anarchie, désarroi, désorganisation.

Perturbateur. — Destructeur, séditieux, révolutionnaire.

Pervers. — Vicieux, dépravé, corrompu, débauché.

Perversion. — Changement, trouble. — Débauche, vice.

Perversité. — Débauche, dépravation, vice, corruption.

Pervertir. — Altérer, changer, corrompre, dépraver, séduire, vicier, gâter.

Pesant. — Lourd, appesanti, massif, surchargé, lent, douloureux, ennuyeux, désagréable.

Pesanteur.—Lourdeur,.gravité.

Peser. — Appuyer, charger, alourdir. — Compter, marquer, importer. — Ennuyer, peiner.

Pessimiste. — Atrabilaire, hypocondre, misanthrope, désapprobateur, sombre.

Pestifère.—Pestilent, insalubre, empoisonné.

Pestilentiel. — Épidémique, fétide, malsain, nuisible. — Pernicieux, corrupteur.

Pétillant. — Vif, intelligent, spirituel, brillant, léger.

Pétiller. — Crépiter, briller, scintiller, flamboyer.

Petit. — Chétif, court, étriqué, exigu, limité, minime, minuscule, rabougri, ténu, mesquin, menu, fin, nain. — Pygmée, gnome, mioche, bambin.

Petitement. — Mesquinement.

Petitesse. — Modicité, bassesse.

Pétition. — Demande, réclamation, sollicitation, supplique, requête, prière, placet.

Pétreux. — Pierreux.

Pétri. — Broyé, foulé.

Pétrifier. — Immobiliser, stupéfier, épouvanter, étonner, ébahir, saisir, effrayer.

Pétulance.—Vivacité, impétuosité, promptitude, turbulence.

Peuplade. — Tribu.

Peuple. — Nation, race.

Peur. — Trouble, crainte, appréhension, frayeur, inquiétude, poltronnerie, effroi, couardise, anxiété, trac, lâcheté, pusillanimité, terreur, transe, frisson, épouvante.

Peureux. — Poltron, couard, pusillanime, pleutre, lâche, craintif.

Peut-être. — Possible, probable, hypothétique, problématique, sans doute.

Phalange. — Troupe, bataillon.

Pharamineux. — Étonnant, merveilleux, extraordinaire.

Pharisaïque. — Hypocrite.

Pharisien. — Hypocrite, faux dévot.

Pharmacien. — Apothicaire, herboriste, droguiste.

Phase. — Aspect, changement, succession, période.

Phénoménal. — Étonnant, extraordinaire, magique, merveilleux, miraculeux, phara-

14

mineux, prodigieux, stupéfiant, renversant.

Phénomène. — Rareté, monstre.

Philanthrope. — Bon, généreux, bienfaiteur, charitable, humanitaire, libéral.

Philippique. — Satire, diatribe.

Philosophe. — Calme, ferme, résigné, sage, optimiste. — Penseur.

Philosopher. — Spéculer, méditer, raisonner.

Philtre. — Breuvage.

Phosphorescent. — Lumineux.

Phrase. — Période, proposition.

Phraseur. — Bavard, rhéteur.

Physionomie. — Air, figure, visage, traits, face, caractère, expression.

Physique. — Matériel.

Physiquement. — Matériellement, réellement.

Piailler. — Crier, criailler.

Piauler. — Crier, geindre.

Pic. — Sommet, pointe, crête, montagne.

Picorer. — Dérober, manger.

Picotant. — Piquant.

Pièce. — Partie, fragment, morceau. — Tonneau, futaille, — Chambre. — Ouvrage, poésie.

Pied-à-terre. — Logement, appartement.

Piédestal. — Support, socle, base.

Piège. — Embûche, amorce, artifice, appât, traquenard, surprise, ruse, embuscade, guet-apens.

Pierre. — Caillou, pavé, roche.

Pierreux. — Caillouteux, graveleux, rocailleux, rocheux.

Piétiner. — Fouler, écraser.

Piètre. — Faible, insignifiant, chétif, mesquin, petit.

Pieux. — Bigot, cagot, dévot, fervent, mystique, religieux, superstitieux.

Pigmenté. — Coloré.

Pignouf. — Grossier, malappris.

Piler. — Écraser, broyer, concasser, fracasser, pulvériser.

Pileux. — Poilu, velu, hirsute, crépu.

Pillage. — Sac, concussion.

Pillard. — Maraudeur, voleur.

Piller. — Prendre, voler, plagier, copier. — Détrousser, dévaliser, dépouiller.

Pilori. — Poteau.

Pilorier. — Supplicier.

Pilote. — Nocher, timonier, guide, mentor, batelier, conducteur.

Piloter. — Conduire, guider, diriger, promener.

Pimbêche. — Dédaigneuse, impertinente, maniérée.

Pimenté. — (*V. Pimenter.*) — Salé, licencieux.

Pimenter. — Épicer, assaisonner, relever, poivrer.

Pimpant. — Élégant, chic, coquet, fringant.

Pinacle. — Comble, sommet.

Pincer. — Serrer. — Arrêter, surprendre, attraper, saisir, happer, capturer, empoigner.

Pindarique. — Solennel, emphatique, sublime, lyrique, ampoulé.

Pingre. — Avare, ladre, lésineur, rapiat, sordide.

Pinter. — Boire, avaler, ingurgiter, s'enivrer.

Piocher. — Travailler, bûcher, besogner.

Piper. — Tromper.

Piperie. — Tromperie, fourberie, perfidie, duperie.

Piquant. — Acide, agréable, aigu, bizarre, cuisant, douloureux, excitant, froid. — Intéressant, moqueur, pénétrant, poignant, vif.

Piquer. — Percer, aiguillonner, darder, picoter, larder, critiquer. — Fâcher, irriter, ennuyer, vexer, blesser. — Intéresser, exciter, intriguer.

Piqueté. — Tacheté, moucheté.

Pirate. — Corsaire, écumeur, forban, flibustier.

Pire. — Aggravant, décadent, déchu, dégénéré, dégradé, dépravé, détérioré, diminué, empiré, gâté, perverti, rétrograde, vicié, inférieur.

Pirogue. — Canot.

Pis. (*V. Pire*.). — Mamelle.

Piscine. — Réservoir, bassin, bain, thermes.

Pisser. — Uriner.

Piste. — Trace. — Cirque, carrière.

Pistonner. — Recommander.

Pitance. — Nourriture, pâture, ration, portion, ravitaillement.

Piteux. — Humble, larmoyant, confus, triste, pauvre, insignifiant, misérable.

Pitié. — Compassion, miséricorde.

Pitoyable. — Lamentable, misérable, mal, mauvais, pauvre, attendrissant.

Pitre. — Paillasse, comédien, bouffon, acrobate, clown.

Pittoresque. — Beau, intéressant.

Pivot. — Appui, soutien.

Pivoter. — Tourner, pirouetter, tourbillonner.

Placard. — Affiche.

Place. — Terrain, espace, lieu, endroit, position. — Rang, condition, situation.

Placer. — Poser, mettre, disposer, ranger.

Placide. — Calme, doux, tranquille, paisible, flegmatique, froid.

Plafond. — Voûte.

Plagiaire. — Imitateur, pilleur.

Plaidoyer. — Plaid, discours, défense.

Plaie. — Entaille, déchirure, blessure, lésion. — Peine, affliction, fléau.

Plaignard. — (*V. Plaintif.*)

Plaindre. — S'apitoyer sur, gémir, geindre, se lamenter.

Plaine. — Champ, étendue, surface, nappe, uni, ras, plat.

Plainte. — Réclamation, gémissement, lamentation, jérémiade, doléance, soupir, geignement, litanies.

Plaintif. — Dolent, geignant, gémissant, plaignard, pleurard, pitoyable.

Plaire. — Complaire, charmer, ravir, réjouir.

Plaisance. — Agrément.

Plaisant. — Agréable, amusant, aimable, gracieux, intéressant, joyeux, distrayant, divertissant, captivant, récréatif.

Plaisanter. — Railler, ridiculiser, badiner, batifoler.

Plaisanterie. — Dérision, moquerie, ironie, brocard.

Plaisantin. — Moqueur, farceur, facétieux.

Plaisir. — Agrément, divertissement, ébat, récréation, distraction, amusement. — Joie, gaieté, félicité, délice, réjouissance, satisfaction, contentement.

Plan. — Projet, dessein. — Devis, maquette, modèle. — Droit, uni.

Planer. — Se soutenir, s'élever, dominer.

Plant. — Tige, semis.

Plantation. — Terrain, semis, verger, jardin, culture.

Plante. — Végétal.

Planter. — Introduire, enfoncer, mettre, cultiver, semer. — Abandonner, laisser.

Plantureux. — Abondant, copieux, opulent, gras, gros.

Plaqué (*V. Plaquer.*). — Faux.

Plaquer. — Appliquer, joindre, recouvrir. — Abandonner, lâcher.

Plastique. — Mou, élastique, flexible, malléable, pétrissable, souple.

Plastronner. — Poser, parader.

Plat. — Aplani, aplati, écrasé, épaté, nivelé, ras, uni, uniforme. — Commun, fade, vulgaire, bas, servile, flatteur, obséquieux.

Plateau. — Plaque.

Plate-forme. — Terrasse.

Platitude. — Faiblesse, banalité, bassesse, petitesse, humilité, obséquiosité, servilité, vilenie.

Platonique. — Pur, vertueux, idéal, sentimental.

Plâtré. — Fardé, faux.

Plausible. — Apparent, possible, acceptable, probable.

Plèbe. — Peuple, populace, prolétariat.

Plein. — Rempli, entier, complet, comble, regorgeant, bourré, ivre, saoul, gavé, repu.

Pleinement. — Entièrement, complètement, tout à fait.

Plénitude. — Abondance, satiété, saturation.

Pléthore. — Excès, surabondance.

Pleur. — Larme, gémissement, chagrin, sanglot.

Pleurer. — Larmoyer, gémir, sangloter, pleurnicher. — Regretter, déplorer.

Pleureur. — Chagrin, geignant, larmoyant, pleurard, pleurnicheur, triste.

Pleutre. — Lâche, incapable, peureux, poltron.

Pleuvoir. — Tomber.

Pli. — Ride, plissement, fronce.

Pliant. — Faible, mou, flexible, malléable, obéissant, docile, accommodant.

Plier. — Plisser. — Courber, fléchir, ployer. — Ranger. — Accoutumer. — Décamper, reculer, céder.

Plisser. — Onduler, plier, céder, froncer.

Plombé. — Livide. — Fermé, scellé.

Plonger. — Immerger, enfoncer, introduire, enfermer.

Ployer. — (*V. Plier.*)

Pluie. — Averse, grain, ondée. — Quantité, abondance.

Plume (*fig.*). — Style.
Plumer. — Dépouiller, arracher. — Voler, escroquer.
Plumeux. — Duveteux.
Pluralité. — Multiplicité, majorité.
Plus. — Davantage, supérieurement.
Plutôt. — Préférablement.
Pluvieux. — Humide.
Pochard. — Ivrogne.
Pocharder. — Enivrer.
Podagre. — Goutteux, impotent.
Poésie. — Versification, vers, poème, lyrisme, imagination, sentiment.
Poète. — Rimeur, versificateur.
Poétique. — Enthousiasme, imagé, lyrique, imaginatif, noble, sublime.
Poids. — Charge, fardeau.
Poignant. — Douloureux, émouvant, piquant, triste.
Poignarder. — Frapper, tuer.
Poilu. — Barbu, chevelu, hirsute, velu.
Poindre. — Commencer, apparaître, se lever.
Point. — Endroit, division, partie, degré, état, situation, instant, moment. — Note, question.
Pointe (*fig.*). — Trait, jeu de mots, ironie, saillie, piqûre. — Saillie, pic, sommet, crête, cap, dard, pique, clou.
Pointer. — Surgir, apparaître, piquer, saillir.
Pointiller. — Chicaner, taquiner.
Pointilleux. — Susceptible, exigeant, minutieux, chicaneur, vétilleux.

Pointu. — Aigu, subtil, irascible, difficile. — Affecté, piquant, perçant.
Poison. — Venin, toxique, virus, infection.
Poissard. — Grossier, vulgaire.
Poisser. — Enduire.
Poisseux. — Gluant, collant, visqueux.
Poitrine. — Poitrail, thorax, buste.
Poivré. — Épicé, assaisonné. — Raide, licencieux.
Poivrot. — (*V. Ivre.*)
Pôle. — Extrémité.
Polémique. — Lutte, campagne, controverse.
Poli. — Astiqué, blanchi, brillant, lisse, uni, luisant, verni. — Aimable, amène, bien élevé, civil, convenable, galant, courtois, prévenant.
Police. — Ordre, règlement, surveillance.
Policer. — Civiliser, réglementer.
Polisson. — Débraillé, dissipé, espiègle. — Débauché, licencieux.
Politesse. — Bienséance, urbanité, civilité, courtoisie, égards, éducation, savoir-vivre, usages.
Politique. — Fin, adroit, prudent, habile, rusé, souple, avisé, diplomate.
Polluer. — Violer, souiller, profaner.
Poltron. — Peureux, capon, couard, froussard, lâche, timide.
Pommade. — Onguent, crème, cosmétique.
Pommader. — Farder, enduire, lisser, graisser.

Pommé. — Complet, achevé, réussi.

Pommelé. — Tacheté.

Pompe. — Étalage, somptuosité, magnificence, luxe, faste, solennité, éclat, emphase, apparat, splendeurs.

Pomper.—Puiser, attirer, aspirer.

Pompette. — Gris, éméché, ému, excité, parti.

Pompeux. — (*V. Pompe.*)

Pomponné. — Élégant, orné, soigné, attifé, fagoté.

Poncif. — Arriéré, vieux, routinier.

Ponctualité. — Régularité, exactitude.

Ponctuer. — Marquer, séparer, scander.

Ponctuel. — Normal, réglé, régulier, exact.

Pondération. — Équilibre, proportion, mesure, réserve, juste-milieu.

Pondéré. — Équilibré, sage, sobre, rangé, retenu, mesuré.

Pondérer. — Équilibrer.

Pondéreux. — Lourd.

Pondre. — Produire.

Pont. — Passerelle, viaduc.

Ponter. — Miser, jouer, parier.

Pontife. — Prêtre, pape, prélat.

Pontifiant. — Majestueux, solennel, empesé, prétentieux, emphatique.

Pontifier. — Officier. — Se rengorger, trôner, parader, se pavaner.

Populace. — Peuple, plèbe, multitude, foule, racaille, roture, canaille, vilains.

Populacier. — Populaire, plébéien, faubourien, roturier.

Populaire. — Démocrate, national, public. — Aimé, estimé, répandu, considéré. — Bas, commun, grossier, vulgaire.

Popularité. — Considération, estime, gloire, renommée, vogue, renom, notoriété, éclat, illustration.

Populeux. — Fréquenté, fourmillant, nombreux, populant, grouillant.

Porc. — Cochon, verrat, pourceau, goret.

Pore. — Trou, intervalle, fissure.

Poreux. — Percé, perméable.

Pornographique. — Immoral, licencieux, grossier, impudique.

Port. — Abri, havre, rade, escale, relâche. — Taille, aspect, prestance.

Portatif. — Léger, commode, petit.

Porte. — Ouverture, entrée, issue, sortie, porche, dégagement, huis. — Introduction, moyen.

Portée. — Distance. — Importance, valeur, gravité, poids, effet, efficacité.

Portefaix. — (*V. Porteur.*)

Porter. — Soutenir, supporter, lever, soulever, enlever, charger, transporter, tenir, avoir, arborer, mettre, revêtir. — Produire, pousser, étendre, transmettre. — Montrer, manifester. — Inscrire. — Trinquer, boire. — Atteindre.

Porteur. — Portefaix, débardeur, commissionnaire, fort, crocheteur.

Portier. — Gardien, concierge.

Portion. — Partie, fraction, lopin, tronçon, division, ration.

Portique. — Galerie, portail, porche, péristyle, porte.

Portrait. — Image, description, photographie, effigie.

Pose. — Attitude. — Installation, placement. — Orgueil.

Posé. — (*V. Poser.*) — Calme, lent, prudent, sérieux.

Poser. — Fixer, placer, mettre, situer, établir, poster, installer. — Asseoir, soutenir.

Positif. — Réel, certain, matériel, solide, vrai, absolu, incontestable.

Position. — Lieu, terrain, situation, attitude, assiette. — Condition, état, fonction.

Posséder. — Avoir, jouir de. — Savoir, connaître. — Maîtriser, contenir.

Possesseur. — Propriétaire.

Possession. — Jouissance, propriété.

Possible. — Accessible, commode, concevable, éventuel, facile, faisable, pratique, réalisable.

Poste. — Fonction, emploi, situation, position. — Place, coin, lieu.

Poster. — Placer, mettre, établir, embusquer, loger, installer.

Postérieur. — Consécutif, ultérieur, suivant, posthume.

Postérité.—Descendance, suite, lignée, dynastie, enfants.

Postulant. — Solliciteur, demandeur, candidat, quémandeur, prétendant.

Postulat. — Axiome, principe.

Postuler. — Demander, solliciter, quémander, briguer, revendiquer.

Posture. — Attitude, position, situation, état.

Potable. — Suffisant, satisfaisant. — Buvable.

Potage. — Soupe.

Pot-au-feu. — Bouilli.

Potelé. — Gras, grassouillet, poupin, replet, rondelet.

Potentat. — Souverain, despote, tyran.

Potin. — Verbiage, cancan, bavardage, commérage.

Potiner. — (*V. Potin.*)

Potion. — Boisson.

Pouacre. — Sale, vilain, malpropre, puant, avare.

Poudre. — Poussière.

Poudreux. — Poussiéreux, cendreux, sablonneux.

Pouffer. — Éclater, rire.

Pouilleux. — Pauvre, misérable, minable, sale, crasseux, immonde, répugnant, sordide. — Avare.

Pouls. — Battement, pulsation.

Poupard. — Enfantin. — Gras. (*V. Potelé.*)

Poupin. — Affecté, potelé.

Poupon. — Bébé, poupard, nouveau-né, marmot, mioche.

Pourceau. — Porc, cochon, verrat.

Pourchasser. — Poursuivre, traquer, chasser, disperser, balayer.

Pourri. — Abîmé, avarié, contaminé, corrompu, faisandé, gangrené, gâté, moisi, putréfié, putride, vicié, infect, purulent.

Pourriture. — Décomposition, putréfaction, corruption, infection, purulence, gangrène.

Poursuite. — Chasse, démarche.

Poursuivre. — Pourchasser, relancer. — Importuner, tourmenter, persécuter. — Continuer, persévérer.

Pourtant. — Cependant, néanmoins, toutefois.

Pourtour. — Contour, cercle, ceinture.

Pourvoi. — Recours, appel.

Pourvoir. — Fournir, suppléer, munir, orner, douer, garnir.

Pourvoyeur. — Fournisseur.

Pousse. — Branche, rameau.

Poussée.—Pression, bousculade, heurt.

Pousser. — Oter, balayer, bourrer, chasser, éloigner, jeter, refouler, rejeter, renvoyer. — Aider, augmenter, exciter, instruire, protéger. — Produire, croître. — Bousculer, heurter.

Poussière. — Cendre, poudre.

Poussif. — Soufflant, haletant.

Pouvoir. — Puissance, autorité, capacité, droit, ascendant, crédit, influence, habileté, faculté.

Prairie. — Pré, pâturage, champ.

Praticable. — Commode, facile, pratique, aimable.

Praticien. — Habile, expérimenté. — Médecin. — Artiste.

Pratique. — Application, expérience. — Accomplissement, usage, coutume. — Fréquentation, client, vogue.—Applicable, commode, exécutable, facile, faisable, possible, praticable.

Pratiquer. — Exercer, faire. — Fréquenter.

Pré.—Prairie, pâturage, herbage.

Préalable. — Antérieur, antécédent, précédent, préliminaire.

Préambule. — Exorde, introduction, exposition, début, entrée en matière.

Précaire. — Court, fragile, incertain, périssable.

Précaution. — Circonspection, ménagement, prudence, réserve, économie.

Précédent. — Antérieur, antécédent, précurseur, devancier.

Précéder.—Devancer, dépasser, distancer, prévenir.

Précepte. — Recommandation, règle, commandement, maxime, instruction.

Précepteur. — Professeur, instituteur, maître, répétiteur.

Prêche. — Sermon, discours.

Prêcher. — Louer, vanter, sermonner, instruire, recommander.

Prêcheur. — Prédicateur, péroreur, harangueur.

Précieux. — Rare, riche, utile, parfait, important. — Affecté, maniéré, emphatique.

Précipice. — Gouffre, abîme.

Précipitation. — Presse, brusquerie, soudaineté, promptitude, hâte, fougue, vitesse.

Précipité. — (V. *Précipiter*.) — Escarpé, rapide. — Dépôt, sédiment.

Précipiter. — Jeter, pousser, hâter, presser, brusquer, expédier, accélérer, bousculer, se dépêcher.

Précis. — Court, exact, résumé, sommaire, abrégé, concis, fixe, déterminé, absolu, net, distinct, juste, formel.

Précision. — Exactitude, régularité, justesse, ponctualité.

Précoce. — Rapide, avancé, mûr, pressé, prématuré, hâtif.

Préconçu. — Préjugé.

Préconiser. — Louer, vanter, prôner.

Précurseur. — Annonciateur, devancier, avant-coureur, prédécesseur, éclaireur.

Prédateur. — Pillard.

Prédestiner. — Destiner, marquer, appeler, annoncer.

Prédication. — Prêche, sermon, discours.

Prédire. — Annoncer, conjurer, présager, prophétiser.

Prédisposer. — Préparer, incliner.

Prédominer. — Prévaloir.

Prééminence. — Supériorité, prépondérance, prédominance, suprématie, primauté.

Préexistence. — Antériorité.

Préférable. — Meilleur, supérieur.

Préféré. — Choisi, privilégié.

Préjudice. — Tort, dommage, détriment.

Préjudiciable. — Nuisible.

Préjugé. — Parti pris, prévention.

Préjuger. — Prévoir, anticiper.

Prélat. — Évêque, pontife.

Prélever. — Prendre, saisir, ôter, enlever.

Préliminaire. — Introduction. — Antérieur, initial.

Prématuré. — Hâtif, précoce, antérieur, rapide.

Préméditer. — Réfléchir, projeter, préparer.

Prémices. — Commencement.

Premier. — Initial, nouveau, supérieur.

Prémunir. — Précautionner.

Prendre. — Saisir, enlever, endosser. s'emparer, capter, capturer, ravir, confisquer, attraper, accepter, recevoir. — Réussir.

Préoccupation. — Souci, inquiétude.

Préoccuper. — Absorber, inquiéter, obséder.

Préparation. — Méditation, travail. — Médicament. — Composition, combinaison, arrangement, préparatifs, machination.

Préparatoire. — Antérieur, initial.

Préparer. — Accommoder, apprêter, arranger, disposer, élaborer, étudier, faciliter, frayer, projeter, combiner, organiser, machiner, préméditer, mitonner, mijoter.

Prépondérance. — Supériorité, prééminence, primauté, suprématie, tête.

Préposé. — Apporté, chargé, commis, délégué, employé, représentant.

Prérogative. — Pouvoir, droit, avantage.

Près. — A côté, proche, contre, touchant, en contact, aux abords, limitrophe, contigu, attenant, adjacent, voisin, mitoyen.

Présager. — Annoncer, conjecturer, prédire.

Presbytère. — Cure.

Prescription. — Ordonnance, précepte.

Prescrire. — Enjoindre, ordonner, imposer, commander, édicter, décréter. — Effacer, annuler.

Présent. — Actuel, assistant, spectateur, auditeur, témoin. — Don, cadeau.

Présentable. — Propre, correct, convenable.

Présentation. — Introduction. — Manières, étiquette, usage.

Présenter. — Offrir, exposer, donner, proposer, montrer, préparer, expliquer, arranger. — Introduire.

Préserver. — Garantir, défendre, protéger, conserver, sauver.

Présider. — Diriger, veiller à.

Présomption. — Conjecture.

Présomptueux. — Orgueilleux, audacieux, téméraire.

Presque. — Quasi, environ, à peu près, approximativement.

Pressant. — Excitant, important, indiscret, puissant, rapide, suppliant, insistant.

Pressé. — Vif, agile, alerte, impatient, diligent, empressé, rapide.

Pressentiment. — Prévision, crainte, espoir.

Pressentir. — Prévoir, interroger, questionner, sonder, examiner.

Presser. — Serrer, comprimer, contracter. — Harceler, attaquer, obliger, contraindre, pousser, exciter, aiguillonner, tourmenter. — Hâter, précipiter, accélérer.

Pression. — Influence, contrainte. — Serrement.

Pressurer. — Serrer, opprimer, épuiser.

Prestance. — Mine, tournure, démarche, port.

Prestation. — Fourniture. — Impôt.

Preste. — Habile, rapide, agile, vif, alerte, adroit.

Prestidigitateur. — Escamoteur.

Prestige. — Illusion, influence.

Prestigieux. — Magique, extraordinaire.

Présumer. — Conjecturer, supposer, prévoir, soupçonner.

Prêt. — Enclin, disposé, préparé, mûr, à point.

Prétendant. — Aspirant.

Prétendre. — Réclamer, aspirer à, soutenir, affirmer.

Prétendu. — Soi-disant, pseudo, illusoire, imaginaire, mensonger, chimérique, fabuleux, supposé.

Prétention. — Intention, volonté, ambition.

Prêter. — Fournir, procurer, donner, avancer, attribuer.

Prétexte. — Motif, raison, faux-fuyant.

Prétoire. — Tribunal.

Prêtre. — Ecclésiastique, curé.

Preuve. — Marque, témoignage, motif, fondement, raison.

Prévaloir. — L'emporter.

Prévarication. — Trahison, vol.

Prévenant. — Complaisant, aimable, serviable, empressé, attentionné.

Prévenir. — Devancer, précéder. — Influencer. — Avertir. informer.

Prévision. — Conjecture, présage, pronostic, prédiction, supposition, prophétie.

Prévoir. — Conjecturer, augurer.

Prévoyance. — Précaution, prudence.

Prier. — Demander, supplier, invoquer, implorer, adorer. — Inviter, convier.

Prière. — Demande, supplication, invocation, patenôtres, oraison, orémus, imploration.

Primauté. — Prééminence, supériorité, suprématie, prépondérance.

Prime. — Récompense.

Prime-sautier. — Rapide, franc, spontané, bizarre, capricieux.

Primeur. — Nouveauté, inédit, inconnu, fraîcheur.

Primitif. — Ancien, antique, vieux, simple, brut, sauvage.

Primordial. — Initial, antique, originel, liminaire, ancien.

Prince. — Souverain, altesse.

Princier. — Souverain, royal, riche, généreux, magnifique.

Principal. — Important, essentiel, fondamental, capital.

Principalement. — Particulièrement, essentiellement, surtout, notamment.

Principe. — Cause, origine, commencement. — Idée, raison, fondement, maxime, règle.

Printanier. — Jeune, nouveau, frais, gai, vernal, renouveau.

Pris. — (*V. Prendre*). — Proportionné, élégant. — Caillé, gelé.

Prise. — Facilité. — Dispute, querelle.

Priser. — Évaluer, estimer, apprécier, coter, fixer, taxer.

Prisonnier. — Captif, reclus, séquestré, enfermé, détenu.

Privation. — Manque, absence, insuffisance, restriction.

Privauté. — Familiarité, liberté.

Privé. — Particulier, personnel, apprivoisé.

Priver. — Interdire, empêcher, frustrer, spolier, dénuder, ravir, dérober, voler.

Privilège. — Droit, avantage, monopole.

Privilégié. — Avantagé, choisi, élu, favori, gâté, préféré, soutenu.

Prix. — Valeur, excellence. — Coût, montant, cote, tarif, taux, cours, total, somme, évaluation, estimation. — Récompense.

Probable. — Apparent, croyable, naturel, plausible, possible, supposable, hypothétique.

Probant. — Convaincant, logique, pertinent, péremptoire.

Probe. — Honnête, vertueux, droit.

Probité. — Honnêteté, intégrité, droiture, scrupule.

Problématique. — Difficile, incertain, douteux, chanceux, équivoque, ambigu, conjectural, hypothétique.

Procédé. — Manière, conduite, méthode, moyen.

Procéder. — Agir. — Émaner, découler, dériver.

Procédure. — Méthode. — Chicane

Procédurier. — Chicaneur.

Processif. — Chicaneur, plaideur, procédurier.

Procession. — Marche, file, défilé, théorie, suite.

Processus. — Développement, progrès, prolongement, suite.

Prochain. — (*V. Proche.*)

Proche. — Adjacent, attenant, avoisinant, contigu, juxtaposé, immédiat, imminent, latéral, limitrophe, prochain, rapide, tangent, voisin.

Proclamer. — Déclarer, annoncer, publier, divulguer, crier.

Procréer. — Engendrer, enfanter, produire, mettre au jour.

Procuration. — Pouvoir, mandat.

Procurer. — Donner, fournir.

Prodigalité. — Libéralité, générosité, dépense, largesse, gaspillage.

Prodige. — Miracle, merveille.

Prodigieux. — Miraculeux, merveilleux, étonnant, magique, renversant, extraordinaire, phénoménal.

Prodigue. — Dépensier, désordonné, dissipateur, généreux, large, gaspilleur.

Prodiguer. — Dépenser, répandre, dissiper, dilapider, gaspiller.

Productif. — Fécond, créateur.

Production. — Ouvrage, résultat, travail, besogne, labeur.

Produire. — Montrer, exhiber, présenter. — Créer, enfanter, engendrer, fabriquer, cultiver, écrire.

Produit.—Production, profit, bénéfice, rapport, récolte, travail.

Proéminent. — Apparent, supérieur, haut, gros, bossu.

Profanation. — Sacrilège, abus.

Profane. — Laïc, mondain, temporel. — Impie, licencieux, irréligieux, sacrilège. — Etranger, ignorant.

Proférer. — Prononcer, déclarer.

Professer. — Avouer, reconnaître. — Exercer, enseigner.

Professeur. — Maître, pédagogue, instituteur.

Profession. — Déclaration. — Métier, carrière, charge, situation, poste, fonction, qualité, travail, gagne-pain.

Profit. — Gain, bénéfice, avantage, utilité, progrès.

Profitable. — Avantageux, utile, fructueux.

Profiter. — Gagner, bénéficier, progresser, utiliser, exploiter.

Profond. — Creux, difficile, fort, intelligent, perspicace, pénétrant, intérieur, métaphysique, obscur, savant.

Profondément. — Extrêmement.

Profusion. — Excès, libéralité, multiplicité, masse, encombrement, flot, foule.

Progéniture. — Descendance, rejeton, héritier.

Progrès. — Perfectionnement, développement, amendement, avancement, amélioration, progression, civilisation.

Progressif. — Croissant, graduel, multiplié.

Prohiber. — Défendre, interdire, empêcher.

Proie. — Prise, butin.

Projectile. — Balle, obus, bombe, mitraille, torpille, grenade, flèche, dard, caillou.

Projet. — Dessein, intention, but, combinaison, plan.

Projeter. — Combiner, comploter, concerter, concevoir, imaginer, ourdir, préméditer, préparer, tramer.

Prolétaire. — Pauvre, populaire, ouvrier, travailleur.

Prolifique. — Fécond, reproducteur.

Prolixe. — Diffus, long, verbeux, bavard.

Prologue. — Préface.

Prolongement. — Continuation.

Promener. — Mener, conduire, cheminer, marcher, circuler.

Promettre. — Annoncer, prédire, certifier, assurer.

Promis. — Fiancé.

Promiscuité. — Mélange, confusion, voisinage.

Promoteur. — Initiateur, inspirateur.

Promotion. — Avancement.

Promouvoir. — Élever.

Prompt. — Vif, rapide, habile, diligent, emporté, brusque, coléreux, fougueux, impérieux, preste, agile.

Promulguer. — Publier.

Prôner. — Vanter, louer.

Prononcé. — (*V. Prononcer.*) — Marqué, accusé, ferme, décidé.

Prononcer. — Déclarer, réciter, débiter, accentuer, articuler. — Ordonner, décider, juger.

Pronostic. — Conjecture, prévision, signe.

Propager. — Multiplier, développer, étendre, répandre, vulgariser, prêcher.

Propension. — Tendance, penchant, inclination, pente, goût, prédisposition.

Prophétie. — Prédiction, annonce, prévision.

Prophétiser. — Prédire, prévoir, deviner.

Prophylactique. — Préservatif, protecteur.

Propice. — Utile, favorable.

Proportion. — Rapport, convenance, dimension, harmonie, équilibre, comparaison, échelle.

Proportionné. — Corrélatif, en rapport, en harmonie, à l'échelle, au prorata, équilibré, pondéré.

Propos. — Conversations, paroles.

Propre. — Personnel, naturel, réel. — Exact, distinct, net. — Apte, habile, bon à. — Balayé, clair, nettoyé, essuyé, lavé, présentable, débarbouillé, décrassé, savonné, décrotté, blanchi, rincé, lessivé.

Propriétaire. — Possesseur.

Propriété. — Jouissance. — Bien-fonds, terre, domaine, maison, avoir, possession, patrimoine, héritage.

Prorata. — Quote-part, proportionné.

Prorogation. — Prolongation, délai, ajournement, renvoi, sursis.

Proroger. — Prolonger, ajourner, atermoyer, retarder.

Prosaïque. — Commun, matériel, grossier, simple, vulgaire, banal, trivial.

Proscrire. — Chasser, bannir, abolir, défendre, condamner, interdire.

Prosélyte. — Néophyte, fidèle, initié, adepte, catéchumène, sectateur.

Prospère. — Florissant, heureux, riche, fortuné.

Prospérer. — Réussir.

Prospérité. — Bonheur, félicité, béatitude, réussite, chance, veine.

Prosterné. — Couché, modeste, pieux, repentant, suppliant.

Prostituer. — Abaisser, corrompre, avilir.

Prostitution. — Corruption, trafic.

Prostration. — Anéantissement, abattement.

Protecteur. — Défenseur, gardeur, préservateur, tuteur, soutien, bienfaiteur, mécène, champion, chevalier.

Protéger. — Défendre, garantir, garder, patronner, sauvegarder, soutenir, veiller, prémunir, préserver.

Protestation. — Déclaration, promesse, objection, contre-pied, réfutation.

Protester. — Assurer, promettre. — Regimber, rebeller, rebiffer, s'insurger, objecter, contester, tenir tête.

Protubérance. — Saillie, éminence, bosse. — Tertre, tumulus, mamelon, monticule.

Prou. — Assez, beaucoup.

Prouver. — Établir, démontrer, justifier, confirmer, corroborer.

Provenance. — Origine, principe, source, racine, départ, fondement.

Provenant. — Originaire.

Provenir. — Venir, émaner, résulter, dériver, descendre de, procéder de, remonter à.

Proverbe. — Adage, aphorisme, apophtegme, sentence, maxime, pensée.

Proverbial. — Gnomique, traditionnel, universel, sentencieux.

Providence. — Divinité, Dieu.

Providentiel. — Bon, heureux, divin, protecteur, salutaire.

Provision. — Dépôt, réserve, avance, approvisionnement, stock.

Provisoire. — Actuel, court, fragile, incertain, momentané, temporaire, éphémère, passager.

Provocant. — Excitant, irritant, batailleur, querelleur.

Provoquer. — Exciter, inciter, défier. — Causer, amener.

Proximité. — Voisinage, parenté, contact, rapprochement.

Prude. — Affecté, hypocrite, vertueux, pudique, pudibond.

Prudent. — Attentif, averti, avisé, calme, circonspect, défiant, discret, habile, mesuré, politique, posé, prévoyant, réfléchi, réservé, sage.

Prud'homie. — Probité, sagesse, pudeur.

Psalmodique. — Monotone.
Psychique. — Spirituel, immatériel.
Puant. — Fétide, nauséabond, empesté, empuanti, infectant, pestilentiel. — Fier, vaniteux.
Public. — Affiché, annoncé, célèbre, colporté, commun, connu, dévoilé, divulgué, ébruité, fréquenté, glorieux, gratuit, manifeste, national, notoire, officiel, ostensible, populaire, propagé, publié, renommé, répandu, révélé, universel, vulgarisé. — Collectif, banal, communal.
Publication. — Édition, ouvrage, revue, journal, magazine.
Publicité. — Annonce, réclame, affichage.
Publier. — Proclamer, vanter, célébrer. — Dévoiler, révéler, divulguer, propager, répandre. — Imprimer, écrire, éditer.
Pudeur. — Réserve, retenue, modestie, décence, chasteté, pudicité, pruderie, pudibonderie.
Pudibond. — Modeste, pur, vertueux, prude.
Pudicité. — Chasteté, réserve, décence.
Pudique. — (V. Pudibond.)
Puéril. — Enfantin, naïf, vain.
Puff. — Charlatanisme.
Pugilat. — Lutte, combat, rixe.
Puîné. — Postérieur.
Puiser. — Tirer, extraire, soutirer.
Puissance. — Autorité, pouvoir, influence, efficacité, domination, empire, souveraineté, maîtrise.

Puissant. — Capable, dominateur, efficace, fort, important, influent, magistral, omnipotent, prépondérant, riche, souverain, supérieur, suprême, maître, absolu.
Puits. — Citerne, puisard.
Pulluler. — Multiplier, affluer, pleuvoir, grouiller, regorger, fourmiller.
Pulsation. — Battement.
Pulvériser. — Moudre, broyer, détruire, réduire en miettes.
Punir. — Corriger, frapper, réprimer, châtier, sévir.
Punition. — Peine, châtiment, sanction, répression, expiation.
Pur. — Naturel, assaini, clair, limpide, serein, filtré, propre, rectifié, raffiné, tamisé, châtié, correct. — Candide, chaste, immaculé, innocent, intact, pudique, vierge, virginal. — Complet, idéal.
Purger. — Nettoyer, débarrasser, épurer, délivrer, justifier.
Purifier. — (V. Pur.)
Purisme. — Correction.
Purpurin. — Rouge, pourpre.
Pusillanime. — Lâche, poltron, timide, couard, pleutre, peureux, trembleur.
Putréfaction. — Décomposition, pourriture.
Putride. — Infect, pourri, fétide, empesté, empuanti, nauséabond, écœurant.
Pygmée. — Nain, lilliputien, nabot.
Pyramidal. — Faux, excessif, extraordinaire, phénoménal.
Pyrrhonien. — Sceptique.

Q

Quai. — Trottoir, débarcadère.

Qualification. — Titre, appellation.

Qualifié. — Autorisé, compétent, entendu, capable.

Qualifier. — Énoncer, exprimer, appeler.

Qualité. — Disposition, aptitude, titre, don, capacité, nature, caractère.

Quand. — Comme, lorsque.

Quant à. — Relativement à.

Quantité. — Nombre, abondance, quotité, dose, mesure.

Quartier. — Partie, portion, phase, temps. — Caserne. — Grâce.

Quasi. — Presque, pour ainsi dire.

Quelconque. — Commun, vague, banal.

Quelquefois. — Parfois, de temps en temps, de temps à autre.

Quelques. — Plusieurs.

Quémander. — Mendier, solliciter, demander.

Querelle. — Dispute, altercation, discussion, antagonisme.

Quereller. — Gronder, réprimander, gourmander, batailler, chamailler, chicaner.

Querelleur. — Batailleur, taquin, chicaneur, hargneux, tracassier.

Quérir. — Chercher.

Question. — Demande, interrogation.

Quête. — Demande, sollicitation, prière, requête. — Chasse.

Quêter. — Chasser, rechercher, demander, quémander, solliciter, mendier, réclamer.

Queue. — Fin.

Quiet. — Tranquille, calme, reposé.

Quiétude. — Tranquillité, calme, béatitude, sérénité.

Quintessence. — Essence, extrait.

Quintessencier. — Subtiliser, raffiner.

Quinteux. — Capricieux, bizarre, changeant, fantasque, lunatique.

Quiproquo. — Méprise, erreur.

Quittance. — Acquit, reçu, récépissé.

Quitte. — Libre, libéré, dispensé, exempt, débarrassé.

Quitter. — Abandonner, abdiquer, délaisser, déserter, évacuer, lâcher, laisser, renier, sacrifier, se séparer de, s'éloigner de.

Quoique. — Bien que, malgré que.

Quolibet. — Plaisanterie, raillerie, brocard.

Quote. — Part.

Quotidien. — Fréquent, continuel, journalier, perpétuel, réitéré.

Quotité. — Montant.

R

Rabâcher. — Répéter, redire, ressasser, seriner, radoter, réitérer, insister.

Rabais. — Diminution, réduction, remise, baisse, solde.

Rabaisser. — Diminuer, déprécier, avilir, rabattre.

Rabat-joie. — Grognon, grondeur, renfrogné.

Rabattre. — Aplatir, aplanir. — Retrancher, atténuer, diminuer, abaisser.

Rabelaisien. — Licencieux, cynique.

Râblé. — Large, épais, solide.

Rabibocher. — Raccommoder, arranger, réconcilier, remettre.

Raboter. — Aplanir, corriger, polir.

Raboteux. — Rude, inégal, âpre, dur, difficile, rêche, rugueux.

Rabobiner. — Raccommoder.

Rabougri. — Court, petit, contracté, racorni, rachitique, ratatiné.

Raboutir. — Coudre, joindre.

Racaille. — Rebut, populace.

Raccommoder. — Arranger, rétablir, réparer, remettre, réconcilier.

Raccord. — Jonction, réunion. — Suture, ligature, soudure.

Raccourcir. — Contracter, diminuer, abréger.

Raccoutrer. — Raccommoder, recoudre, réparer.

Raccrocher. — Arrêter, prendre, accoster.

Rachat. — Délivrance.

Racheter. — Compenser, payer.

Rachitique. — Faible, rabougri, débile, anémié, atrophié, étiolé.

Racine (*fig.*). — Commencement, principe, origine.

Raclée. — Volée, correction.

Racler. — Enlever, frotter, nettoyer.

Racoler. — Attirer, enrôler, recruter.

Racontage. — Bavardage, cancan, potin, commérage, racontar.

Racontar. — (*V. Racontage.*)

Raconter. — Expliquer, dire, conter, narrer, exposer, développer, rapporter, relater, décrire, retracer, écrire.

Racorni. — Contracté, ramassé, dur, coriace, sec. — Étroit, mesquin.

Radiation. — Suppression, retrait, correction. — Rayonnement.

Radical. — Complet, absolu, souverain, total.

Radieux. — Rayonnant, éclatant, heureux, joyeux.

Radoter. — Rabâcher, ressasser, ruminer.

Radotage. — Rabâchage, verbiage.

Radoucir. — Calmer, pacifier.

Rafale. — Tempête, ouragan, trombe, cyclone, tourbillon, tourmente, bourrasque.

Raffermir. — Fortifier, réparer, guérir, solidifier, améliorer, soutenir, relever.

Raffiné. — Affecté, recherché, délicat, excessif, minutieux, parfait, pur, soigné.

Raffinement. — Recherche, affectation.

Raffiner. — Purifier, soigner, achever, perfectionner.

Raffoler. — Se passionner, s'emballer pour, se toquer de, s'enticher de, s'engouer de, adorer.

Rafistoler. — Raccommoder, rabobiner, rabibocher, réparer.

Rafler. — Prendre, voler, piller, ravir.

Rafraîchissement. — Boisson, libation.

Rage. — Colère, frénésie, fureur, hydrophobie.

Rageur. — Coléreux, irascible.

Ragot. — Bavardage, cancan.

Ragoûtant. — Agréable, mangeable, appétissant, alléchant, délicieux, délectable, affriolant, séduisant.

Ragréer. — Rajeunir.

Raid. — Incursion, course.

Raide. — Acide, contracté, tendu, difficile, droit, dur, engourdi, étonnant, extraordinaire, fier, fort, immobile, insensible, licencieux, rapide, inflexible, sévère.

Raie. — Ligne, trait, tiret, barre.

Raillerie. — Moquerie, brocard, ironie, plaisanterie.

Rainure. — Fente, entaille.

Raison. — Bon sens, justesse, équilibre, jugement, intelligence. — Réparation. — Sujet, cause, motif.

Raisonnable. — Intelligent, sensé, sage, logique, rationnel, soutenable, sobre, modéré. — Suffisant, convenable, passable.

Raisonnement. — Démonstration, réplique, logique, dialectique, argumentation.

Raisonner. — Penser, réfléchir. — Discuter, répliquer. — Gronder, sermonner. — Ergoter, ratiociner.

Raisonneur. — Discuteur, ergoteur, chicaneur, casuiste, sophiste, dialecticien, logicien.

Rajeunir. — Rafraîchir, réparer, rétablir.

Ralentir. — Retarder, calmer.

Ralliement. — Réunion, concentration, rassemblement, groupement.

Rallier. — (V. Ralliement.) — Gagner, ramener, se concilier.

Ramadouer. — Radoucir, calmer.

Ramage. — Chant, babil, gazouillis, roucoulement.

Ramassé. — Trapu, massif, court, robuste.

Ramasser. — Recueillir, réunir, rassembler, saisir, prendre, capter, capturer, confisquer, rafler, agripper.

Ramassis. — Assemblage, réunion, collection, groupe, troupeau, amas, tas, monceau.

Rameau. — Branche, subdivision, ramification.

Ramée. — Feuillage, verdure.

Ramener. — Rapporter, reconduire. — Rétablir, faire renaître, rendre.

Ramification. — Branche, rameau, division.

Ramolli. — Mou, faible, abêti, avachi, engourdi, efféminé.

Ramoner. — Nettoyer, récurer.

Rampant. — Incliné, prosterné, soumis, obséquieux, bas.

Ramper. — Se traîner, se prosterner, s'abaisser, raser la terre.

Ramure. — Bois, branches.

Rancœur. — Rancune, ressentiment.

Rançon. — Rachat.

Rancune. — Rancœur, ressentiment, animosité.

Rancunier. — (V. Vindicatif.)

Randonnée. — Marche, course.

Rang. — Ligne, place, rangée, alignement.

Rangé. — (V. Ranger.) — Sobre, soigneux, sérieux, vertueux, organisateur, méthodique.

Ranger. — Disposer, placer, ordonner, aligner, organiser, grouper, classer. — Serrer, compter, amasser, emballer. — Soumettre.

Ranimer. — Relever, réveiller, rétablir, guérir, consoler, raviver, vivifier. — Revivre, renaître, ressusciter.

Rapace. — Accapareur, cupide, avide, avare.

Râpé. — Usé, usagé.

Rapetasser. — Raccommoder, rapiécer, ravauder, rafistoler.

Rapetisser. — Abaisser, diminuer.

Rapiat. — Avare, avide, cupide, pingre, sordide.

Rapide. — Accéléré, agile, alerte, brusque, diligent, emballé, expéditif, express, habile, immédiat, inattendu, instantané, leste, précipité, pressé, preste, prompt, sommaire, soudain, subit, vif, véloce.

Rapiécer. — Réparer, raccommoder.

Rapiéceter. — Raccommoder, rapetasser.

Rapière. — Épée, sabre.

Rapin. — Peintre.

Rapine. — Vol, pillage, concussion, détournement.

Rappareiller. — Joindre, réunir, réassortir.

Rappeler. — Redire, remémorer. — Rassembler. — Faire revenir.

Rapport. — Revenu, rente, fruit. — Affirmation, dire, récit, témoignage, avis. — Conformité, ressemblance, relation.

Rapporter. — Ramener. — Procurer, produire, rendre. — Raconter, dire, dénoncer. — Annuler.

Rapprocher. — Joindre, réunir, rassembler, comparer, réconcilier.

Rapt. — Enlèvement.

Rare. — Anormal, clair, clairsemé, curieux, étonnant, exceptionnel, extraordinaire, inaccoutumé, inouï, insigne, insolite, inusité, original, précieux, remarquable, singulier, unique, introuvable.

Raréfaction. — Diminution.

Raréfier. — Diminuer, clairsemer.

Rareté. — Anomalie, curiosité, originalité, singularité. — Raréfaction, manque.

Ras. — Coupé, tondu, chauve, nu, taillé, court, bas.

Raser. — Couper, abattre. — Fatiguer, importuner, ennuyer, assommer.

Raseur. — Importun, fâcheux, assommant.

Rassasié. — (*V. Rassasier.*) — Plein, repu, satisfait, gavé, saoul, bourré.

Rassasier. — Accabler, apaiser, assouvir, bourrer, combler, gaver, gorger, saturer, remplir, bonder.

Rassemblement. — Attroupement, réunion, concours, ralliement.

Rassembler. — Grouper, réunir, rallier. — Rajuster, résumer.

Rasseoir. — Remettre, calmer.

Rasséréner. — Calmer, consoler, tranquilliser.

Rassis. — Calme, mûri, posé, sérieux, solide, pondéré, équilibré.

Rassurer. — Tranquilliser, raffermir, rasséréner, calmer.

Ratatiné. — Contracté, plié, ridé, flétri.

Rater. — Manquer, échouer.

Ratification. — Approbation, confirmation, adhésion.

Ratiociner. — Raisonner.

Ration. — Portion, part.

Rationnel. — Bien, certain, exact, logique, probable, fondé, raisonnable.

Rattacher. — Relier, suspendre, raccrocher.

Rattraper. — Ressaisir, rejoindre, reprendre, recouvrer.

Rature. — Correction, grattage.

Raturer. — Racler, corriger, annuler, gratter, rayer, biffer.

Rauque. — Rude, enroué.

Ravage. — Dégât, désordre. (*V. Ravager.*)

Ravager. — Abîmer, bouleverser, chambarder, désoler, détruire, dévaster, écumer, piller, ruiner, saccager.

Ravaler. — Déprécier, abaisser, rabaisser, avilir. — Crépir.

Ravaudage. — Raccommodage, retapage. — Bavardage, commérage.

Ravauder. — Coudre, raccommoder. — Retaper, rafistoler. — Médire, bavarder, jacasser, jaboter.

Ravauderie. — Frivolité.

Ravi. — (*V. Ravir.*) — Enthousiaste, charmé, heureux, joyeux, radieux, rayonnant, transporté.

Ravir. — Charmer, transporter, enthousiasmer. — Enlever, arracher, ôter.

Raviser (Se). — Varier, changer, revenir sur.

Ravissant. — Agréable, charmant, enchanteur, charmeur, délicieux, exquis.

Ravissement. — Extase, transport.

Ravisseur. — Voleur.

Ravitailler. — Pourvoir, munir, nourrir, fournir, approvisionner.

Raviver. — Exciter, réveiller, ranimer.

Rayer. — Enlever, supprimer, effacer, barrer, annuler.

Rayonnant. — Éclatant, épars, joyeux. (*V. Ravi.*)

Rayonnement. — Propagation, animation. — Radiation, irradiation.

Rayure. — Rainure.

Raz. — Tourbillon, remous.

Réaction. — Résistance, opposition.

Réagir. — Résister.

Réaliser. — Faire, exécuter, accomplir.

Réalisme. — Naturalisme, précision, cynisme.

Réalité. — Existence, matérialité, objectivité. — Matière.

Rébarbatif. — Dur, bourru, désagréable, haineux, renfrogné, revêche.

Rebattu. — Commun, fréquent, recommencé, redit.

Rebelle. — Désobéissant, difficile, entêté, séditieux, révolté, récalcitrant, frondeur, rétif, forte tête.

Rébellion. — Insurrection, sédition, révolte, mutinerie, indiscipline, insubordination, soulèvement, anarchie.

Rebours. — Contraire. — Autoritaire, bourru.

Rebrousser. — Retrousser, retourner, reculer, refluer, se replier, revenir, battre en retraite.

Rebuffer. — Repousser, congédier, éloigner, écarter.

Rebut. — Reste, déchet, détritus.

Rebutant. — Déplaisant, décourageant, outrageant, fatigant, contrariant, lassant.

Rebuter. — Décourager, dégoûter, choquer, ennuyer, lasser, contrarier, fatiguer.

Récalcitrant. — Résistant, désobéissant, rebelle, entêté.

Récapitulation. — Résumé, répétition, inventaire, révision, recensement, revue.

Récapitulatif. — Rétrospectif.

Récapituler. — Résumer, repasser, revoir, répéter.

Recéler. — Cacher, enfermer, contenir.

Récemment. — Dernièrement, naguère.

Recensement. — Compte, dénombrement, vérification, inventaire, récapitulation.

Recension. — Comparaison, confrontation.

Récent. — Actuel, dernier, nouveau, moderne, neuf.

Réception. — Admission, accueil. — Recouvrement, encaissement, perception.

Recette. — Procédé, formule.

Recevable. — Acceptable, admissible, plausible.

Recevoir. — Accepter, admettre, accueillir, adopter, encaisser, recueillir, toucher, agréer. — Tirer, emprunter, émarger, empocher.

Rêche. — Apre, dur, rude, raide, bourru, revêche, rugueux, raboteux.

Recherche. — Travail. — Raffinement, affectation.

Recherché. — (V. Rechercher.) — Affecté, élégant, maniéré, soigné.

Rechercher. — Désirer, poursuivre, aimer. — Fureter, scruter, fouiller, explorer, sonder, examiner, étudier.

Rechigner. — Grimacer, regimber, renâcler, grogner.

Rechuter. — Retomber.

Récidive. — Réapparition, renouvellement, répétition, rechute.

Récidiver. — Réapparaître, recommencer, renouveler, répéter.

Récipient. — Réceptacle, vase.

Réciproque. — Corrélatif, mutuel, inverse.

Récit. — Narration, exposition, conte, histoire, nouvelle.

Réclamant. — Demandeur, plaignant, protestataire.

Réclame. — Annonce, publicité.

Réclamer. — Appeler, demander. — Protester, se plaindre, rebiffer, regimber, revendiquer.

Reclure. — Renfermer, enfermer, isoler, séquestrer, emprisonner, incarcérer, interner, coffrer, cloîtrer, claquemurer.

Réclusion. — Emprisonnement, internement, séquestration.

Récoler. — Rappeler, vérifier.

Récolte. — Produit, rendement, coupe, cueillette, moisson.

Récolter. — Ramasser, recueillir, recevoir, gagner.

Recommandable. — Estimable, estimé, respectable, méritant.

Recommandation. — Conseil, protection, référence, patronage, appui, soutien, apostille, piston.

Recommander. — Prier, conseiller, inviter à.

Recommencer. — Refaire, réintégrer, renouveler, répéter.

Récompense. — Don, gratification, dédommagement, compensation, rémunération.

Réconcilier. — Raccommoder, rapprocher, remettre, réunir.

Reconduire. — Accompagner. — Chasser, repousser, expulser.

Réconfortant. — Cordial, excitant, généreux, remontant, restaurant, stimulant, tonique, vivifiant, reconstituant, chaleureux, consolateur.

Reconnaissance. — Constatation, exploration. — Aveu. — Affection, dévouement, gratitude. — Mémoire.

Reconnaissant. — Obligé, redevable.

Reconnaître. — Constater, explorer, déterminer, voir. — Avouer, déclarer. — Approuver, admettre, croire, se souvenir de.

Reconquérir. — Reprendre, regagner, recouvrer, ressaisir.

Reconstituant. — (V. *Réconfortant.*)

Reconstituer. — Remettre, guérir, rétablir, réorganiser.

Reconstruire. — Rebâtir, réédifier.

Recopier. — Reproduire, transcrire.

Recourber. — Courber, plier, replier.

Recourir. — Faire usage de, se servir de, employer, user de, en venir à.

Recours. — Refuge, pourvoi, requête, demande.

Recouvrer. — Percevoir.

Récréation. — Amusement, délassement, jeu, plaisir, agrément.

Recrépir. — Rajeunir, enduire.

Récrier (Se). — Protester, regimber, s'insurger.

Récrimination. — Protestation, reproche.

Recru. — Abattu, fatigué, brisé.

Recrudescence. — Reprise, redoublement, progression.

Recruter. — Lever, racoler, enrôler, attirer, embaucher, embrigader, enrégimenter, soudoyer, réunir.

Rectification. — Correction, modification.

Rectitude. — Droiture.

Reçu. — Quittance, acquit, décharge.

Recueillement. — Application, ferveur, piété, méditation, calcul.

Recueillir. — Récolter, recevoir, rassembler, réunir, gagner. — Réfléchir, méditer, calculer, peser, ruminer.

Reculé. — Ajourné, reporté. — Éloigné, passé, lointain, postérieur, vieux, antique. — Retiré, isolé.

Récupérer. — Recouvrer, reprendre, ressaisir, ravoir.

Récurer. — Nettoyer, rapproprier.

Récuser. — Refuser, nier, dénier.

Rédarguer. — Blâmer, critiquer.

Reddition. — Capitulation.

Rédemption. — Rachat, acquittement. (*V. Payer.*)

Redevance. — Rente. (*V. Obligation.*)

Rédiger. — Écrire, composer.

Rédimer (Se). — Se racheter, s'exempter, se débarrasser de.

Redire. — Répéter, ressasser, rebattre, seriner, radoter, rabâcher, rapporter. — Blâmer, critiquer.

Redite. — Répétition.

Redondance. — Inutilité, superfluité.

Redondant. — Inutile, diffus.

Redonner. — Remettre, restituer, rendre, rembourser.

Redoubler. — Augmenter, recommencer, réitérer, bisser.

Redoutable. — Dangereux, inquiétant, méchant, nuisible.

Redouté. — (*V. Redouter.*) — Dangereux, formidable, menaçant, terrible, sinistre.

Redouter. — Appréhender, craindre, s'effrayer, s'inquiéter, trembler.

Redresser. — Corriger, réparer, restaurer.

Réduction. — Transformation, transposition, diminution, restriction.

Réduire. — Remettre, remplacer, transformer. — Diminuer, amoindrir, affaiblir, atténuer, épargner, ménager, modérer, tempérer, raccourcir, écourter, abréger, restreindre. — Dompter, soumettre, vaincre.

Réduit. — (*V. Réduire.*) — Petit, court, ramassé, épais.

Réédifier. — Rebâtir, reconstruire.

Réel. — Vrai, véritable, certain, authentique, fondé, effectif, exact, indiscutable, positif, solide, assuré, démontré, juste, incontesté, véridique.

Réellement. — (*V. Réel.*)

Refaire. — Recommencer, réparer, rétablir, réformer, recréer, répéter.

Référence. — Recommandation.

Référer. — Attribuer, rattacher.

Réfléchi. — Intelligent, prudent, sage, avisé, recueilli, méditatif, posé, pondéré, considéré. (*V. Réfléchir.*)

Réfléchir. — Refléter, réfracter, renvoyer, répercuter, répéter, retourner, réverbérer. — Penser, méditer, examiner, calculer, peser, s'absorber.

Réfléchissant. — Pensif, auditif, absorbé, réfléchi.

Reflet. — Rayon, réflexion, éclair, lueur.

Refléter. — (*V. Réfléchir.*)

Réflexe. — Involontaire, spontané. inconscient, automatique.

Réflexion (*fig.*). — Pensée, méditation, attention, calcul, recueillement.

Refluer. — Retourner, ricocher, revenir. — Se répandre.

Réformation. — Rétablissement, suppression.

Réforme. — Rétablissement, suppression, amélioration, correction, amendement, progrès, perfectionnement, retouche, réfection, révision.

Réformer. — Changer, réparer, améliorer, renouveler, rétablir, amender, corriger, perfectionner. — Chasser, retraiter, retirer, supprimer.

Refouler. — Repousser, chasser, éloigner, vaincre, rejeter, éconduire, bousculer, balayer, expulser.

Réfractaire. — Rebelle, dur, difficile, désobéissant, entêté, irréductible.

Refréner. — Arrêter, dompter, calmer, réprimer, apaiser, briser, réagir, résister.

Réfrigérant. — Refroidissant, frigorifique. — Désagréable.

Refroidir (*fig.*). — Calmer, adoucir, arrêter, suspendre, dégoûter, indisposer, mécontenter.

Réfugié. — Échappé, fugitif.

Réfugier (Se). — Se retirer, s'abriter. se cacher.

Refuser. — Débouter, décliner, dédaigner, écarter, éconduire, éloigner, évincer, exclure, rebuter, récuser, renvoyer.

Réfuter. — Contredire, critiquer, renverser, repousser, rétorquer.

Regagner. — Recouvrer, reprendre, compenser. — Rejoindre, rattraper. — Rentrer.

Régalant. — Agréable, amusant, divertissant, réjouissant.

Régaler. — Divertir, réjouir. — Recevoir, traiter, restaurer, rassasier, gorger, héberger, goberger.

Régalien. — Royal. souverain.

Regardant. — Avare, économe, minutieux.

Regarder. — Examiner, considérer. — Concerner, toucher.

Régénération. — Reproduction, réformation, renouvellement, renaissance, restauration, réfection.

Régenter. — Enseigner, professer, soumettre, dominer, gouverner, administrer, imposer.

Régie. — Administration.

Regimber. — Ruer, résister, protester, rebiffer, s'insurger, se gendarmer, s'opposer.

Régime. — Direction, gouvernement, administration. — Règle, système, traitement.

Régiment (*fig.*). — Foule, multitude, troupe.

Région. — Contrée, pays, territoire.

Régir. — Conduire, diriger, gouverner, administrer, commander.

Registre. — Livre, répertoire.

Règle. — Exemple, modèle, usage, habitude, méthode, précepte, statut.

Règlement.–Règle, ordonnance. — Vérification, approbation.

Réglementaire. — Administratif, convenu, légal, méthodique, normal, ordonné, protocolaire, réglé, réglementé, régularisé, régulier, systématique, valable, valide.

Régler. — Rayer, tracer. — Ordonner, arranger, disposer, régulariser. — Fixer, décider.

Régnant. — Dominant, directeur. — Actuel, existant.

Règne. — Gouvernement, domination, autorité. — Influence, crédit.

Régner. — Gouverner, diriger, commander, être au pouvoir. — Exister, durer.

Regorger. — Abonder, être plein, déborder, être gavé, bourré, bondé.

Regret. — Remords, repentir.

Regrettable. — Mal, malheureux, triste, pénible, ennuyeux.

Regretté. — Absent, déploré, perdu, pleuré, regrettable.

Régularité. — Symétrie, uniformité, ponctualité, précision.

Régulier. — Cadencé, continu, égal, exact, harmonieux, mesuré, méthodique, monotone, normal, périodique, réglé, régularisé, semblable, symétrique, réglementaire.

Régulièrement. — Exactement, ponctuellement, uniformément.

Réhabiliter. — Innocenter, relever.

Rehausser. — Augmenter, élever.

Réintégrer. — Rétablir.

Réitéré. — Répété, fréquent.

Réitérer. — Recommencer, répéter.

Rejaillir (*fig.*). — Retomber sur, éclabousser.

Rejeter. — Repousser, renvoyer, chasser, éloigner, refuser. — Imputer.

Rejeton. — Pousse, enfant, descendant.

Rejoindre. — Réussir, rapprocher.

Réjoui. — Amusé, gai, content, joyeux, hilare, diverti.

Réjouissance. — Fête, amusement, distraction.

Relâche. — Relâchement, interruption, suspension, arrêt, repos, détente, pause, cessation.

Relâché. — (*V. Relâcher.*) — Débauché, libre, lâche, facile, coulant.

Relâcher. — Desserrer, délasser, adoucir, suspendre.

Relater. — Exposer, mentionner.

Relatif. — Variable, subordonné, dépendant, proportionnel.

Relayer. — Remplacer, relever, reposer.

Relation. — Situation, rapport, liaison. — Récit, chronique, mémoire.

Relativité. — Contingence.

Relaxation. — Relâchement, élargissement, libération.

Relégation. — Internement.

Reléguer. — Éloigner, écarter, enfermer.

Relever. — Élever, rehausser, redresser, rétablir, ranimer. — Souligner, accentuer, reprendre. — Relayer, remplacer.

Relief. — Saillie. — Considération. — Reste.

Relier. — Joindre, unir, assembler.

Religieux. — Pieux, mystique. — Exact, fidèle, minutieux, scrupuleux.

Religieusement. — (*V. Religieux.*)

Religion. — Croyance, dogme, dévotion, piété. — Respect, scrupule.

Reliquat. — Reste.

Reluire. — Briller, luire, éclater.

Reluisant. — Brillant, éclatant, poli, propre.

Remâcher (*fig.*). — Repasser, ruminer, rabâcher.

Remanier. — Modifier.

Remarquable. — Distinct, étonnant, extraordinaire, glorieux, important, parfait, rare, supérieur.

Remarquer. — Distinguer, découvrir, apercevoir, discerner.

Rembarrer. — Repousser, blâmer, réprimander, tarabuster, rudoyer, tancer, secouer.

Rembourré. — Gros, plein.

Rembourser. — Rendre, remettre, payer, dédommager.

Rembrunir. — Assombrir, attrister.

Remède. — Antidote, médicament, drogue, médecine.

Remédier. — Préserver, sauver, guérir, réparer, obvier.

Remémorer. — Rappeler, repasser.

Remercier. — Refuser, congédier, renvoyer.

Remettre. — Replacer, reposer. — Remboîter, raccommoder, réparer, rétablir, guérir. — Confier. — Retarder. — Pardonner, annuler.

Réminiscence. — Souvenir, rappel.

Remise. — Livraison. — Annulation, dégrèvement, renonciation. — Hangar. — Guelte, commission, courtage.

Remiser. — Ranger, rentrer, garer.

Rémission. — Pardon, indulgence, miséricorde.

Remonter. — Élever, augmenter, relever, exciter. — Revenir, retourner.

Remontrance. — Avertissement, observation, représentation, réprimande, reproche, sermon, semonce, algarade, aubade.

Remords. — Regret, repentir, contrition.

Remorquer. — Traîner, tirer, hâler, charrier.

Rempart. — Défense, mur, muraille, fortification.

Remplaçant. — Suppléant, successeur, substitut, intérimaire.

Remplacer. — Changer, renouveler, renvoyer, se substituer, relever. — Suppléer, supplanter, représenter.

Rempli. — Plein, muni, garni, complet, rassasié, saturé, pénétré, gorgé, gavé, repu, comble, bondé, bourré, farci.

Remplir. — (V. Rempli.) — Faire, exécuter, satisfaire.

Remplissage. — Superflu.

Remporter. — Enlever, transporter. — Obtenir, gagner.

Remuant. — Actif, entreprenant, mobile, zélé, agité.

Remuer. — Mouvoir, agiter, bouleverser, déplacer, déranger, troubler. — Émouvoir, toucher.

Rémunération. — Récompense, salaire, bénéfice.

Rémunérer. — Récompenser, payer, gratifier, rétribuer, indemniser, appointer, salarier.

Renaissance. — Retour, réapparition, régénération, résurrection.

Renaître. — Repousser, ressusciter.

Renarder. — Ruser.

Renchérir. — Augmenter, ajouter.

Rencontre. — Choc, heurt. — Occasion, conjoncture, hasard. — Combat, duel.

Rencontrer. — Choquer, heurter. — Deviner, découvrir, trouver.

Rendement. — Production, rapport.

Rendre. — Remettre, rembourser, restituer, payer, redonner, livrer. — Porter, conduire, voiturer. — Faire, produire, exhaler, vomir. — Représenter, exprimer, traduire.

Rendu. — (V. Rendre.) — Harassé, brisé, fatigué, épuisé.

Renégat. — Païen, hérétique, schismatique, apostat.

Renfermé. — (V. Renfermer.) — Sombre, fermé, taciturne, muet, solitaire, cachotier.

Renfermer. — Enfermer, détenir. — Comprendre, contenir.

Renfler. — Augmenter, grossir, fortifier.

Renfoncé. — Creux, creusé.

Renforcer. — Augmenter, accroître, fortifier, consolider. — Épaissir, grossir.

Renfort. — Aide, secours, appui.

Rengaine. — Banalité redite, répétition, rabâchage.

Renier. — Abandonner, renoncer à.

Renom. — Célébrité, réputation, renommée, gloire, vogue, engouement, notoriété.

Renommé. — Estimé, glorieux, public, vanté.

Renoncement. — Abandon, désintéressement.

Renoncer. — Abandonner, laisser, quitter.

Renouer. — Rattacher, renouveler, rétablir.

Renouveau. — Printemps.

Renouveler. — Remplacer, changer, réparer, rétablir, recommencer, améliorer.

Renouvellement. — Recommencement, rétablissement, remplacement, renaissance.

Rénovation. — Transformation, progrès.

Renseignement. — Indication, témoignage, certificat.

Rente. — Revenu, intérêt, rapport, annuité.

Rentrée. — Retour, reprise, réapparition. — Perception, recouvrement.

Rentrer. — Revenir, retourner. — Recouvrer.

Renversement. — Chute, culbute, effondrement, écroulement, éboulement, ruine, dégringolade.

Renverser. — Retourner, bouleverser, culbuter, précipiter, abattre, détruire. — Confondre, étonner, stupéfier, troubler.

Renvoi. — Congé, révocation, exclusion, expulsion. — Remise, ajournement. — Signe, marque.

Renvoyer. — Congédier, chasser, révoquer, exclure, éconduire. — Remettre, ajourner, différer, retarder. — Répercuter, réfléchir, retourner.

Réorganiser. — Arranger, améliorer, réparer, rétablir.

Repaire. — Retraite, tanière, antre, caverne, abri, gîte.

Repaître. — Nourrir, gaver, amuser.

Répandre. — Étendre, verser, disperser, distribuer, éparpiller, étaler. — Propager, publier, divulguer, vulgariser.

Répandu. — (*V. Répandre.*) — Accrédité, connu, public, notoire, populaire, universel.

Réparer. — Raccommoder, rétablir, restaurer, arranger, rajuster, réorganiser, retaper. — Effacer, détruire, expier.

Répartie. — Réplique, réponse, riposte.

Répartir. — Partager, distribuer. — Répondre, répliquer, riposter.

Repas. — Nourriture, festin, agape, banquet.

Repasser. — Aiguiser, affiler. — Répéter, revoir, relire, examiner, calculer, vérifier.

Repêcher. — Retirer.

Repentant. — Confus, contrit, pénitent, suppliant.

Repentir. — Regret, remords, contrition.

Repentir (Se). — Regretter, pleurer.

Répercussion. — Renvoi, réflexion, conséquence, écho.

Repère. — Marque, jalon.

Repérer. — Déterminer, orienter, fixer.

Répertoire. — Recueil, inventaire, catalogue.

Répertorier. — Inventorier, inscrire, cataloguer.

Répété. — (*V. Répéter.*) — Fréquent, nombreux.

Répéter. — Redire, ressasser, rebattre, radoter, seriner, récapituler, recommencer, refaire, multiplier. — Réfléchir, renvoyer. — Repasser, relire, rapprendre. — Redemander, revendiquer.

Répétition. — Redite, recommencement, réitération, reproduction, copie, récidive, retour, rechute. — Leçon.

Répit. — Délai, relâche, repos, trève.

Replâtrer. — Réparer, améliorer.

Replet. — Gros, gras, corpulent, courtaud, dodu, pansu, trapu.

Repli. — Pli, sinuosité.

Replier. — (*V. Courber.*)

Replier (Se). — Rétrograder, battre en retraite. — Se recueillir, se ramasser.

Réplique. — Réponse, répartie, riposte.

Répondant.—Caution, garantie, otage.

Répondre. — Répliquer, écrire, réfuter, objecter.—Cautionner, garantir. — Etre d'accord avec, en rapport avec.

Réponse. — Répartie, réplique, réfutation, riposte.

Reporter. — Transporter.

Repos. — Tranquillité, calme, immobilité, pause, arrêt, délassement, détente, récréation, quiétude, distraction.

Reposer. — (*V. Repos*). — Etre déposé, être enseveli. — Etre établi, appuyé sur, avoir pour base.

Repoussant. — Dégoûtant, répugnant, ignoble, laid, sale, nauséabond, infect.

Repousser. — Chasser, éloigner, renvoyer, refuser, réfuter. — Vaincre.

Répréhensible. — Coupable, blâmable.

Reprendre. — Continuer, poursuivre, recommencer. — Recouvrer, ressaisir. — Censurer, réprimander, blâmer.

Représaille. — Vengeance.

Représentant. — Remplaçant, voyageur.

Représentation. — Image, figure, dessin, reproduction. — Objection, remontrance, observation. — Pièce.

Représenter. — Imaginer, dessiner, figurer, reproduire. —Remontrer. — Jouer, mettre à la scène.

Répressif.—Coercitif, préventif, limitatif, prohibitif, correctif, pénal.

Réprimande. — Blâme, admonestation.

Réprimer. — Empêcher, arrêter, réfréner, sévir.

Reprise. — Continuation, recommencement, récidive, retour. — Rapiècement, ravaudage, stoppage. — Réouverture.

Repriser. — Raccommoder, rapiécer, stopper, ravauder.

Réprobation. — Blâme, mécontentement, désapprobation, désavœu.

Reproche. — (*V. Blâme.*)

Reprocher. — (*V. Blâmer.*)

Reproduction. — Répétition, imitation, copie.

Reproduire. — Montrer, présenter, répéter, imiter, copier.

Réprouver. — Critiquer, maudire, mépriser, damner, rejeter, condamner, désapprouver.

Reptile. — Bas, rampant, perfide, judas, traître.

Repu. — Nourri, satisfait rassasié, gavé.

République. — Démocratie.

Répudier. — Rejeter, repousser, renoncer à, divorcer.

Répugnance. — Aversion, dégoût, nausée, écœurement, antipathie.

Répugnant. — Dégoûtant, désagréable, écœurant, laid,

sale, repoussant, fastidieux, insipide.

Répulsif. — Repoussant, dégoûtant, écœurant.

Répulsion. — Aversion, dégoût.

Réputation. — Considération, renom, renommée, célébrité, popularité, notoriété, gloire, honneur.

Réputer. — Présumer, croire, considérer.

Requérir. — Sommer, exiger, demander.

Requête. — Demande, prière, sollicitation.

Réquisition. — Demande, levée, exigence, réclamation.

Rescousse. — Aide, secours, renfort.

Réseau. — Tissu, entrelacement.

Réserve. — Disponibilité, provision, épargne, économie, stock. — Prudence, discrétion.

Réservé. — (*V. Réserver.*) — Modéré, modeste, prudent, secret, sérieux, sobre.

Réserver. — Ajourner, conserver, économiser, retenir, garder, destiner.

Résidence. — Demeure, séjour, habitation, domicile, logement, appartement, siège.

Résider. — Demeurer, habiter, séjourner.

Résidu. — Reste, reliquat.

Résignation. — Soumission, calme, patience, endurance, impassibilité.

Résigné. — Docile, soumis, endurant, patient, philosophe.

Résigner. — Quitter, abandonner, démissionner.

Résilier. — Rompre, annuler, défaire.

Résistance. — Obstacle, difficulté, opposition, obstruction.

Résistant. — Dur, entêté, fort, solide.

Résister. — Supporter, se défendre, s'opposer.

Résolu. — Annulé. — Convenu, ferme, légal. — Courageux, volontaire, déterminé, hardi, intrépide.

Résolution. — Décomposition, transformation, annulation. — Décision, dessein, fermeté, courage, hardiesse.

Résonnant. — Bruyant, sonore, retentissant, éclatant, assourdissant.

Résorber. — Absorber.

Résoudre. — Désagréger, changer, annuler, dissoudre. — Trancher, décider.

Respect. — Considération, égard, déférence, pudeur, vénération, révérence. — Hommage.

Respectable. — Estimable, estimé, important, vénérable, sacré.

Respecter. — Estimer, honorer, vénérer. — Obéir, continuer. — Éviter, épargner.

Respectif. — Mutuel, réciproque.

Respectueux. — Poli, déférent.

Respirer. — Aspirer. — Exhaler, apparaître, briller dans. — Annoncer, manifester.

Resplendir. — Briller, éclater, rayonner, luire, reluire.

Resplendissant. — Éclatant, splendide, rayonnant, rutilant, éblouissant, aveuglant, flamboyant, étincelant, fulgurant

Responsabilité — Obligation, charge.

Responsable. — Comptable, garant, engagé, solidaire, passible.

Ressaisir. — Reprendre.

Ressasser. — Répéter, rabâcher.

Ressemblance. — Similitude, analogie.

Ressentiment. — Souvenir, rancune, animosité.

Ressentir. — Subir, éprouver, sentir.

Resserrer. — Nouer, abréger, diminuer, contracter, résumer, comprimer, tasser, presser.

Ressort. — Élasticité, force. — Mobile, motif, activité, force, énergie. — Juridiction, compétence, domaine, pouvoir, capacité.

Ressortir. — Apparaître, saillir. — Regarder, concerner.

Ressource. — Moyen, expédient, façon, méthode, système, plan, procédé, recette.

Ressouvenir. — Réminiscence, rappel, souvenir, souvenance.

Ressusciter. — Renaître, revenir, revivre. — Relever, réconforter.

Ressuyer. — Sécher, éponger.

Restant. — Dernier, survivant.

Restaurant. — Fortifiant, réparateur, réconfortant.

Restaurateur. — Hôtelier, aubergiste, traiteur.

Restauration. — Réparation, établissement.

Restaurer. — Réparer, reconstruire, remettre, rétablir.

Reste. — Restant, rebut, résidu, reliquat, stock, débris, miette, détritus.

Rester. — Demeurer, durer.

Restituer. — Rétablir, remettre, rendre.

Restreindre. — Resserrer, diminuer, limiter, modérer, écourter, abréger, réduire, raccourcir.

Restrictif. — Limitatif, répressif.

Restriction. — Condition, limite, réserve. — Privation, réduction.

Résultat. — Suite, conséquence, effet, succès.

Résumé. — Récapitulation, abréviation, analyse, sommaire. — Abrégé, bref, concis, condensé, court, précis, ramassé, récapitulé, sommaire, succinct.

Rétablir. — Remettre, restaurer, guérir, réparer.

Rétablissement. — Guérison, relèvement.

Retaper. — Réparer, raccommoder, retoucher, rapiécer, remettre à neuf.

Retardataire. — Lent, tardif.

Retarder. — Arrêter, différer, remettre, ajourner, surseoir.

Retenir. — Garder, arrêter, empêcher, réprimer. — Prélever, déduire.

Retentir. — Éclater, tonner, résonner.

Retentissant. — Éclatant, bruyant, sonore. — Glorieux, public.

Retentissement. — Bruit, éclat, vacarme, tapage.

Retenu. — Prudent, circonspect, calme, sérieux, sobre, modéré, modeste.

Retenue. — Mesure, réserve, convenance, modestie, décence, pudeur.

Réticence. — Omission, restriction, mutisme, cachotterie.

Réticule. — Sac, sacoche.

Rétif. — Désobéissant, entêté, difficile.

Retiré. — Caché, désert, éloigné, seul, solitaire, écarté, reculé, distant, lointain.

Retirer. — Ramener, dégager, extraire, percevoir, ôter.

Rétorquer. — (V. *Réfuter*.)

Retors. — Malin, fin, rusé, artificieux, roublard, machiavélique.

Retouche. — Modification, correction.

Retour. — Changement, renouvellement, réciprocité, ricochet, réversion, rétroaction, retraite.

Retourner. — Fouiller, bêcher, labourer. — Tortiller, tordre.

Retracer. — Rappeler, décrire, raconter, narrer.

Rétracter. — Désavouer, nier, annuler.

Retraite. — Rentrée, retour. — Refuge, abri. — Pension, rente.

Retrancher. — Fortifier, défendre, protéger. — Supprimer, ôter.

Rétréci. — Contracté, étroit, borné.

Rétribuer. — Gratifier, payer, rémunérer, appointer, salarier.

Rétribution. — Salaire, récompense, paiement, émoluments.

Rétroactif. — Passé, postérieur, récapitulatif.

Rétrogradation. — Retour, retraite, recul.

Rétrograde. — Arriéré, réactionnaire, retardataire.

Rétrograder. — Retarder, reculer, se replier, refluer, rebrousser, battre en retraite.

Retrousser. — Relever, soulever, découvrir.

Retrouver. — Recouvrer, reconnaître, découvrir, rencontrer.

Réunion. — Adjonction. — Assemblée, convocation, société, compagnie, rassemblement, meeting.

Réunir. — Rejoindre, adjoindre, rassembler, convoquer.

Réussite. — Résultat, succès, triomphe.

Revanche. — Vengeance, représaille.

Rêve. — Songe, désir, espérance, ambition, utopie.

Réveiller. — Exciter, ranimer.

Révélateur. — Dénonciateur, indicateur.

Révéler. — Apprendre, montrer, dénoncer.

Revenant. — Esprit, fantôme, spectre, apparition, ombre.

Revendiquer. — Réclamer, redemander.

Revenir. — Retourner, reparaître.

Revenu. — Guéri, réapparu, recommencé, remémoré, rentré, ressuscité. — Rente, intérêt.

Rêver. — Penser, méditer, désirer, songer.

Réverbérer. — Renvoyer, réfléchir.

Révérence. — Respect, salut, vénération, salutation.

Révérencieux. — Humble, cérémonieux, affecté, poli.

Révérer. — Honorer, vénérer.

Rêverie. — Rêve, songe.

Revers. — Accident, malheur, vicissitude, échec, insuccès.

Reverser. — Transborder.

Revêtir. — Habiller, parer, recouvrir.

Rêveur. — Imaginatif, chimérique, penseur, soucieux, triste, utopiste.

Revirement. — Changement, volte-face.

Reviser. — Revoir, repasser, examiner.

Revision. — Examen, remaniement, contrôle, revue.

Révocation. — Destitution, annulation.

Révoltant. — Dégoûtant, désagréable, irritant, épouvantable.

Révolte. — Soulèvement, rébellion, trouble, révolution, émeute.

Révolté. — Choqué, dégoûté, irrité, indigné. — Entêté, irascible, séditieux, rebelle, insurgé, factieux.

Révolu. — Achevé, complet, accompli, fini, passé.

Révolution. — Commotion, changement, bouleversement, agitation, soulèvement, anarchie, émeute, insurrection.

Révolutionnaire.—Innovateur, séditieux, agitateur. — (V. Révolté.)

Révoquer. — Chasser, annuler, casser, renvoyer.

Revu.—Amendé, corrigé, vérifié.

Revue. — Inspection, examen, revision, contrôle.

Rhabiller. — Raccommoder, rectifier, corriger.

Rhéteur. — Orateur, avocat.

Riant. — Agréable, beau, heureux, joyeux, souriant, aimable, gai.

Ribaud.—Débauché,impudique, vagabond, truand.

Ribote. — Débauche, excès.

Ricaneur. — Moqueur, sarcastique.

Riche. — Abondant, aisé, cossu, fécond, florissant, fortuné, opulent, prospère, renté, richard, capitaliste, crésus, nabab. — Magnifique, fastueux, somptueux.

Richesse. — Opulence, bien, abondance, fortune, prospérité.

Richissime. — Opulent, millionnaire, milliardaire. — (V. Riche.)

Ricocher.—Ressauter,rebondir. — (V. Retour.)

Ride. — Pli, sillon, rayure, strie, gerçure, fente.

Ridé. — Ratatiné, flétri, contracté, sillonné, crevassé, gercé, strié.

Rideau. — Toile. — Store, portière.

Rider. — Plier, plisser, sillonner, crevasser, strier, gercer, ratatiner.

Ridicule. — Sac, sacoche, réticule. — Bizarre, drôle, risible, bouffon, amusant, grotesque, trivial, burlesque, cocasse.

Ridiculiser. —Bafouer, blaguer, plaisanter, charger, dauber, larder, se moquer de, parodier, railler, satiriser.

Rieur. — Gai, joyeux, amuseur.

Rigide. — Contracté, dur, inflexible, ferme, exact, juste, austère, strict, sévère.

Rigole. — Canal.

Rigorisme. — Sévérité, austérité.

Rigoureux. — Sévère, méticuleux, exact, dur, cruel. — Froid, glacial.

Rigueur. — (*V. Rigoureux*.)

Rimer. — Versifier.

Rincée. — Volée, raclée.

Rincer. — Nettoyer, laver.

Ripaille. — Bombance.

Riposte. — Réponse, représaille, réplique.

Rire. — Hilarité. — S'amuser, se moquer, badiner, s'égayer, pouffer.

Risée. — Moquerie, bouffonnerie.

Risque. — Péril, danger, hasard.

Risqué. — Audacieux, dangereux, fortuit, incertain.

Risquer. — Exposer, essayer, s'aventurer, affronter, braver.

Rite. — Cérémonie, religion.

Rituel. — Religieux.

Rivage. — Bord, rive, côte, littoral.

Rival. — Adverse, compétiteur, concurrent, adversaire.

Rivé. — Fixé, cloué.

Rixe. — Querelle, discussion.

Robuste. — Fort, vigoureux, solide, résistant.

Rocailleux. — Pierreux, dur, inégal.

Rocambole. — Plaisanterie.

Roche. — Roc, rocher, bloc, banc, écueil, brisant, récif.

Rococo. — Grossier, laid, vieux, ancien, suranné, démodé.

Rôder. — Errer.

Rôdeur. — Nomade, errant, vagabond, maraudeur, noctambule.

Rodomontade. — Vanterie, fanfaronnade.

Rogaton. — Reste.

Rogner. — Couper, diminuer, enlever, retrancher, ôter, tailler.

Rogue. — Dur, fier, raide, grognon, arrogant.

Roi. — Souverain, monarque, potentat, majesté.

Rôle. — Liste, catalogue, tableau. — Tour, rang. — Personnage.

Roman. — Narration, récit, fable, invraisemblance.

Romanesque. — Étrange, merveilleux, fabuleux.

Romantique. — Enthousiaste, sentimental, pittoresque.

Rompre. — Briser, casser. — Empêcher, annuler, arrêter, détruire. — Habituer, exercer.

Rompu. — (*V. Rompre*.)

Rond. — Cercle. — Annulaire, circulaire, cylindrique.

Ronde. — Visite.

Rondelet. — Potelé, gras, gros.

Rondement. — Uniformément, promptement, vite, franchelent, rapidement, lestement, prestement, vitement, immédiatement, d'emblée, subitement, instantanément, expéditivement, aussitôt, en hâte.

Rondeur. — Franchise, simplicité.

Ronflant. — Sonore, bruyant, emphatique.

Ronger. — Mordre, miner, tourmenter.

Roséole. — Éruption.

Rosse. — Paresseux, fainéant, — Haridelle, carcan, bidet.

Rosser. — Battre, frapper, corriger, vaincre.

Rôtir. — Cuire, chauffer, griller.

Roturier. — Grossier, populaire, populacier.

Roublard. — Habile, rusé, malin, finaud, matois.

Roué. — Débauché, retors, habile, rusé, vicieux.

Rouer. — Écraser, battre, harasser, rosser.

Rouge. — Carmin, empourpré, incandescent, pourpre, pourpré, roux, rutilant, vermeil, rubicond, cramoisi.

Rougir. — S'empourprer, se congestionner. — Rubéfier.

Rougissant. — Confus, modeste, rouge.

Rouillé. — Enrouillé, oxydé, vert-de-grisé. — Vieux, inhabile, affaibli.

Roulage. — Transport, camionnage, charroi.

Roulant. — Continu. — Amusant.

Rouleau. — Cylindre.

Rouler. — Écraser, aplatir, arrondir. — Battre, confondre, tromper. — Voyager, errer, circuler.

Roulier. — Charretier, voiturier.

Roulis. — Balancement.

Roulotte. — Voiture.

Roupiller. — Sommeiller, somnoler, dormir.

Roussin. — Cheval, âne, mulet.

Roussir. — Brûler, griller.

Route. — Chemin, voie, itinéraire.

Routine. — Pratique, usage, habitude, ornière.

Routinier. — Accoutumé, arriéré, rebattu.

Royal. — Souverain, régalien, beau, généreux, noble, parfait.

Royalement. — Magnifiquement, largement, généreusement, superbement.

Rubéfier. — Rougir.

Rubicond. — Rouge, rougeaud, empourpré, sanguin, coloré, écarlate.

Rubrique. — Titre, marque. — Procédé, pratique, ruse, finesse, détour.

Rude. — Brusque, brut, difficile, dur, grossier, inégal, âpre, froid, rugueux, raboteux.

Rudiment. — Notion, élément, commencement, ébauche, essai.

Rudimentaire. — Commençant, élémentaire, naissant, initial, dans l'enfance, jeune, débutant.

Rudoyer. — Gronder, secouer, molester, tancer.

Rue. — Chemin, voie, passage.

Ruer (Se). — Se précipiter, assaillir, sauter, s'élancer.

Rugueux. — Dur, inégal, plié, raboteux.

Ruine. — Débris, écroulement, destruction, vestige, décombre, peste, fin, chute, décadence, démolitions, effondrement. — Masure.

Ruiner. — Abattre, détruire, démolir, perdre, engloutir, détériorer, démantibuler, dégrader. — S'écrouler, s'effondrer, s'effriter.

Ruineux. — Coûteux, cher, malheureux, nuisible.

Rumeur. — Bruit.

Ruminer. — Mâcher, remâcher, étudier, examiner, méditer, retourner.

Rupture. — Annulation, séparation.

Rural. — Campagnard.

Ruse. — Astuce, fourberie, artifice, hypocrisie.

Rusé. — Adroit, artificieux, astucieux, cauteleux. finaud, habile, madré, malicieux, malin, matois, retors, roublard, roué, subtil.

Rustaud. — Champêtre, campagnard, grossier, impoli, malappris.

Rusticité. — Grossièreté, rudesse, incivilité, manque d'usage.

Rustique. — Champêtre, sauvage, simple, grossier, impoli, rustre, rustaud, manant, malotru.

Rustre. — Grossier, impoli, butor, goujat.

Rutilant. — Éclatant, rouge, fulgurant, flamboyant, étincelant.

Rythme. — Mesure, harmonie, symétrie.

Rythmique. — Harmonieux, mesuré, cadencé, balancé.

S

Sabbat. — Vacarme, désordre, tapage, boucan, charivari, cacophonie.

Sable. — Grain, poussière, gravier.

Sabler. — Boire, avaler, lamper ingurgiter.

Sablonneux. — Aréneux, graveleux, pierreux, poudreux, sablé, sableux, friable.

Saborder. — Percer, ouvrir, crever, couler.

Sabotage. — Détérioration, malfaçon.

Sabouler. — Admonester, brusquer, gourmander, houspiller, malmener, morigéner, rabrouer, réprimander, rudoyer, secouer, tancer, tarabuster.

Sabré. — (*V. Sabrer.*) — Mal, mauvais, rapide, bâclé, expédié.

Sabrer. — Abattre, massacrer, abîmer, critiquer, disqualifier, éreinter, flétrir, houspiller.

Sac. — Réticule, sacoche, ridicule, sachet.

Saccade. — Secousse.

Saccadé. — Discontinu, coupé, désordonné, entrecoupé, haché, incohérent, inégal, intermittent, irrégulier, heurté, cahoté, secoué.

Saccager. — Dérober, piller, dévaster, détruire, ravager, anéantir, démolir, bouleverser, raser, désoler.

Sacerdotal. — Ecclésiastique.

Sacramentel. — Religieux, consacré, canonique, orthodoxe, rituel. — Efficace, souverain, actif, puissant, essentiel.

Sacre. — Consécration, couronnement.

Sacré. — Béni, consacré. — Auréolé, béatifié, canonisé, saint, sanctifié, inviolable, intangible.

Sacrer. — (*V. Sacré.*) — Blasphémer, jurer, pester.

Sacrificateur. — Grand-prêtre.

Sacrifice. — Abandon, privation, abnégation, désintéressement. — Holocauste, hécatombe, immolation.

Sacrifié. — (*V. Sacrifier.*) — Victime, martyr.

Sacrifier. — Immoler. — Abandonner, délaisser, laisser, livrer, négliger, quitter, trahir.

Sacrilège. — Impiété, profanation.

Sade. — Agréable, gracieux.

Sadique. — Licencieux, perverti.

Sagace. — Intelligent, avisé, prudent, sensé, judicieux, perspicace, clairvoyant.

Sage. — Assagi, austère, calme, grave, habile, modéré, ordonné, prudent, rangé, réfléchi, sérieux, retenu, honnête, vertueux.

Sagesse. — Clairvoyance, habileté, modération, bon sens, prudence, retenue, docilité, raison.

Saignant. — Sanguinolent, sanglant.

Saigner. — Égorger, tuer.

Saillant. — Apparent, proéminent, évident, frappant, manifeste, perceptible, visible, sensible, extérieur, important, intéressant.

Saillir. — Jaillir, ressortir.

Sain. — Bien conservé, constitué, disposé, venu, dispos, fort, frais, valide, viable, vigoureux. — Antiseptique, hygiénique, salubre, salutaire.

Sainement. — Raisonnablement, sensément, judicieusement.

Saint. — Auguste, béatifié, béni, bienheureux, canonisé, juste, consacré, glorifié, innocent, parfait, sacré, sanctifié, élu. — Patron.

Saisir. — Prendre, appréhender, attraper, confisquer, empoigner, happer, pincer, ramasser, surprendre. — Comprendre, apercevoir, concevoir, débrouiller, déchiffrer, deviner, éclaircir, pénétrer, percevoir. — Assaillir, troubler, suffoquer, ahurir, confondre, effarer, étonner, étourdir, renverser, stupéfier. — Cuire, roussir.

Saison. — Temps, moment, époque, âge.

Salaire. — Paye, appointements, émoluments, traitement.

Salamalec. — Salut, politesse, manières, salutations, courbettes.

Salarié. — Appointé, gratifié, payé, mercenaire.

Sale. — Crasseux, dégoûtant, malpropre, négligé, sordide, immonde, répugnant, souillé, impur.

Salé. — Épicé. — Coûteux, cher. — Licencieux.

Saleté. — Crasse, malpropreté, impureté.

Salir. — Avilir, déshonorer, discréditer, flétrir, profaner, ravilir, tarer, souiller, maculer, contaminer, tacher.

Salle. — Pièce.

Saloperie. — Ordure, malpropreté, incongruité.

Saltimbanque. — Bateleur, charlatan, bouffon, pitre.

Salubre. — Assaini, hygiénique, sain, pur.

Saluer. — Acclamer, complimenter, applaudir, féliciter. — Nommer, proclamer.

Salut. — Révérence, salutation. — Sûreté, abri, délivrance, guérison, libération, rétablissement, sauvetage.

Salutaire. — Avantageux, efficace, commode, précieux, propice.

Sanctifier. — Sacrer, consacrer, louer, bénir.

Sanction. — Approbation, peine, punition, récompense.

Sanctionner. — Approuver, confirmer, agréer, autoriser, ratifier.

Sanctuaire. — Temple, asile, église.

Sang (*fig.*). — Race, origine.

Sang-froid. — Calme, présence d'esprit.

Sanglant. — Rouge, purpurin, vermeil. — Injurieux, vif, insultant.

Sangler. — Ceindre, attacher, serrer.

Sanguin. — Rouge, irascible.

Sanguinaire. — Cruel, inhumain, féroce.

Sanguinolent. — Cru, sanglant.

Sanifier. — Purifier, assainir.

Saper. — Abattre, détruire, bouleverser, défaire, déraciner, désorganiser, extirper, miner, raser, renverser, ruiner.

Sapience. — Sagesse.

Sarcasme. — Moquerie, raillerie.

Sarclé. — Nettoyé, propre, entretenu.

Sarcler. — Arracher, enlever, nettoyer, entretenir.

Sarcophage. — Tombeau, cercueil, sépulcre, monument.

Sardanapalesque.—Débauché, licencieux, vicieux.

Sardonique. — Méchant, moqueur, sarcastique.

Sarment. — Branche.

Sarrau. — Blouse.

Sasser. — Discuter, examiner, étudier.

Satan. — Démon, diable.

Satanique. — Extraordinaire, infernal, diabolique, démoniaque.

Satiné. — Doux, moelleux, lustré.

Satire. — Critique, épigramme, pamphlet.

Satirique. — Moqueur, caustique, frondeur, ironique, mordant, persifleur, pamphlétaire.

Satiriser. — Critiquer, attaquer, bafouer, dénigrer, fronder, maltraiter, flageller.

Satisfaire. — Plaire, charmer, contenter, répondre. — Dédommager, payer. — Réparer. — Assouvir, rassasier. — Accomplir, s'astreindre à, se soumettre à.

Satisfaction. — (V. *Conten-tement.*)

Satrapique. — Despotique. — Voluptueux.

Saturé. — Rassasié, dégoûté, repu, gavé.

Saturer. — Rassasier, dégoûter, gaver.

Satyre. — Débauché, lascif.

Saucé. — Arrosé, détrempé, inondé, mouillé, ruisselant traversé.

Sauf. — Vivant, survivant, sauvé. — Excepté, hormis, sous réserve de.

Saugrenu. — Baroque, bizarre, cocasse, fantasque, insolite, singulier, absurde. — Inconvenant, impertinent.

Saut. — Bond, élan, chute, enjambée, cabriole, voltige, gambade, pirouette.

Saute. — Changement, variation.

Sauter. — Bondir, s'élancer, franchir, enjamber, cabrioler, gambader, traverser. — Oublier, omettre. — Cuire, rôtir.

Sauteur. — Mobile, versatile, léger, casse-cou. — Clown.

Sautillant. — Vif, allègre, dégagé, défilé, fringant, guilleret, pétulant, preste, sémillant.

Sauvage. — Barbare, cruel, farouche, féroce, incivilisé, inculte, insociable. — Champêtre, désert, solitaire.

Sauvé. — (V. *Sauver.*) — Vivant, sain et sauf, guéri.

Sauvegarde. — Auspices, protection, défense, soutien, patronage, tutelle, chaperon.

Sauve-qui-peut. — Débandade, déroute, panique.

Sauver. — Garantir, protéger, préserver, débarrasser.

Sauveur. — Protecteur, défenseur.

Savant. — Cultivé, docte, érudit, instruit, éclairé, compétent.

Saveté. — Mal, bâclé, gâché.

Savoir. — Connaître, apprendre. — Etre capable de, habile dans, exercé à. — Érudition, science, connaissances.

Savoir-faire. — Habileté.

Savoir-vivre. — Politesse.

Savonner. — Nettoyer, blanchir, décrasser. — Réprimander, gourmander, tancer.

Savonneux. — Écumeux, glissant.

Savourer. — Goûter, jouir, déguster, sentir, apprécier.

Savoureux. — Succulent, délectable, exquis, superfin, délicieux, excellent.

Scabreux. — Difficile, dangereux, difficultueux, licencieux, inconvenant, indécent, impudique, ordurier, cynique, obscène.

Scandale. — Éclat, honte, esclandre, bruit.

Scandaleux. — Débauché, honteux, injurieux, licencieux, scabreux.

Scandaliser. — Offenser, choquer, effaroucher.

Scander. — Diviser, couper, marteler.

Sceau. — Empreinte, marque, cachet, seing, estampille, chiffre.

Scélérat. — Coquin, fripon, polisson.

Scellé. — Caché, secret. — Plombé, poinçonné, estampillé.

Sceller. — Confirmer, cimenter, fermer, cacheter, plomber, poinçonner, estampiller.

Scène. — Théâtre. — Événement, altercation.

Scénique. — Théâtral.

Scepticisme. — Doute, défiance, incrédulité, incertitude, soupçon, pyrrhonisme.

Sceptre. — Couronne, diadème, supériorité, prééminence.

Schisme. — Scission, séparation, dissentiment.

Schlague. — Correction, fouet, verges, martinet.

Science. — Connaissance, savoir, instruction, notions.

Scientifique. — Abstrait, savant, théorique.

Scinder. — Couper, diviser, partager.

Scintillant. — Éclatant, miroitant, brillant.

Scission. — Partage, division, séparation, schisme.

Scissure. — Fente, coupure, cassure, dépression.

Scléreux. — Dur, fibreux.

Scoliaste. — Commentateur.

Scribe. — Copiste.

Scrupule. — Délicatesse, conscience.

Scrupuleux. — Consciencieux, exact, fidèle, juste, précis, méticuleux, minutieux, soigneux, soucieux, scrupuleux, pointilleux.

Scruter. — Étudier, interroger, chercher, fouiller, sonder.

Sculpter. — Tailler, modeler, ciseler.

Séance. — Durée, temps, réunion, délibération.

Séant. — Bien, convenable, décent, situé.

Sec. — Anhydre, aride, desséché, dur, égoutté, épongé, essuyé, maigre, stérile, tari, vide. — Désagréable, raide, déplaisant, insensible.

Sécher. — Dessécher, essuyer, tarir, vider, assécher.

Sécheresse. — Aridité, siccité, tarissement. — Pauvreté, défaut.

Second. — Accessoire, inférieur.

Secondaire. — Accessoire, insignifiant, négligeable.

Seconder. — Aider, favoriser, secourir, collaborer.

Secouer. — Remuer, agiter, réprimander.

Secourable. — Bon, auxiliaire, généreux.

Secourir. — Aider, protéger.

Secousse. — Mouvement, agitation, atteinte.

Secret. — Moyen, recette. — Anonyme, caché, clandestin, confidentiel, énigmatique, impénétrable, intime, mystérieux, occulte, furtif.

Secréter. — Distiller, vomir, dégoutter, filtrer, pleurer.

Sectaire. — Passionné, fanatique, jacobin.

Secte. — Groupe, doctrine.

Secteur. — Portion, division.

Section. — Division, portion, fraction, séparation, scission, rupture.

Sectionner. — Diviser, partager, couper, séparer, désunir, morceler, scinder, fendre, fractionner, disjoindre, désassembler.

Séculaire. — Vieux, ancien, antique, vénérable, ancestral, caduc, centenaire, patriarcal, suranné, vétéran.

Séculier. — Laïque, profane, civil, sécularisé.

Sécurité. — Calme, tranquillité, repos.

Sédatif. — Calmant, apaisant, adoucissant.

Sédentaire. — Immobile, casanier, stationnaire.

Sédiment. — Dépôt.

Sédition. — Trouble, insurrection, révolte, agitation, effervescence, émeute, faction, insubordination, mutinerie, rébellion, révolution.

Séduire. — Convaincre, persuader, entraîner. — Débaucher, corrompre, tenter, suborner, tromper, perdre. — Charmer, enjôler, captiver, allécher, capter, éblouir, fasciner, magnétiser, ensorceler.

Segment. — Portion, division, fragment, section, fraction, tronçon, branche, partie.

Seigneur. — Maître, souverain.

Sein. — Giron, poitrine, entrailles.

Seing. — Signature, paraphe, sceau.

Séjour. — Résidence, habitation, demeure, domicile, maison.

Séjourner. — Demeurer, rester, habiter.

Sélection. — Choix, option, préférence.

Selon. — Conformément, d'après, par rapport.

Semblable. — Pareil, analogue, similaire, approximatif, conforme, identique, même, ressemblant, textuel.

Sembler. — Paraître.

Semence. — Graine.

Semer. — Répandre, disperser, propager, ensemencer, emblaver.

Sémillant. — Éveillé, vif, pétulant, remuant.

Sémination. — Dispersion.

Sémitique. — Juif, judaïque.

Semonce. — Avertissement, reproche, blâme, réprimande.

Sempiternel. — Continu, vieux, éternel, perpétuel.

Sempiternellement. — Éternellement, toujours, continuellement.

Sénile. — Vieux, caduc, faible, usé, affaibli.

Sens. — Faculté, aptitude. — Avis, opinion, jugement, signification. — Face, côté, direction, position.

Sensation. — Impression, perception.

Sensationnel. — Frappant, extraordinaire, inédit, impressionnant.

Sensé. — Équilibré, judicieux, raisonnable, sage.

Sensible. — Apparent, distinct, important, perceptible. — Bon, chatouilleux, délicat, impressionnable, sentimental, susceptible.

Sensuel. — Voluptueux, matériel.

Sentence. — Jugement, décision.

Sentencieusement. — Solennellement, gravement.

Sentencieux. — Grave, affecté, emphatique, proverbial, pompeux, solennel.

Senteur. — Odeur, parfum.

Sentimental. — Émotionnant, touchant.

Sentinelle. — Factionnaire, vedette.

Senti. — Apprécié, connu, ému, éprouvé, expressif.

Sentir. — Percevoir, éprouver, juger, penser, apprécier. — Exhaler, dégager.

Séparation. — Abandon, coupure, division, scission, désunion, divorce.

Septentrional. — Arctique, boréal, glacial, hyperboréen, polaire.

Sépulcral. — Obscur, souterrain, creux, caverneux.

Sépulcre. — Tombeau, mausolée.

Séquestrer. — Enfermer, isoler, cloîtrer, interner, claquemurer.

Séraphique. — Angélique, saint, pur, vertueux.

Serein. — Calme, doux, pur, gai, tranquille, heureux.

Sergenter. — Importuner, presser.

Série. — Suite, succession, collection, catalogue.

Sérier. — Diviser, grouper, cataloguer.

Sérieux. — Austère, calme, digne, grave, pensif, préoccupé, sage, sévère, solennel.

Seriner. — Répéter, rabâcher, ressasser.

Serment. — Promesse, engagement, vœu, parole d'honneur.

Sermon. — Discours, remontrance.

Sermonner. — Gronder, blâmer, gourmander, raisonner, réprimander, semoncer, remontrer, tancer, morigéner.

Sermonneur. — Grondeur, gourmandeur.

Serpentin. — Méandrique, sinueux, tortueux.

Serper. — Arracher, couper.

Serré (*V. Serrer.*). — Court, étroit. — Avare, dur, économe.

Serrer. — Boucler, comprimer, condenser, contracter, contraindre, étreindre, forcer, fouler, garotter, sangler, presser, rapprocher. — Agglomérer, amasser, entasser. — Raser, cotoyer, suivre.

Sertir. — Enchâsser, encadrer.

Servage. — Esclavage, servitude, asservissement.

Servante. — Bonne, domestique, soubrette.

Service. — Domesticité. — État, emploi, fonction, travail, obligation. — Gracieuseté, amabilité, bienfait, assistance, obligeance, complaisance. — Messe, office, cérémonie.

Servile. — Avilissant, vil, humiliant, bas, honteux, inavouable, infamant, mortifiant. — Semblable, adéquat, exact, conforme, identique, littéral, pareil, textuel.

Servitude. — Esclavage, servage, asservissement. — Charge.

Seuil. — Commencement, début, origine, entrée.

Seul. — Abandonné, célibataire, délaissé, dépareillé, désert, distinct, indépendant, isolé, orphelin, particulier, retiré, sauvage, veuf, un, unique.

Seulement. — Uniquement, simplement. — Au moins, mais.

Sève. — Force, vigueur, sang.

Sévère. — Dur, austère, bourru, difficile, impitoyable, inexorable, inflexible, insensible, raide, rigide, rigoureux, sérieux, strict, juste, exact, mathématique. — Simple, fruste, inapprêté, sobre.

Sévérité. — (*V. Sévère.*)

Sévices. — Coups, blessures, mauvais traitements, cruauté.

Sévir. — Punir, ravager.

Sevrer. — Priver, ôter, retirer, supprimer.

Seyant. — Convenable, décent, avantageux, bienséant, correct.

Sibérien. — Rigoureux, glacial, boréal, froid.

Sibyllin. — Prophétique, visionnaire, inspiré.

Sidéral. — Astronomique, astral.

Siècle. — Age, époque, temps. — Séculaire, centenaire, millénaire.

Siège. — Chaise, banc, fauteuil. — Résidence. — Blocus, investissement.

Siéger. — Etre assis. — Exister, se tenir.

Sieste. — Sommeil, repos, méridienne.

Siffler. — Houspiller, huer.

Signalé. — Glorieux, important, remarquable, distingué. (*V. Signaler.*)

Signalement. — Désignation, description.

Signaler. — Indiquer, marquer, montrer, dire.

Signature. — Seing, paraphe, griffe, sceau.

Signe. — Marque, geste, empreinte, indice, trace, piste, vestige, symptôme, stigmate, tache, critérium.

Signer. — Viser, parapher, certifier, approuver, légaliser, contresigner.

Significatif. — Expressif, caractéristique, marquant, révélateur, net, typique, éloquent, clair, formel.

Signification. — Sens, valeur, force, acception, portée.

Signifier. — Exprimer, dire, notifier, communiquer, ordonner, désigner, dénoter, témoigner, marquer, manifester.

Silence. — Calme, mutisme, réticence.

Silencieux. — Aphone, discret, muet, secret, taciturne.

Silhouette. — Croquis, contours, tracé.

Sillage. — Trace, passage.

Sillon. — Raie, rainure, trace.

Sillonner. — Traverser, rayer. — Voyager, naviguer.

Simiesque. — Grimaçant.

Similaire. — Semblable, analogue, approchant, approximatif, conforme, comparable, équivalent, pareil, proche, ressemblant. — Voisin.

Similitude. — Ressemblance, analogie, équivalence, conformité, affinité, corrélation.

Simple. — Agreste, brut, bête, champêtre, commode, élémentaire, facile, familier, frugal, humble, incomplexe, inculte, ingénu, innocent, irréductible, naïf, naturel, niais, nu, pauvre, rustique, sévère, sot, sommaire, carré, rond.

Simplicité. — Humilité, candeur, rondeur, naturel, ingénuité.

Simpliste. — Ignorant, naïf, simple.

Simulacre. — Spectre, fantôme. — Feinte.

Simulé. — Imité. — Faux, hypocrite.

Simuler. — Imiter, feindre, contrefaire.

Simultané. — Concordant, coïncident.

Simultanément. — Ensemble.

Sincère. — Franc, candide, cordial, ouvert, vrai, droit.

Singer. — Imiter, contrefaire, grimacer.

Singerie. — Grimace, malice, affectation, hypocrisie, imitation.

Singularité. — Bizarrerie, originalité, anomalie, excentricité, curiosité.

Singulier. — Bizarre, original, extraordinaire, anormal, excentrique. — Éminent, supérieur, rare.

Sinistre. — Inquiétant, alarmant, redoutable, terrifiant. — Épouvantable, affreux, lugubre, atroce, stupéfiant, tragique. — Incendie, fléau.

Sinistré. — Éprouvé.

Sinon. — Autrement, sans quoi.

Sinueux. — Courbé, onduleux, méandrique.

Sinuosité. — Courbe, contours, replis.

Sinus. — Excavation, angle. coude.

Sire. — Seigneur.

Sirène. — Séductrice. — Sifflet, corne.

Siroter. — Déguster.

Sirupeux. — Gluant, poisseux, collant, pâteux.

Sis. — (*V. Situé.*)

Site. — Paysage, panorama, lieu.

Situation. — Emplacement, place, posture, disposition. — Condition, fonction, emploi.

Situé. — Assis, campé, établi, exposé, placé, posté, sis.

Ski. — Patin.

Smala. — Famille.

Smart. — Élégance, chic.

Snobisme. — Engouement, nouveauté, originalité, singularité.

Sobre. — Abstinent, continent, frugal, modéré, réglé, sage, tempérant. — Calme, discret, mesuré, pondéré, modeste, restreint, retenu, simple.

Sobriquet. — Surnom.

Sociable. — Aimable, civilisé, liant, accort, poli.

Sociétaire. — Membre, associé.

Société. — Collection, groupe, réunion, association, compagnie. — Monde, classe, caste.

Socle. — Base, piédestal, support.

Sofa. — Canapé, lit de repos.

Soigner. — Bien traiter, cultiver, entretenir. — Châtier, étudier, fouiller, peigner, raffiner, travailler, fignoler, lécher, limer.

Soigneux. — Appliqué, attentif, consciencieux, diligent, exact, méthodique, méticuleux, minutieux, scrupuleux, vigilant, zélé, ordonné, rangé.

Soin. — Zèle, travail (*V. Soigneux.*).

Soldat. — Militaire.

Solde. — Paye, salaire.

Solder. — Payer, régler, acquitter.

Solécisme. — Incorrection.

Solennel. — Affecté, auguste, cérémonieux, compliqué, éclatant, emphatique, fastueux, grandiose, imposant, magnifique, officiel, pompeux, somptueux.

Solenniser. — Célébrer, fêter, honorer.

Solennité. — Fête, cérémonie.

Solfier. — Chanter.

Solidaire. — Joint, uni, mutuel, responsable, associé.

Solide. — Affermi, certain, consistant, consolidé, dense, dur, durable, enraciné, éprouvé, ferme, fixe, fort, incassable, invariable, logique, résistant, substantiel, sûr, tenace.

Solidifié. — Épars, durci, gelé, solide, condensé.

Solidité. — (*V. Solide.*)

Solitaire. — Claustral, désert, isolé, renfermé, retiré, sauvage. — Diamant. — Sanglier.

Solitude. — Isolement, abandon, désert.

Sollicitation. — Invitation, tentation, demande, insistance, démarche.

Solliciteur. — Mendiant, quémandeur, importun, quêteur.

Sollicitude. — Soin, vigilance, attention, affection, dévouement.

Soluble. — Liquide.

Solution. — Fin, dénouement, terminaison. — Lacune, séparation.

Solutionner. — Trancher, finir, terminer, dénouer.

Solvabilité. — Surface.

Sombre. — Obscur, ténébreux, noir, opaque, voilé, nuageux, orageux, triste, taciturne, atrabilaire, contristé, attristé, embruni, endolori, hypocondre, morose, sépulcral.

Sombrer. — S'enfoncer, s'engloutir, disparaître, couler.

Sommaire. — Court, petit, rapide, résumé, bref, simple.

Sommation. — Déclaration, avertissement, ultimatum.

Somme (*V. Total.*). — Repos, assoupissement.

Sommeiller. — Dormir, reposer.

Sommer. — Exiger, forcer, avertir, réclamer.

Sommet. — Cime, faîte, crête, pinacle, pointe.

Sommité. — Hauteur, élévation.

Somnolence. — Assoupissement.

Somnolent. — Endormi, mou, traînant, lent, assoupi, dormeur.

Somptueux. — Éclatant, riche, luxurieux, fastueux, opulent, pompeux, solennel, splendide.

Somptuosité. — Apparat, faste, magnificence, luxe, splendeur.

Son. — Bruit, note.

Sonder. — Explorer, deviner, essayer, étudier, chercher, interroger.

Songe. — Rêve, rêverie, cauchemar, illusion, utopie.

Songer. — Rêver, penser, réfléchir, avoir l'intention de, méditer, calculer, peser, repasser.

Sonnant. — Sonore. — Précis.

Sonner. — Annoncer.

Sonore. — Bruyant, éclatant, résonnant, retentissant, vibrant.

Sophistique. — Faux, trompeur.

Sophistiquer. — Falsifier, frauder, changer, frelater.

Soporifique. — Endormant, ennuyeux, assommant, dormitif, narcotique.

Sorcier. — Magicien, devin, thaumaturge, nécromancien.

Sordide. — Sale, avare, rapace, crasseux, ladre, pingre.

Sort. — Destin, destinée, hasard, aléa, fatalité. — État, condition, chance, fortune.

Sorte. — Espèce, genre, façon, manière, condition, caractère.

Sorti. — (*V. Sortir.*) — Absent, extérieur.

Sortie. — Issue.— Interpellation, attaque, algarade.

Sortir. — Déborder, dépasser. — Provenir de, venir de. — Etre de retour de, s'éloigner de. — Transporter, ôter, enlever.

Sot. — Bête, benêt, crétin, idiot, imbécile, inepte, naïf, niais, nigaud, simple, étourdi, ignorant, maladroit.

Sottise. — Bêtise, imbécillité, faute, gaffe, maladresse.

Soubresaut. — Secousse, tiraillement.

Souche. — Origine, race, lignée.

Souci. — Agitation, alarme, anxiété, contrariété, embarras, incertitude, inquiétude, peine, perplexité, préoccupation, scrupule, tourment, tracas.

Soudain. — Immédiat, rapide, instantané, imprévu. — Immédiatement, brusquement, de suite, aussitôt.

Souder. — Coller, joindre.

Soudoyer. — Enrôler, racoler, payer.

Souffle. — Vent, respiration, haleine.

Souffler. — Respirer. — Inspirer, dire, apprendre, rappeler, remémorer. — Gonfler, enfler, grossir. — Voler, dérober, enlever, prendre.

Soufflet. — Gifle, claque. — Camouflet.

Souffrance. — Affliction, douleur, peine, mal, martyre, torture, supplice, rage, malaise, indisposition.

Souffrant. — Malade, faible, résigné, souffreteux.

Souffreteux. — Souffrant, pauvre, dénué, miséreux, minable, douloureux.

Souffrir. — Supporter, endurer, soutenir, tolérer, subir. — Éprouver, ressentir, peiner.

Souhait. — Vœu, désir, envie.

Souhaitable. — Enviable, désirable.

Souhaiter. — (*V. Envier.*)

Souiller. — Salir, ternir, tacher, gâter, violer.

Souillure. — Saleté, tache, impureté, déshonneur, salissure.

Soûl. — Ivre, dégoûté, rassasié, enivré.

Soulager. — Alléger, débarrasser, aider, consoler, atténuer, mitiger, amoindrir, tempérer.

Soulèvement. — Agitation, révolte, révolution, mutinerie.

Soulever. — Élever, enlever. — Agiter, exciter.

Soulier. — Chaussure.

Souligner. — Appuyer, accentuer.

Soumettre. — Vaincre, réduire, asservir, maîtriser, dominer, dompter, subjuguer, assujettir, conquérir, maîtriser. — Donner, proposer.

Soumis. — (*V. Soumettre.*) — Docile, obéissant, discipliné.

Soupçon. — Conjecture, apparence, suspicion, crainte, méfiance, doute, défiance.

Soupçonner. — Supposer, suspecter, se méfier, se défier.

Soupçonneux. — Craintif, défiant, dissimulé, inquisiteur, méfiant, ombrageux, soucieux, inquiet.

Soupirant. — (*V. Amoureux.*)

Souple. — Pliant, flexible, maniable, plastique. — Faible, obéissant, docile. — Flatteur, habile, insinuant, mobile.

Source. — Commencement, origine, début, principe.

Sourcilleux. — Soucieux, triste.

Sourd. — Aphone, caverneux, étouffé, silencieux, confus. — Terne, insensible, indifférent, inflexible, inexorable.

Sourdre. — Jaillir, sortir.

Souriant. — Hilare, jovial, radieux, rayonnant, réjoui, riant, enjoué, plaisant.

Sournois. — Hypocrite, faux, perfide, trompeur, caché, dissimulé.

Souscrire. — Accéder, acquiescer, adhérer.

Sous-ordre. — Subordonné, inférieur, subalterne.

Soustraire. — Ôter, retirer, retrancher, dérober, voler. — Affranchir, préserver.

Soutenable. — Défendable, possible, plausible.

Soutenir. — Défendre, protéger, aider, appuyer, consolider. — Maintenir, affirmer, assurer, certifier, plaider.

Soutenu. — (*V. Soutenir.*) — Continu, assidu, consécutif, constant, obstiné, opiniâtre, persévérant, régulier, suivi, uniforme.

Souterrain. — Caché, caverneux, creux.

Soutien. — Appui, défense, protection, aide, auxiliaire.

Soutirer. — Vider, transvaser.

Souvenir. — (*V. Mémoire.*)

Souverain. — Suprême, supérieur, puissant, parfait. — Directeur, maître, omnipotent, suzerain. — Efficace, sûr.

Souveraineté. — Pouvoir, domination, empire, suprématie, autorité, puissance, suzeraineté.

Soyeux. — Fin, doux, lisse, moelleux.

Spacieux. — Large, vaste, grand, étendu, immense.

Spasme. — Secousse, contorsion, saccade.

Spécial. — Particulier, distinct, important, personnel.

Spécieux. — Apparent, faux, captieux, paradoxal, séduisant.

Spécifier. — Énumérer, détailler, préciser, définir.

Spécifique. — Spécial, distinct, typique.

Spécimen. — Modèle, échantillon.

Spectacle. — Représentation, panorama, tableau, vue, aspect.

Spectateur. — Assistant.

Spectre. — Fantôme, revenant.

Spéculatif. — Théorique.

Spéculation. — Théorie, méditation, entreprise, affaire, trafic.

Sphère. — Étendue, limite, globe, boule.

Spirituel. — Amusant, attique, comique, fin, intelligent, humoristique.

Spiritueux. — Alcoolisé.

Spleen. — Ennui, mélancolie, neurasthénie, tristesse, hypocondrie, pessimisme.

Splendide. — Superbe, magnifique, éclatant, somptueux, riche.

Spolier. — Dépouiller, voler.

Spontané. — Naturel, rapide, volontaire, libre.

Sporadique. — Épars, dispersé.

Sport. — Exercice, jeu, gymnastique.

Spumeux. — Écumeux.

Squameux. — Écailleux.

Square. — Jardin, parc.

Stabilité. — Solidité, fermeté, équilibre.

Stable. — Solide, ferme, durable, permanent, immobile.

Stage. — Apprentissage, noviciat.

Stagnant. — Immobile, lent, stationnaire. — Marécageux, dormant.

Stalle. — Siège, place.

Station. — Pause, arrêt, séjour. — Gare, halte.

Stationnaire. — Immobile, lent.

Stationner. — Rester, demeurer, être fixe, immobile.

Statistique. — État, recensement.

Statuaire. — Sculpteur.

Statuer. — Ordonner, régler, décider, déclarer.

Stature. — Hauteur, taille, port, charpente.

Statut. — Loi, règlement, ordonnance, clause.

Steppe. — Plaine.

Stéréotyper. — Clicher, reproduire.

Stérile. — Aride, désert, inculte, infécond, infertile, ingrat, maigre, pauvre, sec, improductif.

Stigmate. — Marque, trace, empreinte, indice.

Stigmatiser. — Flétrir, marquer.

Stimuler. — Exciter, aiguillonner, éveiller, activer, animer, pousser.

Stipendier. — Payer, soudoyer.

Stipulation. — Clause, condition, convention, pacte, traité, engagement.

Stock. — Quantité.

Stoïcien. — Dur, ferme.

Stoïque. — Calme, inébranlable, insensible, impassible.

Stopper. — Arrêter.

Store. — Rideau, portière.

Stranguler. — Étrangler, étouffer.

Stratégie. — Tactique, manœuvre.

Strict. — Rigoureux, exact, sévère, minutieux, précis.

Strident. — Aigre, perçant, aigu.

Strie. — Sillon, rayure, raie.

Strophe. — Stance.

Structure. — Ordre, arrangement, groupement, organisation, ordonnance, composition.

Studieux. — Travailleur, laborieux, zélé, appliqué.

Stupéfaction. — Étonnement, abattement, trouble, surprise, ébahissement.

Stupéfiant. — Épouvantable, étonnant, troublant, surprenant, magnétisant, narcotique.

Stupeur. — Épouvante, immobilité, insensibilité, effroi, peur, consternation.

Stupide. — Bête, insensé, étonné, engourdi, ébahi.

Stupre. — Débauche.

Style. — Genre, manière, forme, tour, expression, tournure, rédaction.

Styler. — Dresser, former, accoutumer, instruire.

Stylet. — Poignard.

Suaire. — Linceul, drap mortuaire.

Suave. — Doux, agréable, délicieux, parfumé, fin, exquis.

Subalterne. — Inférieur subordonné.

Subdiviser. — Diviser, partager, répartir, sectionner, fractionner.

Subir. — Accepter, endurer, éprouver, essuyer, sentir, souffrir, supporter, tolérer, recevoir, ressentir.

Subit. — Brusque, imprévu, rapide, inopiné, inattendu.

Subjectif. — Personnel.

Subjuguer. — Assujettir, soumettre, asservir, conquérir.

Sublime. — Élevé, extraordinaire, supérieur, surhumain.

Submerger. — Plonger, enfoncer, noyer.

Subordonné. — Inférieur, obéissant, dépendant, subalterne, soumis.

Subordonner. — Rattacher.

Subreptice. — Dérobé, furtif, illicite.

Subroger. — Substituer, remplacer.

Subséquemment. — Ensuite, après, en conséquence.

Subside. — Secours, aide, renfort, appui.

Subsidiaire. — Accessoire, auxiliaire.

Subsistance. — Nourriture, entretien, alimentation, nutrition.

Subsister. — Continuer, exister, durer, persister, se conserver, se maintenir.

Substance. — Corps, matière, élément, principe.

Substantiel. — Matériel, solide, mangeable, important.

Substitution. — Remplacement, supplantation.

Substruction. — Fondement, fondations, base, support, soutien.

Subterfuge. — Ruse, artifice.

Subtil. — Fin, menu, délié, léger, ténu, ingénieux.

Subtiliser. — Attraper, dérober, voler.

Subtilité. — Ruse, finesse.

Subvenir. — Aider, secourir, soulager, seconder, assister, appuyer, soutenir.

Subvention. — Secours, soutien, aide.

Subversif. — Révolutionnaire, séditieux.

Succéder. — Suivre, continuer, remplacer.

Succès. — Réussite, bonheur, victoire, chance, avantage, triomphe.

Successif. — Continu, ininterrompu, constant.

Succession. — Suite, héritage.

Succinct. — Court, serré, bref, ramassé.

Succomber. — Tomber, mourir.

Succulent. — Délectable, délicieux,exquis,savoureux,juteux.

Sucer. — Extraire, exprimer.

Suer. — Transpirer, suinter.

Sueur. — Transpiration, moiteur.

Suffisant. — Bien, congru, convenable, fanfaron, fier, honorable, mettable, modéré, passable, potable, raisonnable, satisfaisant. — Vaniteux, orgueilleux.

Suffocant. — Chaud, étouffant, accablant, torride, asphyxiant.

— Irritant, crispant, énervant, horripilant.

Suffrage. — Vote, approbation.

Suggérer. — Souffler, inspirer, conseiller.

Sui generis. — Particulier, spécial, distinct, original.

Suinter. — S'écouler, filtrer.

Suite. — Succession, série, continuation, conséquence, ordre, liaison, persévérance.

Suivant. — Conformément, d'après, selon. — Postérieur, inférieur, successeur. — Acolyte.

Suivre. — Accompagner, escorter, filer, poursuivre, serrer, talonner, fréquenter, continuer, étudier, pratiquer, succéder, remplacer.

Sujet. — Cause, raison, motif. — Matière, canevas, thème, objet. — Dépendant, astreint, exposé.

Sujétion. — Dépendance, obéissance, assujettissement.

Summum. — Maximum.

Superbe. — Beau, étonnant, magnifique, splendide, parfait, sublime, fier, orgueilleux, glorieux.

Superfétation. — Inutilité, superfluité, redondance.

Superficie. — Surface, apparence, étendue, aire, espace.

Superficiel. — Apparent, extérieur, léger, vain, creux, faux.

Superfin. — Parfait, supérieur, excellent.

Superflu. — Excessif, inutile.

Superfluité. — Inutilité, luxe.

Supérieur. — Culminant, distingué, dominant, éminent, excellent, insigne, noble, prééminent, prépondérant, remarquable, suprême, vainqueur.

Superlatif. — Extraordinaire, parfait, supérieur.

Superstitieux. — Crédule, exact, minutieux.

Superstition. — Crédulité, fétichisme.

Supplanter. — Dépasser, remplacer.

Suppléer. — Ajouter, remplacer.

Supplément. — Accessoire, addition, complément, surcroît, appoint.

Supplémentaire. — Accessoire, annexé, joint, subsidiaire, complémentaire, additionnel.

Suppliant. — Agenouillé, bas, confus, implorant, prosterné, repentant.

Supplication. — Prière, instance.

Supplice. — Punition, tourment, torture, persécution, martyre, géhenne, exécution, peine, châtiment.

Supplicier. — Torturer, crucifier.

Supplier. — Adjurer, conjurer, implorer, prier.

Supplique. — Demande, requête, prière, sollicitation.

Support. — Aide, appui, soutien, protection.

Supportable. — Suffisant, sortable, tolérable.

Supporter. — Soutenir, appuyer. — Souffrir, endurer, tolérer, permettre.

Supposé. — Cru, faux, imaginaire, incertain, conjectural, douteux, présumé, problématique, hypothétique.

Supposer. — Croire, admettre, penser, présumer.

Supposition. — Hypothèse, conjecture, présomption.

Supprimer. — Empêcher, retrancher, abolir, détruire, effacer, enlever, ôter.

Supputer. — Compter, calculer, peser, supposer.

Suprasensible. — Immatériel.

Suprême. — Dernier, divin, grand, parfait, supérieur, puissant.

Sûr. — Abrité, caché, certain, confiant, efficace, ferme, fidèle, garanti, gardé, imprenable, protégé, sain et sauf, tranquille.

Surabondant. — Excessif, superflu, diffus, pléthorique.

Suranné. — Ancien, antique, caduc, fini, périmé, usé, passé, rococo.

Surcharge. — Surcroît, excédent.

Surcharger. — Écraser, accabler, excéder.

Surcroît. — Excédent, surcharge.

Sûrement. — A coup sûr, certainement.

Sûreté. — Sécurité, garantie.

Surexcitation. — Agitation, irritation.

Surface. — Extérieur, apparence. — Solvabilité. — Plan, aire, superficie, étendue.

Surfait. — Excessif.

Surgir. — Jaillir, apparaître.

Surhausser. — Élever, surélever, exhausser, soulever.

Surhumain. — Difficile, excessif, extraordinaire, sublime.

Surmener. — Fatiguer, épuiser, accabler.

Surmonter. — Maîtriser, dompter, vaincre.

Surnager. — Subsister, rester.

Surnaturel. — Excessif, extraordinaire, immatériel, magique, métaphysique.

Surnom. — Sobriquet, qualificatif.

Surpasser. — Dépasser, être supérieur à, l'emporter sur, progresser.

Surplomber. — Dépasser, dominer, couronner, planer.

Surplus. — Excédent, excès, surcroît, supplément, complément.

Surprenant. — Étonnant, rapide, brusque, inattendu, imprévu, extraordinaire, anormal.

Surprendre. — Prendre, saisir, attaquer. — Apercevoir, découvrir. — Troubler, frapper, étonner.

Sursauter. — Bondir, tressaillir.

Surseoir. — Suspendre, remettre, ajourner, différer, reculer, proroger, temporiser.

Sursis. — Délai, remise, retard, ajournement, prorogation.

Surtout. — Principalement, avant tout, d'abord, en première ligne.

Surveiller. — Veiller, espionner, guetter. — Étudier.

Survenir. — Arriver, surgir, apparaître, se montrer.

Survivance. — Continuation, suite, survie.

Sus. — Dessus, contre.

Susceptible. — Sensible, délicat, irascible, ombrageux, chatouilleux.

Susciter. — Faire naître, provoquer, exciter, causer, produire, déterminer, amener, entraîner, occasionner, motiver.

Susdit. — Nommé, mentionné.

Suspect. — Soupçonné, louche, suspecté, douteux, équivoque.

Suspendre. — Accrocher, apprendre, soutenir. — Cesser, interrompre, retarder, arrêter. — Interdire, retirer.

Suspicion. — Soupçon, défiance, méfiance, crainte, doute.

Sustenter. — Alimenter, entretenir, nourrir.

Susurrer. — Murmurer, chuchoter.

Suture. — Couture, raccord, réunion.

Suzerain. — Souverain, seigneur.

Svelte. — Élégant, léger, mince.

Sybarite. — Débauché, viveur.

Symbole. — Figure, image, emblème, apparence.

Symbolique. — Expressif, figuré, allégorique, métaphorique.

Symétrie. — Conformité, ordre, plan, ordonnance.

Sympathie. — Penchant, inclination, affection, amitié, convenance, tendresse.

Sympathique. — Agréable, aimable, aimé, ami.

Symptôme. — Manifestation, indice, présage.

Syndicat. — Association, fédération.

Synthèse. — Réunion, composition, jonction.

Système. — Ensemble, plan, méthode, théorie.

T

Tabarinage. — Bouffonnerie.
Tabelle. — Rôle, liste.
Tabescence. — Marasme, amaigrissement.
Tableau. — Toile, panneau.
Tache. — Souillure, saleté. — Imperfection, ombre, vice, défaut.
Tâche. — Œuvre, ouvrage, travail, devoir.
Tacher. — Salir, souiller. — Flétrir, déshonorer.
Tâcher. — Viser à, s'efforcer de, tendre à, prétendre, vouloir, essayer.
Tacheté. — Bigarré, coloré, léopardé, marbré, marqué, marqueté, moucheté, piqué, pommelé, tigré, veiné, zébré.
Tacite. — Caché, latent, sous-entendu, secret.
Taciturne. — Silencieux, fermé, triste, hypocondre.
Tact. — Toucher. — Finesse, goût, jugement, usage, délicatesse.
Taillader. — Couper, découper.
Tailler. — Abattre, couper, découper, dégarnir, dégauchir, dégrossir, diminuer, ébrancher, éclaircir, élaguer, émonder, équarrir, raser, taillader.
Taillis. — Bois, buisson, broussaille, fourré.
Taire. — Cacher, garder, passer sous silence, omettre, négliger, dissimuler.
Talent. — Capacité, habileté, aptitude, compétence, don, génie.

Talisman. — Amulette, fétiche.
Taloche. — Coup, correction, tape, bourrade.
Talonner. — Suivre, poursuivre, serrer de près, importuner, exciter.
Taluté. — Oblique.
Tambouriner. — Publier, afficher, annoncer, colporter, crier, divulguer, placarder, proclamer, répandre, trompeter, vulgariser.
Tamisé. — Doux, pur, léger.
Tamiser. — Passer, cribler, trier.
Tampon. — Bouchon, fermeture.
Tamponner. — Boucher, choquer, heurter.
Tancer. — Admonester, blâmer, gourmander, gronder, houspiller, morigéner, réprimander, rudoyer, secouer, sermonner, tarabuster.
Tandis que. — Pendant que, alors que, au lieu que.
Tangent. — Proche, adjacent, attenant, contigu, joint, juxtaposé.
Tangible. — Matériel, palpable, positif, sensible, visible, perceptible, certain.
Tanner. — Agacer, assommer, excéder, ennuyer, fatiguer, harceler, impatienter, importuner, lasser, persécuter, poursuivre, obséder, tourmenter.

Tapageur. — Bruyant, étourdissant. — Criard, affecté, recherché.

Tape. — Coup.

Tapé. — (*V. Taper.*) — Aplati, séché, flétri.

Taper. — Frapper, battre, claquer, malmener, rosser.

Tapi. — Caché, couché, réfugié, blotti.

Tapinois. — Cachotier, mystérieux, en catimini.

Tapisser. — Orner, couvrir, garnir.

Tapoter. — Toucher, effleurer.

Taquin. — Chicaneur, tracassier, ergoteur, minutieux. — — Désagréable, choquant, contrariant, ennuyeux, vexant.

Tarabuster. — Ennuyer, importuner, gronder, malmener, secouer, admonester, tancer, sermonner, rudoyer.

Tarder. — Ajourner, attarder, attendre, ralentir, temporiser.

Tardif. — Ajourné, arriéré, attardé, attendu, lent, postérieur, retardataire, traînard, traîneur.

Taré. — Avili, décrié, déconsidéré, dédaigné, démonétisé, déprécié, déprisé, disqualifié, malfamé, méprisé, mésestimé, réprouvé.

Targuer (Se). — Se prévaloir, faire sonner, tirer avantage, faire étalage, se vanter.

Tarif. — Taxe.

Tarifer. — Imposer, évaluer, taxer.

Tarir. — Sécher, assécher, dessécher, vider, épuiser. — Finir, cesser, arrêter.

Tartufe. — Hypocrite, dévot, jésuite.

Tas. — Amas, masse, quantité, multitude, monceau, pile, ramassis, agrégat.

Tassé. — Court, replet, ramassé.

Tasser. — Ramasser, assembler, réunir, rejoindre, renforcer, amonceler, agglomérer.

Tâter. — Toucher, palper. — Essayer, goûter, tenter, expérimenter.

Tatillon. — Argutieux, chicaneur, difficile, exigeant, méticuleux, pointilleux, scrupuleux, vétilleux.

Tâtonner. — Chercher, essayer, tenter, hésiter, errer, tergiverser, flotter.

Taudis. — Bouge, galetas, réduit.

Taux. — Prix, cours, valeur, value, évaluation.

Taverne. — Restaurant, cabaret, estaminet, café.

Taxe. — Tarif, impôt.

Taxer. — Imposer, tarifer. — — Accuser.

Technique. — Spécial, professionnel.

Teint. — Coloré, colorié, fardé, peint, teinté.

Teinte. — Nuance, couleur, coloris.

Teinture. — Vernis, couche, coloration, teinte.

Télégramme. — Dépêche, câblogramme.

Télégraphique. — Rapide, électrique.

Téléologique. — Finaliste.

Téméraire. — Audacieux, aventureux, hasardeux, imprudent, inconsidéré, irréfléchi, présomptueux, risqué.

Témérité. — Audace, imprudence, hardiesse.

Témoignage. — Déclaration, marque, preuve, déposition.

Tempérament. — Nature, complexion, caractère, constitution. — Modération, compromis, concession, adoucissement.

Tempérant. — Abstinent, calme, continent, mesuré, modéré, pondéré, sage, sobre, tempéré.

Tempéré. — Modéré, sobre, doux, tiède, moyen, mesuré.

Tempestif. — Opportun.

Tempête. — (V. *Tempétueux.*)

Tempétueux. — Agité, courroucé, déchaîné, démonté, écumeux, houleux, impétueux, orageux, violent, tourmenté.

Temporaire. — Borné, bref, éphémère, passager, précaire, provisoire, transitoire, viager.

Temporel. — Laïc, séculier, profane.

Temporiser. — Retarder, différer, ajourner, piétiner, traîner.

Temps. — Durée, délai. — Atmosphère, température.

Tenable. — Supportable, pratique, tolérable, endurable.

Tenace. — Dur, entêté, acharné, ferme, opiniâtre, résolu, têtu, volontaire. — Fort, solide, résistant, adhérent, collant.

Ténacité. — (V. *Tenace.*)

Tenailler. — Déchirer, torturer, tourmenter, supplicier.

Tenancier. — Fermier, locataire.

Tendance. — Direction, inclination, penchant, propension, goût, aspiration, vocation, vues.

Tendre. — Affectueux, amoureux, aimant, ami, attaché, caressant, épris, passionné. — Délicat, impressionnable, sensitif, sentimental, sensible, susceptible. — Mou, amolli, amorti, élastique, faible, flasque, flexible, inerte, malléable, plastique, souple, ramolli. — Raidir, border, allonger, contracter, disposer, établir, tapisser. — Viser, avoir pour but, rechercher.

Tendresse. — Affection, inclination, caresse, sympathie.

Ténébreux. — Obscur, nocturne, noir. — Secret, invisible, mystérieux, occulte, caché.

Teneur. — Contenu, libellé, texte, thème, thèse.

Tenir. — Contenir, comprendre, enclore, enfermer, impliquer, posséder, occuper, diriger, avoir en main, maintenir, entretenir. — Suspendre, accrocher, soulever, retenir, soutenir. — Dire, exprimer, exposer, professer. — Accomplir, exécuter. — Résister, lutter. — Etre attaché, pris, possédé, séduit, accaparé, agrippé, captivé, capturé, empoigné, entraîné, étreint, prisonnier, retenu.

Tension. — Application, attention.

Tentant. — Enviable, excitant, séduisant, alléchant, attrayant, captivant. — Charmant, engageant, tentateur.

Tentation. — Séduction, fascination, envie, désir.

Tente. — Abri.

Tenter. — Essayer, risquer, éprouver, expérimenter, hasarder, entreprendre.

Ténu. — Fin, mince, petit, menu.

Tenue. — Costume, vêtement, uniforme. — Direction, gestion. — Présentation, conduite.

Térébrer. — Percer, perforer, trouer, miner, fouiller

Tergiverser. — Atermoyer, différer, retarder, ajourner traîner hésiter.

Terminaison. — Fin, cessation, terme, but, borne, limite, arrêt, achèvement, conclusion, clôture, solution.

Terminer. — Finir. — (*V. Terminaison.*) — Juger, arbitrer, fixer, prononcer, régler, statuer.

Terne. — Blafard, blême, décoloré, dépoli, déteint, incolore, livide, mat, mort, obscur, pâle, languissant, fané, vitreux.

Ternir. — (*V. Terne.*) — Amoindrir, souiller, critiquer, déprécier, noircir.

Terrain. — Sol.

Terrassant. — Épouvantable, étonnant, renversant, stupéfiant. — Fatigant, déprimant, accablant, écrasant, intolérable, lassant, pénible, tuant.

Terrasse. — Balcon, galerie, plate-forme.

Terrasser. — (*V. Terrassant.*) — Abattre, vaincre, réduire, dompter.

Terre. — Monde, univers, globe. — Pays, région, continent, contrée. — Champs, propriété, domaine.

Terrer. — Creuser, cacher, enfouir.

Terreur. — Épouvante, crainte, inquiétude, angoisse, frayeur, panique, effroi, transe, affolement.

Terreux. — Sale, brun, incolore, terne.

Terrible. — Épouvantable, dangereux, effrayant, inquiétant, redoutable, terrifiant, tragique, formidable, menaçant, périlleux.

Terrier. — Trou, retraite, cachette, abri, refuge, repaire, gîte, asile, tanière.

Terrifier. — (*V. Terrible.*)

Terrir. — S'échouer, aborder. — Creuser.

Territoire. — Contrée, région, pays, lieu, espace, parage.

Terroriser. — Affoler, alarmer, apeurer, effarer, effaroucher, inquiéter, pétrifier, terrifier, troubler, épouvanter, effrayer.

Terrorisme. — Épouvante, menace.

Tertre. — But, monticule.

Test. — Coquille.

Tête (*fig.*). — Intelligence, bon sens, raison. — Chef, direction, administration, gouvernement. — Extrémité, commencement, début.

Tête-à-tête. — Rencontre, entretien.

Téter. — Sucer.

Têtu. — Acharné, buté, entiché, entier, insoumis, intraitable, obstiné, opiniâtre, rétif, tenace, volontaire.

Texte. — Passage, sujet, libellé, contenu, teneur.

Textuel. — Exact, mot à mot, semblable, copie, littéral, emprunté, imité, pillé, plagié, volé.

Texture. — Disposition, arrangement, entrelacement, liaison.

Thaumaturgique. — Miraculeux, surnaturel.

Théâtral. — Amusant, bouffon, comique, dramatique, émouvant, fantastique, mimique, passionnant.

Théâtre (*fig.*). — Scène, lieu, endroit, cadre.

Thème. — Sujet, morceau, passage.

Théodicée. — Théologie.

Théogonie. — Religion.

Théologal. — Religieux.

Théologique. — Divin, religieux, métaphysique.

Théorique. — Hypothétique, idéal, imaginaire, irréel, scientifique, rationnel, systématique.

Thérapeutique. — Médecine, traitement.

Thermal. — Chaud.

Thermes. — Bains.

Thésauriser. — Accumuler, amasser, emmagasiner, entasser, épargner, économiser, réserver.

Thèse. — Proposition, assertion.

Thorax. — Poitrine, buste.

Thuriféraire. — Prôneur, flatteur, encenseur.

Tiède. — Doux, calme, indifférent, nonchalant, mou, neutre.

Tiers. — Troisième. — Intermédiaire, arbitre, témoin.

Tigré. — Rayé, moucheté, taché.

Timbre. — Empreinte, cachet, sceau, marque.

Timide. — Confus, embarrassé, honteux, rougissant, modeste, peureux, scrupuleux. — Hésitant, timoré, lâche, faible.

Timoré. — Peureux, scrupuleux, craintif.

Tintamarre. — Chahut, vacarme, remue-ménage, sabbat.

Tinter. — Sonner, résonner.

Tintouin (*fig.*). — Inquiétude, embarras, préoccupation, désagrément.

Tiqueté. — Tacheté.

Tirade. — Passage, développement, déclamation.

Tirage. — Effort, difficulté. — Impression, réimpression.

Tirailler (*fig.*). — Solliciter, déranger, ennuyer, inquiéter.

Tiré. — (*V. Tirer.*) — Allongé, amaigri, abattu, souffrant, souffreteux.

Tirer. — Attirer, amener, entraîner. — Faire sortir, extraire, dégager, produire, délivrer, recueillir, obtenir. — Tracer, imprimer.

Tisonner. — Remuer, exciter, aviver.

Tisser. — Tramer, ourdir.

Tissu. — Étoffe. — Enchaînement, suite, agencement.

Titanesque. — Colossal, grandiose, excessif, étonnant, cyclopéen, énorme, gigantesque, prodigieux.

Titiller. — Piquer, chatouiller, caresser.

Titre. — Dignité, qualité, honneur. — Pièce, acte, droit, capacité. — Rubrique, en-tête, intitulé, enseigne.

Tituber. — Chanceler, trébucher, buter, vaciller.

Titularisé. — Nommé, investi, désigné.

Toge. — Robe.

Tohu-bohu. — Chaos, confusion, désordre.

Toile. — Tableau, rideau.

Toilette. — Mise, costume, habillement, tenue.

Toiser. — Mesurer, arpenter, auner, mensurer. — Examiner, dévisager. — Mépriser, dédaigner, rabaisser.

Toit. — Maison, demeure, domicile. — Toiture, couverture.

Tolérable. — Supportable, suffisant.

Tolérance. — Patience. — Largeur d'esprit, libéralisme, indulgence.

Tolérant. — Patient, large, libéral, indulgent, humain, bon, doux, résigné.

Toléré. — (V. Tolérer.) — Juste, légal, libre, licite.

Tolérer. — Permettre, accepter, admettre, approuver, autoriser, endurer, excuser, supporter, subir, souffrir.

Tombant. — Ruiné, faible, incliné, finissant.

Tombeau. — Tombe, sépulcre, monument, mausolée.

Tombé. — (V. Tomber.) — Bas, coupable, dégradé, avili. — Oublié, déchu.

Tombée. — Chute, fin.

Tomber. — Dégringoler, s'effondrer, s'affaisser, s'écrouler, s'abattre, crouler. — Arriver, se présenter, devenir, cesser, aboutir, coïncider. — Se précipiter, attaquer, abattre. — Rencontrer. — Échouer, déchoir, être vaincu, se rendre. — Renverser, culbuter.

Tome. — Volume.

Tomenteux. — Duveteux.

Ton. — Vigueur, force, intensité, éclat. — Importance, supériorité, air, manière.

Tondre. — Couper, tailler, élaguer, brouter.

Tonique. — Fortifiant. — Cordial, généreux, réconfortant, vivifiant.

Tonitruant. — Assourdissant, bruyant, éclatant, retentissant, sonore.

Tonnant. — Bruyant, éclatant, résonnant, sonore, retentissant.

Tonnerre. — Foudre. — Grondement, éclat.

Topique. — Juste, exact, précis.

Topographie. — Description.

Toquade. — Inclination, emballement, engouement.

Toqué. — Affolé, aliéné, bête, dément, déséquilibré, détraqué, dérangé, fêlé, fou, hébété, idiot, imbécile, insensé, stupide.

Toquer. — Frapper, choquer, heurter, cogner.

Torche. — Flambeau, brandon, tison.

Torcher. — Astiquer, bouchonner, essuyer, nettoyer. — Faire, achever, exécuter.

Torchonné. — Mal, malpropre, sale.

Torchonner. — Essuyer. — Mal faire, saboter, gâcher.

Tordant. — Amusant.

Tord-boyaux. — Poison.

Tordre. — Tourner.

Tordu. — Tourné, contracté, entortillé, serré, contourné. — Tors, retors, difforme.

Torgnole. — Raclée, correction.

Torpeur. — Abattement, accablement, engourdissement, aplatissement, consternation, démoralisation, écrasement, inertie.

Torréfier. — Griller, brûler, cuire, calciner, carboniser.

Torrentiel. — Abondant, diluvien, tempétueux, déchaîné, impétueux, torrentueux, violent.

Torride. — Accablant, ardent, brûlant, cuisant, caniculaire, chaud, effervescent, embrasé, étouffant, incandescent, suffocant, surchauffé, tropical.

Tors. — (V. Tordu.)

Torsade. — Spirale.

Torse. — Tronc, buste, taille, thorax.

Tort. — Injustice, erreur, faute. — Lésion, dommage, préjudice, iniquité.

Tortillage. — Embarras, alambiquage, subtilité, détour, échappatoire, subterfuge.

Tortionnaire. — Cruel, barbare, bourreau, féroce, inhumain.

Tortu. — Tordu, tors, contourné, difforme.

Tortueux. — Contourné, méandrique, serpentin, sinueux.

— Rusé, déloyal, dissimulé, faux, fourbe, politique, hypocrite.

Torturant. — Douloureux, angoissant, cuisant, déchirant, intolérable, poignant, martyrisant.

Torture. — Martyre, supplice, tourment.

Torturer. — Crucifier, déchirer, martyriser, persécuter, tourmenter, supplicier.

Torve (regard). — Oblique, dur, menaçant.

Total. — Complet, entier, intégral, universel, tout, unanime.

Totaliser. — Réunir, joindre, grouper, rassembler.

Totalité. — Tout, intégralité, universalité, unanimité, ensemble, somme.

Touchant. — Émouvant, intéressant, passionnant, attendrissant, impressionnant, prenant, saisissant, troublant, pathétique.

Touche. — Style, manière.

Toucher. — Affleurer, coudoyer, frapper, heurter, palper. — Éprouver, essayer, vérifier. — Atteindre, attraper. — Recevoir. — Aborder, effleurer. — Etre attenant, voisin, limitrophe, riverain. — Impressionner, intéresser, émouvoir. — Concerner, regarder.

Touer. — Tirer, haler, remorquer.

Touffu. — Abondant, compact, dru, feuillu, fourni, impénétrable, épais, massif, exubérant, luxuriant.

Touiller.—Obscurcir, assombrir.
— Tourner, mélanger.

Toupet. — Aplomb, audace, effronterie.

Tour. — Périmètre, pourtour. — Niche, fourberie, farce, méchanceté, malice. — Rang, place.

Tourbillonnant. — Agité, déchaîné, houleux, impétueux, torrentueux, tempétueux.

Tourbillonner. — Tournoyer, pirouetter.

Touriste. — Voyageur, promeneur, visiteur, excursionniste.

Tourment. — Supplice, torture, martyre. — Affliction, inquiétude, peine, oppression, douleur, angoisse, souci.

Tourmenté. — Accidenté, bosselé, découpé, dentelé, désordonné, disproportionné, irrégulier, mêlé, montagneux, mouvementé, vallonné.

Tourmenter. — (*V. Tourment.*)

Tournailler. — Rôder autour.

Tourné. — (*V. Tourner.*) — Acide, altéré, détérioré, aigre, gâté, sur.

Tournée. — Voyage, visite, inspection, promenade, excursion.

Tourner. — Arrondir, tordre, façonner, exprimer, écrire. — Éluder, éviter, esquiver, escamoter, parer. — Changer, défigurer, déguiser, dénaturer, métamorphoser, transfigurer, interpréter, travestir. — Orienter, diriger, virer.

Tournoi. — Lutte, combat, joute, pas d'armes, carrousel.

Tournure. — Aspect, manière, extérieur, tenue.

Tout. — Entièrement, complètement, absolument, bloc, ensemble, total.

Toutefois. — Néanmoins, cependant, pourtant, mais, nonobstant.

Toute-puissance. — Influence, omnipotence, souveraineté, domination, absolutisme, suprématie.

Toux. — Rhume.

Toxique. — Délétère, empoisonnant, mortel, venimeux, vénéneux.

Trac. — Peur, frousse.

Tracas. — Préoccupation, ennui, trouble, inquiétude, agitation, affaire, alarme, contrariété, tourment.

Tracasserie. — Chicanerie, désagrément, ennui, méchanceté.

Trace. — Marque, impression, souvenir, empreinte, piste, indice, signe.

Tracé. — Plan, graphique, schéma.

Tracer. — Indiquer, marquer, écrire, formuler, dessiner, esquisser.

Tradition. — Livraison, communication, transfert. — Usage, habitude, coutume, pratique, croyance, légende.

Traditionnel. — Accoutumé, consacré, coutumier, invétéré, sacramentel. — Transmis, proverbial, légendaire.

Traduire. — Mener, appeler, convoquer, assigner. — Expliquer, interpréter, éclaircir, déchiffrer. — Montrer, laisser, paraître.

Trafic. — Commerce, profit, négoce, brocante, agiotage.

Trafiquer. — Vendre, brocanter, débiter, agioter, colporter, négocier.

Tragédie. — Malheur, catastrophe, drame.

Tragique. — Émouvant, épouvantable, malheureux, triste.—Emphatique, théâtral.

Trahir. — Abandonner, livrer, vendre, montrer, dévoiler. — Dénoncer, tromper.

Trahison. — Traîtrise, félonie.

Train. — Allure, marche, genre, conduite. — Bruit, tapage, scandale. — Convoi, rame.

Traînant. — Lent, mou, languissant, tardif, traînard.

Traînard. — Lent, mou, négligent, arriéré, retardataire, musard, lambin.

Traînasser.—Lambiner, muser.

Traînée. — Trace, passage.

Traîner. — Tirer, conduire, transporter. — Ajourner, retarder, allonger.

Traire. — Tirer.

Trait. — Pointe, mordant, piquant.

Traite. — Lettre de change, effet, billet. — Trajet, marche, promenade.

Traité. — Convention, pacte, marché, engagement, transaction.

Traitement. — Salaire, paie, solde, honoraires, gages. — Procédé. — Soins, cure.

Traiter. — S'occuper de, convenir, discuter, conclure, raisonner, écrire. — Recevoir, héberger, régaler.

Traiteur. — Restaurateur, hôtelier, aubergiste, gargotier.

Traître. — Perfide, délateur, déloyal, faux, fourbe, judas, trompeur, félon.

Tramer. — Machiner, manigancer, compléter, organiser, ourdir, préparer, conjurer, conspirer.

Tramontane. — Nord.

Tranchant. — Aigu, acéré, affilé, aiguisé, coupant. — Absolu, brusque, cassant, entier, intransigeant, autoritaire.

Tranche. — Partie, morceau, division, section, fraction.

Tranché. — (*V. Trancher.*) — Absolu, net, distinct, particulier, spécial.

Tranchée. — Trou, fossé, abri. — Colique.

Trancher. — Séparer, couper, décider, résoudre, convenir, distinguer, diviser, tailler, amputer, décapiter, rogner, abattre.

Tranquille. — Calme, rassis, posé, immobile, paisible, placide, serein. — Certain, sûr, assuré, rassuré, confiant.

Tranquillité. — Repos, calme, quiétude, certitude, confiance, paix, sérénité, placidité, ataraxie.

Transaction. — Concession, arrangement, marché.

Transborder. — Transporter, passer, transférer.

Transcendant. — Supérieur, éminent, culminant. — Savant, difficile.

Transcendantal. — Métaphysique, inconnaissable.

Transcription. — Relevé, copie, double.

Transe. — Frayeur, effroi, épouvante, alarme, peur, émotion, angoisse, affre.

Transférer. — Transporter, passer, déplacer, changer, remettre, ajourner, transborder, transvaser, transfuser.

Transfert. — Cession, transmission.

Transfiguration. — Changement, métamorphose.

Transfigurer. — Transformer, travestir, métamorphoser, varier, transmuer.

Transformation. — Changement, métamorphose, déguisement.

Transgresser. — Désobéir à, violer, enfreindre.

Transi. — Pénétré, engourdi, gelé, glacé.

Transiger. — Convenir, traiter, éliminer, pactiser, s'incliner, capituler.

Transition. — Passage.

Transitoire. — Passager, momentané, temporaire, court.

Translater. — Traduire, reproduire.

Translucide. — Clair, diaphane, limpide, perméable, transparent.

Transmettre. — Communiquer, léguer, céder, donner, transférer, concéder, rétrocéder.

Transmis. — (*V. Transmettre.*) — Contagieux, épidémique, familial, héréditaire, traditionnel.

Transmission. — Communication, transfert, passage, héritage.

Transmuer. — Changer, transfigurer.

Transparent. — Clair, cristallin, diaphane, limpide, net, perméable, translucide, vitreux.

Transpercer. — Percer, perforer, traverser.

Transpirer. — Suer. — Paraître, transparaître.

Transplanter. — Changer, transporter, déplacer, transborder, exiler.

Transport. — Cession, transfert. — Passage. — Exaltation, émotion, surexcitation. — Port, transit, transbordement.

Transporté. — (*V. Transporter.*) — Amoureux, ravi, enthousiaste, joyeux, passionné, enflammé, fanatique.

Transporter. — Charrier, déplacer, conduire, déménager, envoyer, expédier, exporter, reléguer, traîner, véhiculer, transférer.

Transposer. — Changer, traduire, transcrire.

Transvaser. — Verser, décanter, transvider.

Transversal. — Oblique, détourné.

Trapu. — Court, gros, solide, râblé.

Traquer. — Entourer, assiéger, presser, envelopper, pourchasser, acculer, serrer, forcer, réduire.

Traumatisme. — Blessure.

Travail. — Labeur, ouvrage, métier, occupation, opération, œuvre. — Fatigue, difficulté, gêne, souci, douleur, peine.

Travailler. — Façonner, fabriquer, fonctionner, fermenter. — Fatiguer, peiner, besogner, manœuvrer.

Travailleur. — Actif, assidu, diligent, laborieux, studieux, zélé, appliqué, acharné.

Travers. — Biais, irrégularité. — Bizarrerie, défaut.

Traversée. — Voyage, passage.

Traverser. — Passer, parcourir, explorer. — Surgir, se présenter. — Percer, tendre, perforer. — Gêner, empêcher, embarrasser.

Travestir. — Changer, modifier, altérer, fausser, masquer, déguiser, métamorphoser, défigurer.

Trébucher.—Broncher, tituber, osciller, buter, vaciller.

Trembler. — Osciller, remuer, branler, grelotter, tressaillir, vibrer. — Craindre, redouter, avoir peur, être épouvanté, appréhender, frémir.

Trembleur. — Peureux, capon, couard, craintif, lâche, poltron, pusillanime, timide, timoré.

Trémousser. — Agiter, remuer, secouer, activer, pousser, frétiller, gigoter.

Trempe. — Caractère, vigueur, valeur, qualité.

Tremper. — Couper, mélanger, imbiber, mouiller. — Participer à, se mêler de. — Fortifier, durcir.

Trépassé. — Décédé, mort, défunt.

Trépidation. — Oscillation, secousse, tremblement, vibration.

Trépider. — S'agiter, s'impatienter, vibrer, frémir.

Trésor. — Réserve, richesse, magot, fortune.

Tressaillement. — Frisson, tremblement, frémissement.

Tressauter. — Tressaillir, sursauter, bondir.

Tresser. — Natter, entrelacer.

Trêve. — Cessation, arrêt, relâche, suspension.

Tribu. — Famille, peuplade.

Tribulation. — Affliction, adversité, malheur, mésaventure, peine, ennui.

Tribunal. — Prétoire.

Tribune. — Estrade, chaire.

Tribut. — Redevance, impôt, contribution, dette, rétribution.

Tributaire.— Assujetti, soumis, dépendant, vassal.

Tricher. — Tromper, frauder, voler.

Trier. — Séparer, choisir, distinguer.

Trigaud. — Finasseur, rusé, trompeur, hypocrite.

Trimardeur. — Rôdeur, chemineau.

Trimbaler. — Traîner, transporter, porter, colporter.

Trimer. — Peiner, suer, travailler, s'échiner.

Trinquer. — Boire, choquer.

Triomphal. — Glorieux, solennel, célèbre, éclatant, glorifié, retentissant.

Triompher. — Vaincre, l'emporter, rayonner.

Tripot. — Jeu, bouge.

Tripoter.—Toucher, manipuler, manigancer, remuer. — Pétrir, masser, malaxer, manier, palper.

Trique. — Bâton.
Triste. — Abattu, accablé, affecté, affligé. — Aigri, amer, angoissé, altéré, attristé, chagrin, désolé, endolori, éploré, navré, peiné, mélancolique. — Accablant, pénible, désolant, dur, douloureux, funeste, lamentable, mauvais.
Tristesse. — Abattement, affliction, chagrin, ennui, mélancolie, peine, douleur, amertume, épreuve, accablement.
Triture. — Habileté.
Triturer. — Écraser, pulvériser.
Trivial. — Commun, grossier, bas, vulgaire.
Troc. — Échange.
Trôler. — Promener, flâner.
Trombe. — Typhon, cyclone, tourmente, ouragan, bourrasque, rafale.
Tromper. — Abuser, duper, exploiter, frauder, illusionner, leurrer, décevoir, piper, tricher, frustrer, subornner.
Trompeter. — Dire, crier, publier, divulguer, corner.
Tronçon. — Morceau, partie, fragment.
Trône. — Siège.
Tronqué. — (*V. Tronquer.*) — Imparfait. — Incomplet, estropié.
Tronquer. — Couper, mutiler, supprimer, amputer, écourter, raccourcir, rogner, réduire.
Trophée. — Dépouille, butin.
Tropical. — Chaud, accablant, ardent, brûlant, étouffant, incandescent, suffocant, torride.
Trou. — Ouverture, creux, brèche, cavité.

Trouble. — Confusion, désordre, agitation, révolution. — Brouille, mésintelligence.
Trouble. — Obscur, confus, embrouillé, fumeux, indébrouillable, inéclairci, inextricable, nébuleux, nuageux, obscurci, opaque, ténébreux, voilé, terne, vague.
Troubler. — Abasourdir, ahurir, confondre, déconcerter, effarer, décontenancer, défaire, égarer, embrouiller, embarrasser, émotionner, émouvoir, impressionner, interdire, interloquer, intimider, remuer, saisir, stupéfaire.
Trouée. — Ouverture, percée, vide.
Troupe. — Groupe, ensemble.
Troupeau. — Réunion, groupe, rassemblement, foule.
Trousser. — Empaqueter, arranger, organiser, préparer. — Replier, relever. — Expédier, bâcler, hâter, activer, précipiter.
Trouvé. — (*V. Trouver.*) — Bien saisi. — Ramassé, recueilli.
Trouver. — Créer, découvrir, dénicher, déterrer, deviner, imaginer, inventer, résoudre, concevoir.
Truand. — Vagabond, mendiant.
Truchement. — Indice.
Truisme. — Évidence.
Truquer. — Falsifier.
Tuant. — Ennuyeux, fatigant, importun, assommant, éreintant, harassant, épuisant.
Tube. — Tuyau.
Tubercule. — Renflement, racine.

Tubéreux. — Renflé.

Troupeau. — Réunion, groupe, rassemblement, foule.

Tudesque. — Germanique, teutonique. — Grossier, brutal, lourd, dur.

Tuer (*fig.*). — Abattre, accabler, achever, foudroyer, renverser, occire, exterminer, massacrer, immoler.

Tuerie. — Carnage, massacre, hécatombe, égorgement, immolation, extermination.

Tuméfié. — Gros, enflé, gonflé, boursouflé.

Tumeur. — Excroissance.

Tumulte. — Fracas, bruit, sédition, tapage, désordre, révolution.

Turbulent. — Bruyant, désordonné, séditieux, vif, pétulant, remuant, agité, tapageur, sémillant.

Turgescent. — Gros, gonflé, tuméfié.

Turlupiner. — Ridiculiser, ennuyer, taquiner, agacer.

Tutélaire. — Auxiliaire, secourable, bon, protecteur, bienfaiteur, défenseur, providentiel.

Tutelle. — Défense, protection, patronage, appui, soutien, curatelle.

Tuteur. — Gardien, protecteur, soutien, appui.

Tuyau. — Tube, conduit, canal.

Type. — Modèle, exemple, échantillon, spécimen.

Typique. — Caractéristique, symbolique, clair, franc, catégorique.

Tyrannie. — Oppression, autocratie, absolutisme, domination, despotisme.

Tyrannique. — Cruel, opprimant, oppresseur, autocrate, despote, dictatorial.

U

Ulcère. — Plaie, blessure, lésion,

Ulcéré. — Blessé, déchiré, chagriné.

Uligineux. — Humide, marécageux.

Ultérieur. — Postérieur, consécutif, suivant, futur.

Ultérieurement. — Postérieurement, plus tard, ensuite.

Ultimatum. — Sommation, exigence.

Ultime. — Dernier, extrême, final.

Un. — Seul, distinct, isolé, simple, unique, rare, indivis, isolé.

Unanime. — Absolu, commun, complet, entier, général, total, universel.

Uni. — Ami, amoureux, cordial, fraternel, intime, lié, sympathisant, doux, égal. — Plat, uniforme, ras, poli, plané, nivelé, aplani, égal.

Uniforme. — Plat (*V. Uni*). — Continu, droit, semblable, simple, pareil, égal.

Uniment. — Également, simplement, bonnement.

Union. — Assemblement, rapprochement, accouplement, mariage, amitié, entente, sympathie, concorde, intelligence. — Ligue, confédération, association.

Unique. — (*V. Un.*) — Extraordinaire, anormal, énorme, inconnu, inouï, incroyable, singulier.

Universel. — Absolu, commun, complet, cosmopolite, éclectique, étendu, général, illimité, infini, total.

Urbain. — Citadin, municipal.

Urbanité. — Politesse, civilité, savoir-vivre, usage.

Urgent. — Pressant, pressé, nécessaire, imminent.

Urne. — Vase, pot, réceptacle.

Usable. — Fragile, altérable, délicat, destructible, faible, friable, inconsistant, périssable, précaire.

Usage. — Emploi, profit, jouissance, utilité, service, destination. — Us, coutume, habitude, savoir-vivre.

Usagé. — (*V. Usé.*)

Usé. — Abîmé, chiffonné, consumé, consommé, défraîchi, détérioré, effrité, épuisé, éteint, fané, flétri, froissé, limé, lustré, passé, râpé, vieux.

User. — (*V. Usé.*)

Usine. — Manufacture, fabrique.

Usité. — Accoutumé, consacré, constant, courant, coutumier, familier, traditionnel, usuel.

Usuel. — Commun, facile, pratique, commode, aisé.

Usure. — Intérêt, vol. — (*V. Usé.*)

Usurper. — S'emparer, prendre, voler, s'approprier, spolier.

Utile. — Avantageux, commode, expédient, favorable, fécond, fructueux, profitable, salutaire, précieux, efficace.

Utilitaire. — Égoïste.

Utopie. — Imagination, supposition, hypothèse, chimère, fiction, apparence, rêve, idéal.

Utopique. — Chimérique, creux, fantaisie, faux, fictif, figuré, idéal, illusoire, merveilleux, mystique, romanesque, supposé, théorique, vain.

V

Vacances. — Congé, liberté, loisir, repos, inoccupation, permission, vide, abandon, relâche, détente, pause.

Vacant. — Abandonné, cédé, délaissé, déserté, évacué, lâché, laissé, quitté, libre, dégagé, désencombré, disponible, inoccupé, ouvert, vide.

Vacher. — Berger, pâtre, pasteur.

Vacarme. — Bruit, tapage, charivari.

Vacillant. — Faible, chancelant, chevrotant, débile, fragile, pliant, tremblant, branlant, croulant, instable, périclitant. — Incertain, embarrassé, indécis, irrésolu, variable, ballotté, flottant, hésitant, ondoyant, versatile, mobile.

Vaciller. — Osciller, chanceler, branler, trembler. — Changer, hésiter, faiblir.

Vadrouille. — Vaurien, coureur, noceur, voyou.

Vagabond. — Débauché, bambocheur, bohême, dépravé, déréglé, désordonné, dévergondé, dissipé. — Nomade, aventurier, bohémien, mendiant, rôdeur, truand, chemineau.

Vague. – Flot, lame. – Inculte. – Indéfini, confus, amphibologique, douteux, fumeux, illimité, imprécisé, indéterminé, indiscernable, indistinct, troublé, vaporeux, indécis, flottant, irrésolu, hésitant, incertain, oscillant.

Vaillant. — Audacieux, brave, crâne, courageux, héroïque, intrépide, valeureux, fougueux, hardi, résolu.

Vain. — Chimérique, creux, frivole, fugace, futile, hypothétique, illusoire, imaginaire, incertain, insaisissable, insignifiant, instable, léger, négligeable, puéril, sans conséquence, sans consistance, sans effet, sans fondement, sans importance, sans motif, sans résultat, sans valeur, stérile, superficiel, vaniteux, vide, orgueilleux, fat.

Vaincre. — Abattre, accabler, anéantir, battre, mettre en fuite, surmonter, triompher, culbuter, défaire, dominer, mater, dompter, disperser, enfoncer, écraser.

Vaincu. — Battu (*V. Vaincre*). — Touché, fléchi, attendri, persuadé, convaincu, subjugué.

Vainqueur. — Conquérant, fier, lauréat, supérieur, victorieux.

Vaisseau. — Navire, embarcation.

Val. — Vallon.

Valable. — Réglementaire, bien, légal, normal, régulier, valide, convenable, efficace, salutaire, avantageux, précieux.

Valet. — Domestique, serviteur. — Flatteur.

Valétudinaire. — Malade, dépérissant, débile, impotent, incurable, languissant, maladif, malingre, souffreteux.

Valeur. — Courage, bravoure, audace, intrépidité, vaillance. — Prix, estime. — Argent, papier, effet. — Intensité, force, durée.

Valeureux. — (*V. Valeur.*)

Valide. — Vigoureux, fort, sain, bien portant, bien constitué, dispos, dru, gaillard, vert. — Réglementaire, légal, régulier, valable, efficace.

Valider. — Approuver, accepter, admettre, agréer, confirmer, homologuer, ratifier, sanctionner, souscrire, nommer.

Vallon. — Val, vallée, thalweg.

Vallonné. — Accidenté, bosselé, montueux, tourmenté, pittoresque.

Valoir. — (*V. Valeur.*) — Produire, procurer, rapporter.

Value. — Prix, estimation.

Vampire. — Voleur, accapareur, concussionnaire, déprédateur, usurier. — Monstre.

Vandale. — Destructeur, démolisseur, désolateur, dévastateur, exterminateur, ravageur, barbare.

Vanité. — (*V. Vain.*) — Fierté, orgueil, gloriole, gourme, hauteur, importance, prétention.

Vaniteux. — (*V. Orgueilleux.*)

Vantard. — Fanfaron, bravache, crâne, gascon, hâbleur, jactancieux, orgueilleux.

Vanter. — Applaudir, acclamer, complimenter, congratuler, encenser, exalter, féliciter, louer, prôner, recommander, acclamer.

Vaporeux. — Nuageux, fumeux, brumeux, trouble. — Imaginatif, chimérique, rêveur, visionnaire. — Indécis, vague, léger, flottant, changeant.

Vaquer. — S'appliquer à, s'occuper de, s'adonner à, travailler.

Vareuse. — Blouse.

Variable. — Capricieux, changeant, différent, discontinu, divers, flottant, incertain, inconstant, indécis, inégal, irrégulier, instable, léger, mobile, muable, vacillant, versatile.

Variant. — (*V. Variable.*)

Variation. — Différence, changement, écart, évolution, modification, mutation, transformation.

Varié. — Accidenté, bigarré, bariolé, changeant, complexe, divers, marbré, marqueté, mélangé, mêlé, moiré, nuancé, multicolore, rayé, taché, tigré, hétéroclite, hétérogène, mâtiné, panaché.

Variété. — Changement, diversité, mélange. — Groupe, espèce, embranchement.

Vase. — Boue. — Pot, urne, récipient.

Vaseux. — Vasard, boueux, bourbeux, crotté, fangeux, limoneux, marécageux, pâteux, sale, trouble. — Endormi, mou, lourd, languissant, épais.

Vaste. — Abondant, ample, copieux, fécond, riche, nombreux. — Grand, allongé, ample, colossal, élargi, énorme, étendu, immense. — Savant, cultivé, docte, érudit, génial, omniscient, universel.

Vaticinateur. — Prophète, devin.

Vaticiner. — Prédire, prophétiser, prévoir, annoncer.

Vaurien. — Voyou, canaille, coquin, sacripant, gredin.

Vautré. — Allongé, échoué, étendu, couché, renversé, roulé, traîné.

Vécu. — Accompli, ancien, antérieur, disparu, écoulé, éloigné, envolé, éteint, expiré, lointain, mort, oublié, passé, reculé, révolu, vieux.

Vedette. — Sentinelle, isolement, détachement.

Végétant. — Indécis, indolent, inerte, languissant, pesant, négligent, indifférent, stagnant, obscur, gêné.

Végéter. — Languir, traîner, vivoter, inactif, apathique, endormi, engourdi, flegmatique.

Véhément. — Brusque, brutal, cassant, dur, impétueux, rude, vif, violent, fort, âpre, désobligeant, ferme, rigoureux. — Passionné, ardent, brûlant, chaleureux, chaud, effréné, emporté, enflammé, enthousiaste, exalté, excessif, fougueux, passionné, virulent.

Véhicule. — Voiture, camion.

Véhiculer. — Voiturer, mener, traîner, transporter, promener, conduire.

Veille. — Garde, surveillance. — Insomnie.

Veillée. — Soirée.

Veiller. — Garder, surveiller, protéger. — Prendre garde, faire attention.

Veilleur. — Gardien, surveillant.

Veiné. — Marbré, rayé, nervé, strié, zébré, tigré.

Veines. — Vaisseaux, artères.

Velléité. — Intention, prétention, idée, lubie, fantaisie, caprice.

Véloce. — Léger, agile, rapide, preste, alerte.

Velouté. — Doux, poli, cotonneux, floconneux, laineux, pelucheux, ouateux.

Velu. — Poilu, hirsute, barbu, chevelu, moustachu.

Venaison. — Chair, viande, gibier.

Vénal. — Mercantile. — Sans scrupules.

Vendeur. — Débitant, marchand, détaillant.

Vendre. — Adjuger, aliéner, céder, débiter, écouler, liquider, réaliser, trafiquer. — Trahir, dénoncer, livrer.

Vené. — Abîmé, avancé, avarié, corrompu, faisandé, gâté, putréfié, pourri.

Vénéneux. — Toxique, délétère, létifère, venimeux.

Vénérable. — Estimé, considéré, honoré, respecté, respectable. — Vieux, ancien, patriarcal, primitif, sénile, suranné, vétéran.

Vengeance. — Représaille, revanche, talion, vendetta.

Venger. — Punir, corriger, frapper, redresser, réprimer.

Véniel. — Petit, léger, insignifiant.

Venimeux. — (*V. Vénéneux.*)

Venir. — Aborder, accourir, advenir, arriver, parvenir, survenir, aller. — Provenir, découler, descendre, succéder, émaner, procéder. — Naître, croître, pousser.

Vent. — Souffle, air, brise, bise, zéphyr, aquilon, rafale, bourrasque.

Venté. — Aéré, aérifié, ventilé.

Venteux. — Aéré, venté. — Tempétueux, déchaîné, mugissant, rugissant.

Ventilation. — Aération.

Ventre. — Abdomen, panse.

Ventricole. — Gourmand, gastronome.

Ventripotent. — Corpulent, obèse, pansu, replet, ventru, ballonné, dodu.

Venue. — Arrivée, approche.

Vénusté. — Grâce, charme, élégance.

Vêprée. — Soirée.

Véracité. — Vérité, authenticité, exactitude, réalité, véridicité.

Verbe. — Parole, langage, mot.

Verbeux. — Abondant, délayé, diffus, épars, filandreux, intarissable, prolixe, redondant.

Verbiage. — Bavardage.

Verdâtre. — Olivâtre.

Verdelet. — Acidulé. — Aigrelet, piquant.

Verdeur. — Acidité, âpreté, mordant. — Vigueur, jeunesse.

Verdict. — Décision, jugement.

Verdir. — Verdoyer.

Verdure. — Herbe, herbage, feuillage, gazon, feuilles.

Véreux. — Pourri, avancé, cadavéreux, gangrené, faisandé, gâté, moisi, piqué, putréfié, vermoulu, corrompu, immoral, malhonnête, perverti, sans mœurs, sans principes.

Verge. — Baguette.

Vergé. — Rayé, côtelé, moiré, nervé, sillonné, zébré.

Vergogne. — Honte, pudeur, décence, amour-propre, respect humain, modestie.

Véridique. — Arrivé, certain, exact, incontesté, fondé, réel, vrai, sincère.

Vérification. — Examen, contrôle, revue.

Vérifier. — Collationner, comparer, constater, contrôler, essayer, examiner, expérimenter, expertiser, repasser, recoler, reviser, revoir.

Vérité. — Exactitude, réalité, sincérité, bonne foi, justesse, véracité, certitude, axiome.

Vermeil. — Rouge.

Vermoulu. — Usé, ruiné, rongé, miné, pourri, délabré.

Vernal. — Printanier.

Verni. — Brillant, ciré, éclatant, glacé, laqué, lisse, luisant, reluisant, vernissé, encaustiqué.

Verrat. — Porc, cochon, pourceau.

Verrouiller. — Barricader, cadenasser, calfeutrer, clôturer, enfermer.

Versant. — Pente, penchant.

Versatile. — Capricieux, changeant, divers, fantaisiste, fantasque, inconséquent, inconstant, indécis, inégal, lunatique, mobile, ondoyant, quinteux, flottant, incertain, irrésolu, vacillant.

Verser. — Décanter, dépoter, déverser, épancher, épandre, répandre, renverser, transvaser, transvider.

Vert. — Glauque, olivâtre, olive, verdâtre, verdissant. — Acide, cru, dur, inconvenant, licencieux. — Fort, sain, jeune, vif, vigoureux, sévère.

Vertige. — Étourdissement, éblouissement, égarement.

Vertigineux. — Haut, extraordinaire, insensé. — Fougueux, rapide, torrentueux.

Vertu. — Austérité, chasteté, conscience, dignité, honnêteté, intégrité, loyauté, probité, pudeur, virginité, continence.

Verve. — Abondance, prolixité, volubilité, facilité, flux.

Vésanie. — Folie.

Vésicule. — Sac, cavité, vessie, glande, renflement.

Vestige. — Trace, marque, indice, ruine.

Vêtement. — Habillement, costume, tenue, mise, accoutrement, toilette.

Vétéran. — Vieux, ancien.

Vétillard. — Minutieux, chicaneur, méticuleux, pointilleux, tatillon, puéril.

Vêtir. — Accoutrer, affubler, ajuster, arranger, attifer, costumer, envelopper, habiller, munir, nipper.

Veule. — Abattu, amolli, atone, avachi, efféminé, endormi, engourdi, faible, flasque, lâche, langoureux, mollasse, nonchalant, ramolli, traînant.

Vexatoire. — Désagréable, dur, ennuyeux, irritant, opprimant, blessant, offensant, insultant.

Vexer. — Blesser, choquer, contrarier, fâcher, formaliser, heurter, indisposer, offenser, mécontenter, offusquer, piquer, peiner, tracasser, tourmenter, mortifier.

Viable. — Sain, bien constitué, dru, vivace.

Viager. — Borné, court, limité, momentané, passager, précaire, provisoire, temporaire, transitoire.

Viande. — Chair.

Viatique. — Vivres, pécule, réserve, provision. — Eucharistie.

Vibrant. — Mobile, convulsif, frémissant, mouvant, oscillant, remuant, tremblant, sonore, aigu, éclatant, résonnant, retentissant.

Vice. — Défaut, difformité, faute. imperfection, infériorité, insuffisance, malfaçon, travers,

Vicier. — Gâter, altérer, corrompre, pourrir, débaucher, démoraliser, dépraver, dévergonder, empoisonner, fausser, gangrener, gâter, perdre, pervertir, souiller.

Vicieux. — Corrompu, débauché, démoralisé, dépravé, déréglé, dévergondé, dissolu, immoral, impur, malhonnête, pervers, souillé. — Ombrageux, rétif, peureux.

Vicissitude. — Succession, alternative, instabilité. — Malheur, revers, insuccès, échec.

Victime. — Sacrifié, immolé, martyr.

Victoire. — Avantage, supériorité, maîtrise, succès, triomphe, lauriers.

Victorieux. — Conquérant, lauréat, triomphateur, premier, supérieur. — Fanfaron, fier, glorieux.

Vide. — Creux, désempli, évacué, débarrassé, déblayé, dégagé, dépeuplé, dépouillé, désert, inhabité, inoccupé, nettoyé, sec, stérile, taré. — Bête, pauvre. — (*Subst.*) Néant, nullité, privation.

Vider. — (*V. Vide.*) — Discuter, contester, contredire, réfuter. — Finir, terminer, régler, achever, clore, clôturer, enterrer. — Boire, absorber, avaler, consommer. — Tarir, épuiser, tirer, soutirer.

Viduité. — Veuvage, privation, dénuement.

Vie. — Existence, durée, jours.

Vieil, vieux. — Agé, ancien, antique, archaïque, caduc, lointain, passé, primitif, sénile, suranné, vénérable. — Patriarche, barbon, vieillard, vétéran.

Vieillesse. — Ancienneté, vétusté, antiquité, décrépitude, archaïsme.

Vieilli. — Abîmé, cassé, chenu, courbé, décrépit, défraîchi, démodé, désuet, éteint, fané, flétri, ravagé, reculé, ridé, rouillé, vieillot, voûté.

Vierge. — Angélique, candide, chaste, pur, immaculé, impollué, innocent, intact, limpide, vertueux, virginal, naïf, nouveau, jeune.

Vif. — Actif, allègre, animé, bondissant, dégagé, dégourdi, délié, déluré, fougueux, frétillant, fringant, habile, ingambe, mobile, pétillant, pétulant, preste, prompt, souple, vivace, vivant, vigoureux, violent. — Agaçant, aigre, âpre, douloureux, excessif, injurieux, irritant, fréquent. — Éveillé, animé, chaleureux, intelligent, nerveux.

Vigie. — Surveillance, observation, veille, garde, guet.

Vigilant. — Attentif, avisé, circonspect, considéré, précautionneux, prudent, réfléchi.

Vigne. — Treille, cru.

Vigoureux. — Fort, sain, valide, robuste.

Vil. — Grossier, vulgaire, rustre, populaire, inculte, gros, brut, bas. — Banal, insignifiant, commun, ordinaire, passable. — Avili, déprécié, méprisé, méprisable, ravalé.

Vilain. — Laid, déplaisant, désagréable, mauvais, malséant, licencieux, méchant. — Serf, manant, roturier.

Vilenie. — Méchanceté, obscénité, ordure, avarice.

Vilipender. — Avilir, bafouer, conspuer, critiquer, déconsidérer, décréditer, décrier, dénigrer, déprécier, détracter, déshonorer, diffamer, disqualifier, flétrir, honnir, injurier, insulter, rabaisser, ravaler, ravilir, salir.

Villageois. — Paysan, campagnard, rustique, agreste, champêtre.

Ville. — Cité.

Villégiature. — Séjour, vacances.

Villeux. — Poilu.

Vilifère. — Poilu.

Vinaigré. — Acide.

Vindicatif. — Acharné, irréconciliable, rancunier, haineux.

Viol. — Attentat, pollution, outrage, souillure, profanation.

Violation. — Profanation, infraction.

Violent. — Fort, concentré, dur, énergique, excessif, insurmontable, intense, puissant, renforcé, véhément, vif, vivace. — Brusque, brutal, cassant, cru, grossier, impétueux, inconvenant, injurieux, irascible, rude, tempétueux, tranchant, passionné, douloureux, cruel, aigu, cuisant.

déchirant, intolérable, pesant, poignant.

Violer. — Violenter, polluer, souiller, outrager, profaner. — Enfreindre, inobserver, transgresser, tourner.

Vipérin (*fig.*). — Méchant, perfide, fielleux, venimeux.

Virer. — Tourner, changer, pivoter.

Vireux. — Vénéneux, toxique.

Virgilien.—Bucolique,idyllique.

Virginal. — Innocent, pur, vertueux, jeune, naïf, modeste, blanc, immaculé.

Viridité. — Verdeur, verdure.

Viril. — Masculin, mâle, ferme, fort, courageux, vigoureux.

Virtualité. — Puissance, possibilité.

Virulence. — Force, activité, énergie, vivacité.

Visa. — Signature.

Viser. — Ajuster, mirer. — Désirer,ambitionner,convoiter, rechercher, souhaiter.

Visible. — Apparent, clair, distinct, éclatant, évident, manifeste, ostensible, patent, perceptible, sensible.

Vision. — Perception, image, idée. — Hallucination, rêve, folie, extravagance.

Visionnaire. — Halluciné, fou, extravagant, devin, enthousiaste, insensé.

Visite. — Réception, entrevue, audience.

Visiter. — Battre, examiner, fouiller, explorer, parcourir, sonder, traverser, fréquenter.

Visqueux. — Gluant, poisseux, sirupeux, collant.

Visser. — Fixer, accrocher, agrafer, ancrer, assujettir, attacher, boucler, clouer, coller, consolider, cramponner, enraciner, ficher, immobiliser, incruster, maintenir, retenir, river, sceller, tenir.

Vital. — Actif, efficace, énergique, généreux, nourrissant, nutritif, réconfortant, remontant, stimulant, tonique, vivifiant.

Vitalité. — Vigueur, force, endurance,résistance,efficacité.

Vite. — Rapide, agile, alerte, bref, expéditif, express, habile, hâtif, leste, prompt, vif. — Bientôt, aussitôt, incontinent.

Vitesse. — (*V. Vite.*)

Vitre. — Carreau, verre.

Vitré. — Transparent, clair, diaphane,lumineux,perméable, translucide.

Vitreux. — Terne, blafard, blême, décoloré, éteint, livide, terreux.

Vitupérer.—Critiquer,accabler, accuser, blâmer, calomnier, dénigrer, diffamer, flétrir, incriminer, noircir, reprendre, réprouver.

Vivace. — Fort, énergique, vigoureux, valide, tenace, résistant, trempé.

Vivant. — Animé, existant, debout, viable, vif, vivace, vital. — Ressuscité, sauf, sauvé, survivant, ranimé.

Vivifiant. — Fortifiant, excitant, généreux, nourrissant, réconfortant, tonique.

Vivre. — Nourriture, aliment,

victuailles, provisions, denrées, subsistance, provende, comestible.

Vocable. — Mot, parole.

Vocation. — Inclination, disposition, don, facilité, aptitude, aisance.

Vociférer. — Crier, hurler, mugir, rugir, tonitruer.

Voeu. — Promesse, engagement. — Souhait, désir.

Vogue. — Foire, fête, crédit, engouement, mode, renommée, popularité.

Voguer. — Naviguer, errer, être ballotté, flotter, surnager.

Voie. — Chemin, route, passage, rue. — Moyen, manière.

Voilé. — (*V. Voiler.*) — Invisible, secret, obscur, mystérieux.

Voiler. — Abriter, cacher, déguiser, dissimuler, envelopper, gager, masquer, couvrir, celer.

Voir. — Apercevoir, considérer, contempler, découvrir, discerner, distinguer, entrevoir, percevoir, remarquer, saisir, surprendre.

Voisin. — Proche, adjacent, attenant, contigu, environnant, limitrophe, rapproché, tangent, mitoyen.

Voisinage. — Proximité, contiguïté, contact, mitoyenneté.

Voiture. — Véhicule, attelage, équipage.

Voiturer. — Transporter, mener, conduire.

Volage. — Capricieux, changeant, fantasque, inconstant, léger, mobile.

Volatile. — Léger, aérien, éthéré, impalpable, subtil, vaporeux.

Voler. — S'envoler, s'élever, s'évaporer. — Cambrioler, déposséder, dépouiller, dérober, détourner, détrousser, dilapider, distraire, divertir, enlever, escroquer, estamper, frustrer, gruger, marauder, piller, rapiner, soustraire, soutirer, spolier.

Voleur. — Coquin, déprédateur, escroc, filou, larron, spoliateur, pick-pocket.

Volontaire. — Spontané, libre, voulu, résolu, énergique, intentionnel, libre, prémédité, arrêté. — Entêté, têtu, désobéissant.

Volonté. — Résolution, décision, énergie, ténacité, détermination.

Volontiers. — De bon cœur, aisément.

Voltairien. — Impie, incrédule, athée, sceptique, railleur.

Volte-face. — Changement, évolution, palinodie, pirouette.

Voltigeant. — Mobile, capricieux, changeant, flottant, papillonnant.

Volubilité. — Faconde.

Volume. — Cube, capacité. — Ouvrage, livre.

Volumineux. — Grand, gros, colossal, énorme, immense, imposant, large, spacieux, vaste, considérable, développé.

Voluptueux. — Charnel, lascif, libertin, luxurieux, passionné, sensuel. — Agréable, délicieux, moelleux, ravissant, savoureux, séduisant.

Vomir. — Cracher, évacuer, expectorer, secréter, rejeter, rendre. — Dire, proférer, émettre, débiter.

Vorace. — Affamé, avide, glouton, insatiable.

Vouer. — Consacrer, dédier, destiner, promettre.

Vouloir. — Désirer, ambitionner, souhaiter, convoiter. — Décider, arrêter, ordonner.

Voûté. — Bossu, rond, convexe.

Voyageur. — Étranger, cosmopolite, nomade, touriste, promeneur. — Représentant de commerce.

Voyage. — Promenade, excursion, exode, odyssée, tour, tournée, pèlerinage, navigation.

Voyant. — Coloré, visible, éclatant, criant, manifeste. – Devin, sibyllin, illuminé, inspiré, lucide, divinateur, magicien, sorcier.

Voyou. — Malpropre, grossier, mauvais sujet.

Vrai. — Absolu, admis, affirmé, arrivé, certain, confirmé, effectif, exact, existant, fondé, franc, incontesté, positif, réel, sincère, véridique, véritable, juste, mathématique, acquis, démontré, assuré.

Vraiment. — Réellement, effectivement, assurément, véritablement, certainement, véridiquement, certes.

Vraisemblable. — Apparent, croyable, naturel, plausible, possible, rationnel, soutenable, supposable, probable.

Vulgaire. — Brut, commun, banal, grossier, simple, insignifiant, populaire.

Vulgaire (le). — La foule, le peuple.

Vulgariser. — Répandre, communiquer, divulguer, enseigner, propager, révéler.

Vulnérable. — Sensible, faible.

W Y Z

Wagon. — Voiture.

Wattmann. — Conducteur, mécanicien.

Whig. — Libéral.

Wigwam. — Hutte.

Yacht. — (*V. Navire.*)

Yole. — Barque, esquif, canot.

Zébré. — Rayé, taché, bigarré, marbré, tigré, veiné.

Zélateur. — Partisan, fanatique.

Zèle. — Activité, ardeur, assiduité, dévouement, diligence, empressement, flamme, enthousiasme, fanatisme, intrépidité, passion, persévérance, soin, travail, vivacité, vigilance.

Zéro. — Nullité, néant, rien.

Zeugme. — Réunion, jonction.

Zigzag. — Crochet.

Zigzaguer. — Tituber.

Zoïle. — Critique envieux.

Zone. — Ceinture, cercle, territoire.

Edit. 21363   Imprimerie KUNDIG Genève   Imprimé en Suisse